MORALES SUR JOB

SOURCES CHRÉTIENNES

N° 476

GRÉGOIRE LE GRAND

MORALES SUR JOB

Sixième partie

(Livres XXVIII-XXIX)

TEXTE LATIN de Marc ADRIAEN (CCL 143B)

INTRODUCTION

par

Carole STRAW
Assistant to Associate Professor
Mount Holyoke College (USA, MA)

TRADUCTION

par

LES MONIALES DE WISQUES

NOTES

par

Adalbert DE VOGÜÉ
Moine de La Pierre-Qui-Vire

LES ÉDITIONS DU CERF, 29, Bd LATOUR-MAUBOURG, PARIS
2003

La publication de cet ouvrage a été préparée avec le concours
de l'Institut des « Sources Chrétiennes »
(UMR 5189 du Centre National de la Recherche Scientifique).

NOTE DE L'ÉDITEUR

Pour la troisième fois, *Sources Chrétiennes* offre à ses lecteurs une fraction des *Morales* de GRÉGOIRE LE GRAND précédée par une Introduction particulière. Après R. GILLET (*SC* 32 bis) et A. BOCOGNANO (*SC* 212), c'est Carole STRAW qui a bien voulu rédiger cette présentation de deux des derniers livres de l'ouvrage.

Commençant par un aperçu sur l'auteur et l'œuvre, l'ample Introduction de R. GILLET analysait ensuite la doctrine spirituelle des *Morales* et parcourait les sources majeures de Grégoire. Plus restreinte, la présentation d'A. BOCOGNANO s'attachait au problème central de l'œuvre – celui du mal –, et décrivait les procédés littéraires de l'auteur.

Évitant le plus possible de répéter ce qui avait été dit, et bien dit, par ses deux devanciers, C. STRAW a choisi d'étudier l'exégèse grégorienne du texte biblique, en soulignant son caractère spécifiquement chrétien : Job apparaît comme la figure du Christ souffrant, véritable héros du poème. Embrassant l'œuvre entière, cette étude s'achève par un regard sur la dernière partie des *Morales*, dont les deux premiers livres sont publiés dans le présent volume.

Sous une forme inhabituelle, qui enrichit la collection d'un type de présentation original, cet aperçu de l'éminente spécialiste américaine[1] répond au besoin principal et permanent des lecteurs de *Sources Chrétiennes* : comprendre la pensée patristique du dedans, dans son rapport avec la Parole de Dieu dont elle se nourrit. C'est à une lecture profonde, détachée des détails épisodiques, que nous convie cette nouvelle analyse des *Morales*. Que son auteur en soit remerciée.

Adalbert DE VOGÜÉ

1. Signalons au moins deux de ses publications : C. STRAW, *Gregory the Great : Perfection in Imperfection*, Berkeley 1988, (*Transfiguration of the Classical Heritage*, 214) – *Gregory the Great*, dans *Authors of the Middle Ages : Historical and Religious Writers of the Latin West*, ed. P.J. GEARY, vol. IV, nos 12-13, Aldershot, Variorum 1996, p. 1-72.

ABRÉVIATIONS

I. RÈGLES MONASTIQUES

RB   *La Règle de saint Benoît*, éd. A. de Vogüé, t. I-VI, Paris 1971-1972 (*SC* 181-186).

RM   *La Règle du Maître*, éd. A. de Vogüé, t. I-III, Paris 1964-1965 (*SC* 105-107).

II. ŒUVRES DE GRÉGOIRE

Dial.   *Dialogorum Gregorii Papae. Dialogues*, éd. A. de Vogüé et P. Antin, Paris 1978-1980 (*SC* 251, 260 et 265).

In Ez. fragm.   *Fragmenta a Paterio Gregorii Magni Homiliis in Ezechielem adscripta* (*CCL* 142, p. 399-432).

Hom. Eu.   *Homiliae in Euangelia* (*PL* 76, 1075-1312).

Hom. Ez.   *Homiliae in Ezechielem prophetam* (*CCL* 142, p. 1-398). *Homélies sur Ézéchiel*, éd. P. Morel, Paris 1986-1990 (*SC* 327 et 360).

In Cant.   *Expositio in Canticum Canticorum* (*CCL* 144, p. 1-46). *Commentaire sur le Cantique des Cantiques*, éd. R. Bélanger, Paris 1984 (*SC* 314).

Mor.	*Moralia in Iob* (*CCL* 143, 143 A et 143 B). *Morales sur Job*, Livres I-II : éd. R. Gillet et A. de Gaudemaris, Paris 1975 (*SC* 32 bis). Livres XI-XVI : éd. A. Bocognano, Paris 1974-1975 (*SC* 212 et 221).
Mor., Ep.	*Morales sur Job, Lettre-Dédicace* : éd. R. Gillet et A. de Gaudemaris, Paris 1975 (*SC* 32 bis, p. 114-135).
Past.	*Regulae Pastoralis Liber* (*PL* 77, I3-128). *La Règle pastorale*, éd. B. Judic et F. Rommel, t. I-II, Paris 1992 (*SC* 381-382).
Reg. Ep.	*Registrum Epistularum* (*CCL* 140 et 140 A). *Registre des lettres*, Livres I-II, éd. P. Minard, Paris 1991 (*SC* 370 et 371).

III. DIVERS

CCL	*Corpus Christianorum, series Latina*, Turnhout.
CPL	*Clauis Patrum Latinorum*, Turnhout.
JTS	*Journal of Theological Studies*, Oxford.
MGH	*Monumenta Germaniae Historica*, Berlin.
MSR	*Mélanges de Science Religieuse*, Lille.
OCA	*Orientalia Christiana Analecta*, Rome.
PL	*Patrologia, series Latina*, Paris.
REAug	*Revue des Études Augustiniennes*, Paris.
RecAug	*Recherches Augustiniennes*, Paris.
RecTh	*Recherches de Théologie et philosophie médiévales*, Louvain.
RSR	*Recherches de Science Religieuse*, Paris.
SC	*Sources Chrétiennes*, Paris.
VS Suppl.	*Supplément* à la *Vie Spirituelle*, Paris.

INTRODUCTION

GRÉGOIRE ET L'EXÉGÈSE DE *JOB*

Grégoire a commencé à commenter le *Livre de Job* un peu après 579, pendant sa mission à Constantinople en tant qu'apocrisiaire du pape Pélage II. Autour de Grégoire se trouvait un groupe de moines qui lui servaient en quelque sorte de refuge face à la politique impériale de Constantinople[1]. Il trouvait en eux « comme une amarre qui le rattachait au rivage tranquille de la prière », quand il se sentait malmené par les « remous continuels des affaires séculières ». Or ces moines cherchaient en Grégoire un guide spirituel et n'avaient de cesse qu'il ne prît en charge l'explication du *Livre de Job*, « ce travail difficile » et déconcertant, « jusqu'à maintenant jamais traité à fond par personne »[2].

---

1. Grégoire nous confie ces renseignements dans la *Lettre-Dédicace* (*Mor., Ep.*) qu'il adresse à Léandre, qui était frère de saint Isidore et l'avait précédé comme évêque de Séville. On en trouvera le texte dans l'édition des premiers livres des *Morales sur Job* (*SC* 32 bis, p. 114-135).

2. *Mor., Ep.* 2, p. 118. Il existait en réalité des commentaires sur *Job*. Entre autres d'AUGUSTIN, les *Adnotationes in Iob*, Lib. I ; d'AMBROISE, les *Homiliae in Iob* et les *Selecta in Iob* ; ainsi que le fameux commentaire par le Prêtre PHILIPPE, disciple de S. Jérôme (*CPL* 643). Nous avons aussi de JEAN CHRYSOSTOME un *Commentaire sur Job*, récemment publié dans *SC* 346-347.

Grégoire avait presque quarante ans quand il se mit à réaliser cet audacieux projet, et il se sentit d'abord dépassé par l'ampleur de la tâche. Mais, mettant sa confiance en Dieu « qui permet, même aux enfants, de parler avec éloquence[1] », il persévéra, pensant « qu'il n'était pas nuisible qu'un tuyau de plomb donne naissance à des torrents d'eau pour le service des hommes[2] ».

Nous ne savons pas combien de temps il lui a fallu pour venir à bout de ce « travail difficile », et comment il trouva le temps, malgré une activité pressante, de réfléchir aux problèmes délicats que pose le Livre. Grégoire retourna à Rome entre 585 et 586, reprenant son office de diacre et habitant de nouveau le monastère dédié à Saint André dans la propriété familiale du Coelius. Il put alors revoir ses notes. Les premières parties, qu'il avait données oralement à ses moines et conservées, furent resserrées. Les parties suivantes, qu'il avait dictées directement à un sténographe, furent amplifiées pour mieux correspondre au style des premières parties.

Le travail fut divisé en six volumes et trente-cinq livres (Livres 1-5 ; 6-10 ; 11-16 ; 17-22 ; 23-27 ; 28-35). Grégoire précise que la troisième partie (livres 11-16) resta sans retouches[3]. Il avait écrit à Léandre en avril 591, lui promettant de lui envoyer ses *Moralia*. Mais la lettre qui accompagne l'envoi ne fut écrite qu'en juillet 595. C'est là qu'il fait cette sombre remarque que les temps troublés de l'époque montrent que la fin du monde est proche[4]. Quoi qu'il en soit, et en dépit des angoisses de Grégoire, le travail pourrait même avoir été publié plus tard, peut-être pas avant 596. Grégoire continuait à retoucher son texte avant sa publication. En témoigne la mention de la conversion des Anglais faite au livre 27 des *Moralia* (XI, 21). Or la mission

1. Sg 10, 21 citée dans *Mor., Ep. 2*, p. 120, l. 2.
2. *Mor., Ep. 2*, p. 120, l. 10-11.
3. *Mor., Ep. 2*, p. 122, l. 1-2. Cf. *Mor.* 10, 55 ; *Mor.* 11, 1.
4. *Mor., Ep. 1*, p. 116, l. 17-18.

d'Augustin de Cantorbéry en Grande-Bretagne n'a pas commencé avant 596.

LES PRINCIPES DE L'EXÉGÈSE DE GRÉGOIRE

Dans leur ensemble, les *Moralia*[1] se présentent comme une œuvre abondante et faite à loisir. Grégoire fait remarquer à Léandre que pour bien comprendre les Écritures, il faut les suivre comme on suit les méandres d'une rivière, prenant plaisir à la digression dès qu'une chance est donnée d'ouvrir une perspective édifiante. Cette vaste rivière invitait donc à présenter de multiples interprétations. Parfois sans beaucoup d'eau pour que l'agneau n'y perde pas pied, elle était aussi assez profonde pour permettre à l'éléphant d'y nager librement.

On a là une description qui correspond à l'exégèse imprévisible et souvent surprenante de Grégoire dans les *Moralia*. Il peut commencer par le point de vue littéral ou historique, ou tout simplement laisser tomber cette lecture littérale parce qu'insoutenable, et aller tout de suite vers une exégèse tropologique, christologique ou ecclésiologique. Il ne traite qu'occasionnellement les versets selon le sens anagogique[2]. Grégoire, en effet, explique à Léandre que le plus important pour lui est l'instruction morale de ceux qui l'écoutent et que ce but indique la bonne méthode pour ordonner le discours[3].

La compréhension morale étant à ses yeux le sommet de l'interprétation, d'autres niveaux d'exégèses lui font écho,

1. C'est le nom latin des *Morales sur Job* de Grégoire.

2. Il est traditionnel de discerner les trois sens de l'Écriture : le sens littéral ou historique qui expose ce que les mots veulent dire, le sens allégorique ou sens caché par l'Esprit saint et qu'il faut découvrir, le sens tropologique qui contient l'enseignement moral. Ce sont les sens que distingue Grégoire dans sa *Mor., Ep.* 3, p. 124, l. 4. Sur les différents sens de l'Écriture chez Grégoire, cf. H. DE LUBAC, *Exégèse Médiévale*, Première partie, Paris 1959, p. 187 s. Quant au sens anagogique, il est pour beaucoup contenu dans l'allégorie.

3. *Mor., Ep.* 2, p. 122, l. 11 et s.

renforçant ainsi l'enseignement à retenir par chaque chrétien. Au sens large, tous les niveaux d'exégèse contribuent à l'enseignement moral, qu'ils portent sur le Christ, l'Église, le chrétien, ou Job.

Grégoire paraît bien avoir eu quelque idéal d'une interprétation systématique, car il expose à Léandre une « triple démarche » : « D'abord nous établissons les fondements du sens littéral ; ensuite, par le sens typique, nous faisons de l'architecture de notre âme une citadelle de la foi ; puis, en dernier lieu, par l'agrément du sens moral, nous revêtons en quelque sorte l'édifice d'une couche de couleur [1] ». Mais dans la réalité, il ne se conforme pas strictement à un tel plan. Son souci premier est de mettre en valeur les enseignements que suggère chaque verset. Chacun contient un trésor qu'il faut découvrir, chacun est un puzzle à agencer. Grégoire saute des étapes, multiplie les digressions et, revenant au sujet, ne reprend pas forcément son exégèse depuis le début. Ainsi, un chapitre peut apporter plusieurs leçons différentes, sans lien les unes avec les autres, plutôt qu'une histoire bien composée avec un début, un milieu et une fin. Attendre un raisonnement linéaire serait une erreur, car les *Moralia* ne sont pas une explication systématique ou une dissertation, mais une collection d'enseignements. L'évolution progressive du caractère de Job, les échanges troublants entre Dieu et le démon, et les complexités de l'intrigue, telle qu'elle se déroule, sont enveloppés dans les enseignements particuliers plus frappants que le verset suggère à son imagination. Dans cette collection de leçons morales, Grégoire, délibérément, passe vite sur les versets provocants mais problématiques du *Livre de Job*. Cela ne veut pas dire qu'il ne percevait pas les problèmes profonds propres au *Livre de Job*. Il les sentait plei-

---

1. *Mor., Ep.* 3, début. Voir P. CATRY, « Épreuves du Juste et mystère de Dieu. Le Commentaire littéral du *Livre de Job* par saint Grégoire le Grand », *REAug* 18, 1972, p. 124-144 = *Parole de Dieu, amour et Esprit saint* (*Vie Monastique* 12), Bellefontaine 1981, p. 38-58.

nement, et ce sont eux qui donnent sa forme à sa théologie morale.

LE JOB HÉBRAÏQUE ET LE JOB DE GRÉGOIRE

La lecture du *Livre de Job* par Grégoire repose sur des prémisses bien différentes de celles d'aujourd'hui.

Les historiens modernes ont tendance à se fixer sur le sens littéral, cherchant à savoir ce que veut dire le texte lui-même, dans son contexte historique. Il est donc intéressant de voir exactement tout ce que Grégoire dans son interprétation garde du texte historique, et ce qu'il doit réinterpréter ou rejeter.

Les spécialistes d'aujourd'hui voient dans le personnage de Job un pion dans le combat qui s'engage entre Dieu et le démon. Ceci, Grégoire l'admettait. Nous voyons un Job innocent tourmenté par le démon dans une lutte cruelle arbitrée par Dieu : le démon a lancé ce défi *peau pour peau*. Jusqu'où Job va-t-il pouvoir endurer de souffrir avant de lâcher prise et de blasphémer Dieu ?

Tout au long des pertes qu'il subit, Job se déclare innocent et revendique d'être équitablement entendu devant le tribunal de Dieu, son Créateur. Grégoire admet tout cela.

Ce qu'il lui faudra réinterpréter, ce sont les lamentations de Job, ses pensées suicidaires et ses invectives. Dans sa souffrance atroce, Job va jusqu'à maudire le jour de sa naissance et désirer la mort. Il se plaint sans cesse d'être frappé injustement. Mais Job n'obtient jamais la reconnaissance et le jugement équitable qu'il réclame.

Grégoire interprète bien la fin du Livre. Dieu répond enfin à Job, mais avec un jugement foudroyant qui, de l'orage, tombe sur lui. Ce qui importe alors, ce n'est pas l'innocence de Job, mais la puissance de Dieu, parce que c'est Dieu, et non Job, qui a *bâti les fondations de la terre* ; c'est Dieu qui *a enfermé la mer derrière ses portes*. Réprimandé et humilié, Job ne peut qu'admettre le pouvoir absolu et écrasant qu'a Dieu de faire tout ce qu'il veut. Seule la puissance de Dieu détermine la justice. Grégoire fait sienne cette leçon fondamentale du texte.

Pourtant, dans le texte hébreu, le *Livre de Job* incarne une théologie morale qui diffère sensiblement de celle des premiers chrétiens. Écrivant entre 600 et 450 av. J-C, le rédacteur hébreu de Job pouvait admettre qu'un homme juste soit blessé et s'irrite, qu'il brandisse le poing et mette en doute la justice de Dieu. La sincérité même des protestations de Job rend la puissance absolue de Dieu d'autant plus étonnante. Dieu se contente de retourner à Job ses reproches depuis les nuées, et Job est anéanti.

Mais, du temps de Grégoire, les chrétiens du sixième siècle (et ceux de bien d'autres siècles) ne peuvent concilier la droiture de Job avec certaines de ses protestations les plus vigoureuses. Un comportement plus respectueux a été depuis lors rétabli par la tradition chrétienne. Le fidèle doit maintenant à Dieu endurance soumise, *patientia* et bien plus, il doit apprendre à le remercier dans la souffrance et le malheur.

Telle est la pensée de Grégoire qui va ainsi, dans ses écrits sur Job, donner à la tradition de l'Occident un nouveau modèle de l'homme souffrant. Ce ne sera plus ni le Job hébraïque ni l'Hercule classique, tous deux personnages tragiques qui se confrontent avec un Destin implacable et les forces hostiles du monde surnaturel. Grégoire crée le Job chrétien, qui accepte la souffrance sans se plaindre, et ainsi en sort triomphant.

Ceci est un moment important dans la tradition de l'Occident, un événement marquant, parce qu'un nouveau héros apparaît pour incarner les valeurs chrétiennes. Job prendra sa place à côté du martyr et du moine, en tant qu'imitateur du Christ. Mais tandis que la vie de ces derniers, par leur sacrifice, implique retrait du monde et mort au sens propre ou mort de l'ascèse, Job, lui, est un exemple pour les chrétiens vivant dans le monde, qui portent les peines et les joies de la vie de tous les jours. Job est, pour ainsi dire, le Christ vécu dans la vie pratique.

Cet homme, dans toute l'acception du terme, enseigne que la vie est une lutte sans fin ; que le destin soit bon ou mauvais, elle est une épreuve qu'il faut surmonter. La prudence, le contrôle de soi et la pénitence forment la discipline dont l'homme a besoin pour affronter les diverses tentations et souffrances de la vie.

Cette conception de la vie humaine est si profondément ancrée et paraît tellement évidente aux chrétiens de l'Occident qu'ils ne la remarquent qu'avec peine. D'autres alternatives nous permettraient seules d'apprécier cette réalité historique. Par exemple, les chrétiens d'Occident ne voient pas la vie comme une grande aventure à explorer ou une extraordinaire occasion de profiter de tout ce qui est bon. Dans l'ensemble, les chrétiens voient la vie comme une lutte. Ceci est en grande partie l'héritage de Job.

LES AUDACES DE JOB

Dès lors un problème se pose et il est simple : Grégoire doit concilier le Job du texte hébraïque – avec ses revendications et son franc-parler – avec le comportement moral plus soumis de l'idéal chrétien.

Souvent, Grégoire est obligé de renoncer au sens littéral et d'appliquer l'allégorie pour harmoniser les deux modèles. Dans le texte, Job se déclare accablé par de si grands malheurs que son âme *choisit la pendaison et la mort plutôt que la vie* (Jb 7, 15). De telles expressions ne doivent pas être prises selon le sens littéral, explique Grégoire. « Quel esprit droit pourrait croire qu'un homme de pareille réputation – dont nous voyons justement la patience récompensée par celui qui juge les cœurs – ait décidé au milieu de ses épreuves de mettre par la pendaison un terme à sa vie[1] ? » Certaines répliques de Job semblent dures aux lecteurs de peu d'expérience, n'ayant pas l'habitude de découvrir la piété cachée au fond de sa douleur[2]. De telles expressions, si elles étaient prises littéralement, seraient déraisonnables ou contradictoires de la part de quelqu'un qui a confessé humblement que « le Seigneur donne et le Seigneur reprend[3] ».

Certainement, personne n'est vertueux s'il maudit dans la souffrance, affirme Grégoire[4]. Les auditeurs ne doivent donc pas condamner Job ni penser qu'il s'égare en paroles, ou qu'il fait des reproches à Dieu, – ce qui serait profanation et blasphème –, car, alors, le jugement de Dieu sur les mérites de Job serait faux, et le démon aurait gagné son pari contre Dieu. Ce serait impie de le penser[5].

Pour que nous ne soyons pas envahis par une tempête de doute, nous devons comprendre le texte de la façon dont « il sonne juste à l'oreille de Dieu[6] ». Quelque intrigués que soient les lecteurs devant les réponses de Job dans la partie centrale du *Livre*, ils doivent toujours se rappeler que le début et la fin du *Livre* mettent en évidence la droiture de Job[7]. Les lecteurs doivent donc se focaliser sur ces derniers passages où la récompense de Job est la preuve « qu'il n'y avait rien de mal, mais seulement du bien dans tout ce qu'il avait dit[8] » et que « même quand il souffrait terriblement, Job ne s'est pas révolté contre les décrets de celui qui l'affligeait[9] ».

1. *Mor., Ep.* 3, p. 124, l. 22 s.
2. *Mor., Praef.* 7.
3. Cf. *Mor.* 4, *Praef.* 3-4 (*CCL* 143, 161-162).
4. Cf. *Mor.* 14, 36 (*CCL* 143A, 719-720).
5. *Mor., Praef.* 8 (*CCL* 143, 14) ; *Mor.* 2, 13 (*CCL* 143, 68) ; *Mor.* 14, 36 (*CCL* 143A, 719).
6. *Mor.* 7, 1 (*CCL* 143, 334).
7. *Mor.* 7, 1 (*CCL* 143, 334).
8. *Mor., Praef.* 8 (*CCL* 143, 13-14).
9. *Mor.* 2, 29 (*CCL* 143, 77).

Grégoire soutient que protester contre la souffrance serait péché ; cette souffrance est une disposition providentielle de Dieu. Cette idée de *patientia*, l'acceptation silencieuse de la souffrance et la soumission à la Providence, doit sans doute beaucoup à la tradition stoïcienne du gladiateur prudent et inébranlable[1]. Mais l'objectif premier de Grégoire est d'élaborer un idéal chrétien d'une obéissance dans laquelle la soumission est absolue et acceptée avec enthousiasme. Ainsi, la signification du jugement de Dieu (dans les derniers livres) est d'abord de montrer que Job avait besoin d'apprendre à vouloir ce que Dieu veut. Il nous enseigne aussi à aligner notre propre volonté sur celle de Dieu. C'est aussi la leçon que nous enseigne le Christ dans sa prière à Gethsémani. Après avoir dit à son Père : « *Éloigne de moi cette coupe* », il ajoute : « *Cependant non pas comme je veux, mais comme tu veux*[2] » (Mt 26, 39). Job aurait dû rendre grâce à Dieu pour les peines qu'il subissait.

Grégoire, quand il s'interroge sur les réponses de Job à ses accusateurs, niera d'abord que ses protestations soient vraiment des protestations. Mais à la fin des *Moralia*, il devient plus critique en face des éclats de Job, les prenant comme des reproches. En même temps, il devient plus exigeant en réclamant de Job un consentement parfait à la volonté de Dieu.

Ainsi, pour pouvoir exposer les idéaux chrétiens, le texte hébreu a été entièrement réinterprété. Pour Grégoire, on ne devrait pas simplement accepter la souffrance comme une nécessité, l'expression inévitable de la puissance de Dieu. On devrait saisir joyeusement l'occasion de souffrir, car c'est ainsi marcher à la suite du Christ et répondre au sacrifice

---

1. Voir surtout les *Dialogues* de SÉNÈQUE ; Michel SPANNEUT, « Le stoïcisme dans l'histoire de la patience chrétienne », *MSR* 39, 1982, p. 101-130. Il manque une étude approfondie du stoïcisme de Grégoire.

2. *Mor.* 12, 16 (*CCL* 143A, 638). Quand Grégoire commente Mt 26, 39, il voit dans les paroles du Christ une condescendance à l'égard de ceux qui sont faibles, pour écarter leur peur et leur apprendre l'obéissance.

généreux qu'il a fait pour sauver l'humanité. Ainsi la souffrance devient-elle une offrande sacrificielle, c'est-à-dire méritoire.

LA RÉINTERPRÉTATION DES PROTESTATIONS DE JOB

Grégoire utilise plusieurs méthodes pour traiter les versets difficiles.

Quelquefois les protestations de Job sont lues comme se référant au Christ ou à son Corps, l'Église. Par exemple, se réfère au Christ la prière de Job pour demander justice (6, 2-3) : « *Oh ! si l'on pouvait peser les péchés par lesquels j'ai mérité la colère ! Et si les malheurs que je souffre étaient déposés dans la balance ! Ils apparaîtraient plus lourds que le sable des mers* ». « Qui d'autre, demande Grégoire, est exprimé sous le nom de balance, sinon le Médiateur entre Dieu et l'homme, lui qui est venu peser le mérite de nos vies et apporter avec lui la justice et le pardon[1] ? » Grégoire évite ainsi d'appliquer le verset littéralement à Job.

En d'autres occasions, une interprétation tropologique permet d'atténuer certaines expressions violentes. Le désir, chez Job, de pendaison et de mort de préférence à la vie, doit être compris selon le sens moral comme exprimant le désir d'une mort ascétique. « Lorsque l'âme aspire au ciel, elle supprime en elle toutes les forces de la vie extérieure[2] ».

Parfois, Grégoire change le sens littéral. En *Job*, le verset 23, 4-5 : « *Je porterai ma cause devant lui et remplirai ma bouche de reproches pour pouvoir connaître les paroles qu'il me répondra et comprendre ce qu'il va me dire* » peut être compris par le lecteur moderne comme un reproche de Job à Dieu. Mais Grégoire le lit seulement selon le sens moral comme le reproche que le chrétien se fait à lui-même lorsqu'il examine sa conscience[3].

1. *Mor.* 7, 2 (*CCL* 143, 335).
2. *Mor.* 8, 44 (*CCL* 143, 415).
3. *Mor.* 16, 35 (*CCL* 143A, 819).

De façon semblable, la malédiction de Job contre le jour de sa naissance (Jb 3, 3) doit être comprise allégoriquement : le saint homme maudissait l'inconstance de la vie humaine en souhaitant l'éternité[1]. Car si de tels mots étaient compris littéralement, « il n'y aurait rien de plus condamnable », reconnaît Grégoire[2]. Quand les mots sont en désaccord avec la raison, le texte même montre que le saint homme ne parle pas littéralement[3]. Cependant, dans certaines occasions révélatrices, Grégoire tient à prendre les mots de Job au pied de la lettre, soutenant qu'ils ne sont rien d'autre que la vérité[4].

LA QUESTION DE LA JUSTICE DE DIEU

Si les accès de colère de Job troublent Grégoire, ce n'est pas tant à cause de ce qu'ils suggèrent du comportement de Job, mais surtout à cause de ce qu'ils impliquent à propos de Dieu. « Une question importante se pose, car si [Job] n'a pas péché en disant : *'Sachez au moins maintenant que ce n'est pas avec justice que Dieu m'a ainsi affligé'* (Jb 19, 6), nous sommes d'accord pour dire que Dieu avait fait quelque chose qui n'était pas juste, ce qui est un propos impie ; mais si effectivement, [Job] a péché, le démon alors a démontré ce qu'il avait promis[5] ».

Ainsi se pose le problème : Job était-il innocent et donc frappé injustement ? Ou Job n'était-il pas innocent et donc frappé justement ?

Ce problème central de théodicée reste toujours la question sous-jacente qui anime l'exégèse de Grégoire. Comment les desseins d'un Dieu tout-puissant et bon peuvent-ils être compatibles avec la présence du mal ? En particulier, com-

1. *Mor.* 4, 4 (*CCL* 143, 166).
2. *Mor.* 4, *Praef.* 2 (*CCL* 143, 159).
3. *Mor.* 4, *Praef.* 3 (*CCL* 143, 161).
4. *Mor.* 14, 36 (*CCL* 143A, 719-720).
5. *Mor.* 14, 36 (*CCL* 143A, 719).

ment un Dieu juste peut-il tourmenter un homme innocent ? Le texte est troublant et Grégoire s'est débattu pour l'expliquer correctement, sans toujours y réussir.

La structure de son travail est en partie conditionnée par son milieu. Augustin, si nous le comparons à lui, faisait partie d'une élite intellectuelle pleine de vitalité. Ses adversaires étaient là pour passer au crible ses affirmations, critiquer ses arguments et, pour ainsi dire, « vérifiaient ses références ». Cette situation forçait Augustin à rechercher une cohérence logique impitoyable. Au VIᵉ siècle, Grégoire manquait d'adversaires aussi rigoureux, qui l'auraient forcé à peaufiner et systématiser ses idées. Son travail est plus libre, plus symbolique, plus intuitif et plus apodictique que celui d'Augustin. Le travail de Grégoire possède sa propre argumentation et sa propre structure, basées sur des perceptions mystiques et spirituelles. La preuve que les réponses de Grégoire convenaient aux gens de son temps est la large diffusion des manuscrits des *Moralia*.[1]

INNOCENCE ET PÉCHÉ DE JOB

Grégoire défend la justice de Dieu par une réponse qui est à mi-chemin entre un compromis et une synthèse, et il manifeste ainsi le débat intérieur qui est le sien.

1. Voir les différents articles de R. WASSELYNCK, « L'influence des *Moralia in Iob* de saint Grégoire le Grand sur la théologie morale du VIIᵉ au XIIᵉ siècle », Diss. Lille 1956, 3 vol. ; « Les Compilations des *Moralia in Iob* du VIIᵉ au XIIᵉ siècle », *RecTh* 29, 1962, p. 5-32 ; « La part des *Moralia in Iob* de S. Grégoire le Grand dans les Miscellanea victorins », *MSR* 10, 1953, p. 287-294 ; « Les *Moralia in Iob* dans les ouvrages de morale du haut moyen-âge latin », *RecTh* 31, 1964, p. 5-31 ; « L'influence de l'exégèse de S. Grégoire le Grand sur les commentaires bibliques médiévaux (VIIᵉ au XIIᵉ siècle) », *RecTh* 32, 1965, p. 157-204 ; « Présence de S. Grégoire le Grand dans les recueils canoniques (Xᵉ au XIIᵉ s.) », *MSR* 22, 1965, p. 205-219 ; « Présence des *Moralia* de S. Grégoire le Grand dans les ouvrages de morale du XIIᵉ siècle », *RecTh* 35, 1968, p. 197-240 ; 36, 1969, p. 31-45. – Voir aussi E. Ann MATTER, « Gregory the Great in the Twelfth Century », dans *Gregory the Great : A Symposium*, ed. John C. Cavadini, Notre-Dame 1995, p. 216-226.

GRÉGOIRE ET L'EXÉGÈSE DE JOB

Pour lui, Job est tourmenté à la fois avec raison et sans raison[1]. Il est innocent et pourtant n'est pas sans péché[2]. A la fois Dieu a agi avec rectitude et pourtant Job était frappé injustement[3]. Quand Job lance ce défi : « *Si je suis jugé, je serai trouvé juste* » (Jb 13, 18), Grégoire fait une distinction importante : « [Job] déclare qu'il sera *trouvé juste* au jour du Jugement, [mais] ne dit pas du tout qu'il n'est pas affligé avec justice[4] ». Dans le livre 13, un des écrits que Grégoire n'avait pas révisé, la tension de la situation de Job est évidente. Il déclare : « '*Je n'ai pas péché et mes yeux demeurent dans l'amertume*' (Jb 17, 3). C'est comme si Job avait tout simplement dit : je n'ai pas été coupable de péché, et j'ai été soumis aux coups du fouet. Mais ici il ébranle notre cœur : étant donné que dans beaucoup de passages de cette histoire, il admet avoir péché, pourquoi n'admet-il pas avoir péché maintenant ? On trouve la raison de suite : il n'avait pas péché au point de mériter ces châtiments et pourtant il ne pouvait pas être sans péché[5] ».

Ici Grégoire souligne la culpabilité de l'homme Job plus qu'il ne le fait habituellement. Grégoire conclut avec ce balancement qui est caractéristique de sa pensée : que Job ne soit pas tourmenté pour le châtiment de son péché, Dieu en est témoin, puisqu'il fait son éloge alors même qu'il le tourmente. Mais aussi, que Job ne soit pas sans péché, c'est ce que ne nie pas l'homme qui est loué par le Juge, et qui n'est loué que parce qu'il ne le nie pas[6].

Ailleurs, ce sont les technicités verbales qui semblent adoucir le texte. Dans une exégèse des mots de Job en 10, 3 : « *Est-ce qu'il te semble bon de calomnier et d'opprimer le pauvre, l'œuvre de tes mains, et de venir en aide au conseil des méchants ?* » Grégoire interprète Job comme s'il disait

---

1. *Mor.* 3, 3 (*CCL* 143, 116).
2. *Mor.* 13, 34 (*CCL* 143A, 687).
3. *Mor.* 14, 46 (*CCL* 143A, 726).
4. *Mor.* 11, 51 (*CCL* 143A, 615).
5. *Mor.* 13, 34 (*CCL* 143A, 687).
6. *Mor.* 13, 34 (*CCL* 143A, 687).

simplement : « Toi qui es souverainement bon, je sais que tu ne trouves pas bien d'opprimer et de calomnier l'homme pauvre. Et donc, je sais qu'il n'est pas injuste que je souffre, mais ce qui m'afflige le plus, c'est que je ne connais pas les causes de cette justice[1] ». Grégoire insiste : il faut remarquer que Job ne dit pas que Dieu opprime « l'innocent », mais « le pauvre homme ». Pourquoi ? pouvons-nous nous demander : « Celui qui n'oppose pas son innocence, mais sa pauvreté à la sévérité du Juge suprême ne tire pas son audace de la qualité de sa vie, mais montre combien il se sait faible[2] ». Manifestement Grégoire n'aime pas envisager la souffrance d'un homme juste. Il aime mieux se concentrer sur sa faiblesse humaine.

En d'autres occasions, Grégoire admet plus facilement que Job est innocent et que sa punition est imméritée. Quand Job regardait sa propre vie et pensait aux coups qu'il avait reçus, il voyait qu'une telle vie ne méritait pas un tel châtiment. « Et quand [Job] dit qu'il n'est pas juste qu'il soit châtié, il disait à voix haute ce que Dieu avait dit secrètement de lui à son adversaire : *'Tu m'as dressé contre lui sans raison'* (Jb 2, 3) ». Job répète simplement ce que Dieu a déclaré et il n'a pas péché, puisque Job fait sien le jugement de son Créateur[3]. Dieu admet que le démon l'a provoqué à permettre la souffrance imméritée de Job et Job le répète – même si cette admission par Dieu est surprenante à nos yeux. « *En toute cette infortune, Job ne pécha point et n'accusa pas Dieu de manière insensée* » (Jb 1, 22). Grégoire explique que Job endura tout, sans récriminer contre le Seigneur : « Job n'essaya pas de se justifier (*stultus est qui ... iustificare semetipsum conatur*) ». Grégoire prend cette position parce qu'il reconnaît les implications qu'aurait cette justification. « Si Job, dans son

---

1. *Mor.* 9, 70 (*CCL* 143, 506).
2. *Mor.* 9, 70 (*CCL* 143, 506).
3. *Mor.* 14, 36 (*CCL* 143A, 720).

orgueil, ose affirmer son innocence, que fait-il d'autre que d'attaquer la justice de celui qui châtie[1] ? ».

AUCUN HOMME N'EST PUR DEVANT DIEU

Bien sûr, le problème est qu'effectivement Job affirme souvent son innocence, et on ne peut guère oublier l'observation de Grégoire que de telles paroles mettent en cause la justice de Dieu. Grégoire explique avec minutie comment le chrétien devrait comprendre ce dilemme. D'abord, Job n'est pas parfait, comme il le dit lui-même en 9, 20 : « *Si je désire me justifier, ma propre bouche me condamnera : si je me prétends innocent, elle prouvera que je suis pervers*[2] ». Personne, s'il admet cela, ne peut s'appeler pur[3]. Alors que les bonnes actions de Job sont nombreuses, il reste humble à leur sujet. Il les « ignore » pour ne pas devenir fier et perdre toute vertu s'il les « connaît » ou les reconnaît[4]. Bien sûr, Job reconnaît sa propre vertu ; mais la question semble être de savoir de quelle manière exactement. Quand Job parle de ses bonnes œuvres, son innocence reste irréprochable, parce que ses motifs sont purs[5]. Cependant, Grégoire admet un doute. En Jb 21, 4, quand Job crie : « *Est-ce que ma discussion s'adresse à un homme pour qu'ainsi je n'aie pas raison de m'affliger ?* », Grégoire répond : « Maintenant le bienheureux Job croyait qu'il avait déplu à Dieu au milieu de ses épreuves et c'est pourquoi il invitait son esprit à la tristesse ». La souffrance continuelle de Job a fait qu'il s'est demandé si, en se défendant auparavant par les mérites de sa vie, il n'avait pas offensé Dieu[6]. Grégoire décidera en fin de compte que oui.

---

1. *Mor.* 2, 33 (*CCL* 143, 80) : *Si enim innocentem se asserere superbe audeat, quid aliud quam iustitiam ferientis accusat ?*
2. *Mor.* 9, 36 (*CCL* 143, 481).
3. *Mor.* 10, 2 (*CCL* 143, 534-535).
4. *Mor.* 9, 37 (*CCL* 143, 481-482).
5. Cf. *Mor.* 12, 36 (*CCL* 143A, 649).
6. *Mor.* 15, 42 (*CCL* 143A, 775).

Finalement, la légitimité de la protestation de Job ne peut être mise en accusation. Job subit *le feu de Dieu* qui tombe du ciel pour détruire ses moutons et ses serviteurs (cf. Jb 1, 16). Seul le messager s'échappe pour raconter ces événements terribles, et Grégoire explique que Job pouvait bien être en colère, en voyant les sacrifices considérables qu'il avait faits pour Dieu récompensés par des malheurs terribles.

« Remarquez comment l'expression *'feu de Dieu'* est perfidement utilisée, comme s'il était dit : vous supportez sa visite, lui que vous désiriez apaiser par tant de sacrifices ; vous subissez sa colère, lui pour le service duquel vous avez pris chaque jour tant de peine. Car, en déclarant que c'est ce Dieu, que Job avait servi, qui lui avait occasionné ses malheurs, le messager lui porte un coup qui aurait pu le faire bondir ; il pouvait se rappeler les services de sa vie passée, et, découvrant qu'il avait fait tout cela en vain, aurait pu se révolter contre l'injustice du Créateur[1] ».

En dépit de la légitimité de sa protestation, l'homme vertueux ne fait pas de reproches à Dieu, parce qu'il connaît sa place dans l'univers. Grégoire estime que Job se trouve face à un Examinateur tout-puissant ; par définition, les chances ne sont pas égales. Voilà l'essentiel : un simple homme ne peut lutter contre Dieu. Pourtant, Grégoire lit avec compassion les paroles de Job, quand il dit : « *'As-tu des yeux de chair et vois-tu à la façon des hommes ? Tes jours sont-ils comme les jours de l'homme, tes années comme les temps de l'homme, pour que tu recherches ma faute et scrutes ainsi mon péché ? Tu sais que je n'ai rien fait de mal'* (Jb 10, 4-7). C'est comme si Job demandait à Dieu : pourquoi m'examines-tu maintenant en me flagellant, alors que tu me connais parfaitement, depuis toujours ? Pour-

---

1. *Mor.* 2, 23 (CCL 143, 74).

quoi utiliser le fouet pour chercher mes péchés, quand tu me connais à travers ta puissance éternelle, toi qui m'as créé[1] ? »

Mais même la vertu humaine devient non-vertu devant la justice redoutable de Dieu[2]. L'être humain ne peut répondre aux questions de Dieu, s'il est soumis à l'examen approfondi de Dieu. « Toute compassion mise à part, même les vertueux se voient tels qu'ils sont sous son examen minutieux. » Ce qui n'est que poussière « ne peut répliquer à Dieu[3] ». Les êtres humains ne peuvent rien contre une telle inégalité. « *Il n'y a personne pour me sauver de ta main*[4] » (Jb 10, 7).

LA TRANSCENDANCE DE DIEU

C'est là l'enseignement central du *Livre de Job*, cette affirmation formidable que le pouvoir de Dieu est absolu. Ici, Grégoire transmet fidèlement la leçon d'Augustin. L'homme seul n'est rien en comparaison du Créateur tout-puissant et omniscient. Tout être humain meurt, mais Dieu est éternel ; et même nos efforts les plus sérieux se dissolvent sous l'examen minutieux de Dieu : « *Le Seigneur fait périr les justes et les méchants* » (Jb 9, 22). Le peu de pureté que nous pouvons avoir est englouti dans la pureté illimitée de Dieu[5].

Personne, d'ailleurs, n'est pur. « Comment est-il possible pour l'homme d'être exempt de toute tache, étant donné qu'il est né de la terre, et qu'il est tombé dans la faiblesse par sa propre volonté ? », demande Grégoire. « Notre propre nature est inconstante, et qu'est-ce que cela signifie, sinon une sorte de mort[6] ? »

---

1. *Mor.* 9, 72 (*CCL* 143, 507-508).
2. *Mor.* 9, 27 (*CCL* 143, 476).
3. *Mor.* 9, 21 (*CCL* 143, 471-472).
4. *Mor.* 9, 72-73 (*CCL* 143, 508).
5. *Mor.* 9, 40 (*CCL* 143, 484).
6. *Mor.* 12, 37-38, (*CCL* 143A, 650-651).

Nous ne pouvons pas non plus savoir avec quelle sévérité Dieu jugera cette créature inconstante[1]. Dieu est comme une femme en couches, silencieuse, qui soudainement mettra au monde le châtiment du Jugement vengeur[2]. Non seulement le jugement est incertain, mais notre propre âme est pour nous un mystère. Non seulement nous devons craindre les péchés que nous faisons, mais plus encore, tous les péchés inconscients que nous percevons à peine. Au jour du Jugement, tous nos péchés secrets seront dévoilés, comme si Dieu allait ouvrir un sac dans lequel est enfoui un compte sinistre de nos plus petites fautes[3]. Même si Job est innocent, seul le Christ est parfait, et lui seul peut donner satisfaction à Dieu et libérer l'humanité des revendications du démon.

La toute-puissance de Dieu est telle que les appels de Job à la clémence semblent tomber dans les oreilles d'un sourd. « *S'il châtie, qu'il tue une bonne fois et qu'il ne rie pas de la détresse des innocents* » (Jb 9, 23). Que Dieu « rie » veut dire pour lui qu'il ne s'apitoie pas sur les souffrances de l'humanité[4]. Grégoire le déclare : « Ce qui est juste plaît à Dieu[5] ». Aux yeux des pauvres êtres humains, Dieu peut paraître arbitraire ou capricieux, mais Dieu a tout pouvoir et c'est Dieu seul qui définit ce qu'est la justice.

Pour illustrer le pouvoir sans contrepartie et le jugement de Dieu, Grégoire insiste sur l'exemple de l'aveugle dans Jn 9, 2-3. Les apôtres demandent à Jésus : « *Qui a péché, cet homme ou ses parents, pour qu'il soit né aveugle ?* » La réponse est brutale : « *Ni cet homme ni ses parents n'ont péché, mais c'est pour que l'œuvre de Dieu se manifeste en lui[6]* ».

1. *Mor.* 9, 59 (*CCL* 143, 499).
2. *Mor.* 9, 35 (*CCL* 143, 481).
3. *Mor.* 12, 21 (*CCL* 143A, 641).
4. *Mor.* 9, 40-42 (*CCL* 143, 484-485).
5. *Mor.* 2, 31 (*CCL* 143, 79).
6. *Mor.*, *Praef.* 12 (*CCL* 143, 17-18).

Ce pouvoir sans limites ne veut pas dire que les jugements de Dieu seraient irrationnels ou sans but. « Car si nous ne pouvons souffrir que ce qui a été voulu par Dieu, alors tout ce que nous souffrons est juste, et il est très injuste de récriminer pour une souffrance qui est juste[1] ». En effet, « c'est un grand réconfort dans ce qui nous peine, que cela nous vienne de la volonté à notre égard de celui qui ne veut que la justice[2] ». Si tout pouvoir repose dans le Seigneur dans une volonté fondamentale de grâce, c'est que le Seigneur se doit d'être juste, sinon l'univers n'a pas de sens.

LE RÔLE DE L'ÉPREUVE DANS LA VIE HUMAINE

Cette mystérieuse tautologie – la justice est la volonté du Seigneur – peut être explorée plus en détail. Parfois les pécheurs sont éprouvés pour qu'ils s'améliorent, parfois pour que leurs futurs péchés puissent être évités ! Mais d'autres fois, ce n'est ni pour l'une ni pour l'autre cause : l'épreuve frappe « pour que puisse se manifester la Toute-Puissance de Dieu qui en délivre », les coups reçus donnant l'occasion de louer la gloire de Dieu[3].

De telles épreuves sont envoyées par Dieu pour tester le courage du chrétien. Le combat de Job avec le démon est une épreuve de loyauté envers Dieu[4]. Grégoire met dans la bouche de Job le Psaume 26, 2 : « *Scrute-moi, Yahvé, éprouve-moi* ». Il est le lutteur dans l'arène, l'athlète combattant, le soldat dans la bataille. Or Dieu savait son soldat courageux, et pourtant il a décidé ce combat avec l'ennemi[5]. Pourquoi ? C'est une question à laquelle Grégoire cherche à répondre.

Examiner cette question de manière approfondie, c'est rechercher les significations les plus riches du *Livre de Job*.

1. *Mor.* 2, 31 (*CCL* 143, 79).
2. *Mor.* 2, 31 (*CCL* 143, 79).
3. *Mor., Praef.* 12 (*CCL* 143, 17-18).
4. Sur ce combat, voir *Mor.* 1, 4 (*CCL* 143, 27) et *Mor.* 10, 1 (*CCL* 143, 534).
5. *Mor.* 2, 29 (*CCL* 143, 77-78).

L'ÉPREUVE DE JOB
ET LES SCHÉMAS STRUCTURELS DE COMPLÉ-MENTARITÉ DANS LA PENSÉE DE GRÉGOIRE

Si une exégèse au niveau littéraire ou historique s'avère souvent problématique, le point de vue moral permet à Grégoire d'aborder les problèmes métaphysiques soulevés par le *Livre de Job*. Grégoire peut ainsi se poser les questions embarrassantes qui découlent de l'œuvre, et il peut réinterpréter certains versets avec son vocabulaire spécifiquement chrétien, accentuant le repentir, la componction, la discrétion, la stabilité, la contemplation, etc. Les grandes questions existentielles peuvent être posées : « Nous devrions nous demander en particulier pourquoi tant de coups s'abattent sur celui qui avait gardé irréprochablement tant de vertus diverses » – humilité, discipline, hospitalité, pardon et bonnes œuvres.

C'est que, comme nous l'avons noté, « une chose manquait à Job : même sous les coups, il aurait dû apprendre à rendre grâces [1] ».

L'ÉPREUVE, PIERRE DE TOUCHE DE LA VERTU

L'épreuve était nécessaire pour que la grandeur de la vertu de Job puisse être connue. Comme la graine de moutarde, l'homme a besoin d'être broyé, car sans épreuve il n'a plus de saveur [2]. C'est seulement sous le fouet qu'on peut découvrir sa force cachée [3]. L'opposition, la confrontation et la lutte sont nécessaires pour mettre en lumière la vérité qui, sans cela, resterait cachée. C'est l'adversité qui encourage la vertu et lui fait produire du fruit (en langage moderne, elle « forme le caractère »). Seul un défi rend visible cette force, et c'est en

1. *Mor., Praef.* 7 (*CCL* 143, 13).
2. *Mor., Praef.* 6 (*CCL* 143, 12).
3. *Mor.* 26, 82 (*CCL* 143B, 1327-1328).

la voyant que l'existence de cette force est réellement prouvée. L'épreuve est ouverte et le résultat est déterminé par le
combattant : si une épreuve ne comporte pas la possibilité
d'échec, le succès est alors sujet à controverse. La vertu ne
peut être présumée, elle doit être démontrée, grandir, être
affinée. Job est déclaré (Jb 23, 10) « semblable à l'or passé au
creuset[1] ». Les scories se détachent et l'or reste.

A travers cette lutte avec l'adversaire, est révélée à tous la
vraie nature de Job. L'athlète de Dieu doit battre le démon au
cours du redoutable combat qui se déroule dans l'arène[2]. Là,
les anges se trouvent assis en spectateurs, témoins de la vertu
de Job ; comme le sont aussi les lecteurs qui suivent le dérou-
lement de l'épreuve. La vertu ne peut devenir un exemple
crédible pour d'autres personnes que si elle est reconnue et
évidente. Il s'agit d'une conduite publique, d'un exemple
social qui, en fin de compte, profite aux autres hommes de
moindre force morale. Et Job finalement peut intercéder
auprès de Dieu pour ses amis[3].

Ainsi, la souffrance seule justifie et valide la vérité ; les
bleus et les coups sont essentiels dans un combat, comme
Grégoire le dit à son diacre Pierre, dans le troisième livre de
ses *Dialogues* : « Sans peine au combat, pas de palme au
vainqueur[4] ». C'est le sacrifice qui donne un sens à une
cause : si on ne peut mourir pour une cause, cela ne vaut pas
non plus la peine de vivre pour elle. A travers la souffrance et
la mort, une cause s'enrichit de la valeur de la vie sacrifiée, la
rendant forte, sacrée et « vraie ». Ainsi le Christ et les martyrs

1. *Mor.* 16, 39 (*CCL* 143A, 822-823).
2. *Mor.* 1, 4 (*CCL* 143, 2) ; *Mor.* 10, 1 (*CCL* 143, 534).
3. L'intercession de Job est prise, d'abord, comme une image de l'Église
catholique intercédant en faveur des hérétiques, *Mor.* 35, 12, et après comme une leçon montrant que les prières d'un pénitent sont accueillies plus
favorablement par Dieu si ce pénitent a prié d'abord pour ses voisins.
Cf. *Mor.* 35, 21 (*CCL* 143B, 1787). Curieusement, Grégoire n'applique pas ce
verset à l'intercession du Christ pour les pécheurs.
4. *Dial.* 3, XIX, 5 (*SC* 260, p. 348). Cf. *Hom. Eu.* II, 27, 3 (*PL* 76, 1206).

font preuve de leur amour en mourant, non seulement pour leurs amis, mais aussi pour leurs ennemis, et ils établissent ainsi la valeur et la grandeur de cet amour : « *Il n'y a pas de plus grand amour que de donner sa vie pour ses amis* » (Jn 15, 13).

Cette volonté de donner sa vie et de tout sacrifier – d'offrir sa propre volonté en un pur sacrifice d'obéissance[1] – est au cœur de la vie chrétienne dont Job est l'exemple. A travers cette abnégation, on devient un martyr en temps de paix[2].

LES AMBIGUÏTÉS DE LA VIE MORALE

Cette importance donnée au sacrifice par Grégoire est fondée sur la perception de contrastes dialectiques : l'univers est une mosaïque faite d'ombres et de lumières[3]. L'ambiguïté et l'ambivalence règnent dans le monde : le bien ne peut rester sans le mal, ni le plaisir sans la douleur, et souvent les deux sont entremêlés. Dieu mélange la peur avec la consolation et la consolation avec la peur[4]. Il est comme une mère qui, à un moment, bat son enfant comme si elle ne l'aimait pas, puis elle l'aime comme si elle ne l'avait jamais battu[5]. Mystérieu-

1. Cf. *Mor.* 35, 28 (*CCL* 143B, 1792-1793), où Grégoire cite : « L'obéissance vaut mieux que les victimes » et l'explique : « C'est à bon droit que l'obéissance est préférée aux victimes : par les victimes on immole une chair étrangère, mais par l'obéissance, c'est la volonté propre ».

2. *Dial.* III, 26, 9 (*SC* 260, 372).

3. Cf. *Mor.* 33, 29 (*CCL* 143B, 1698-1699), où Grégoire emploie cette image pour expliquer l'ordre providentiel de la vie dans l'au-delà : les punition des damnés en enfer augmenteront les joies des élus au paradis. Pour l'origine stoïcienne de ces idées de contraste providentiel, voir J.M. RIST, *Stoic Philosophy*, Cambridge 1969, p. 50, où l'auteur cite AULU-GELLE 7, 1 et PLUTARQUE, *Stoic Repug.* 105E dans *Stoicorum Veterum Fragmenta* ; voir aussi E.V. ARNOLD, *Roman Stoicism*, Cambridge 1911, p. 270 s. M. SPANNEUT, *Le Stoïcisme des Pères de l'Eglise de Clément de Rome à Clément d'Alexandrie*, Paris 1969, spécialement p. 378-379, cite des textes où ces idées se retrouvent dans la tradition chrétienne. Grégoire subit sans doute l'influence directe d'Augustin. Voir *De Ciuitate* 11, 18 ; *Enchiridium* 13, 4 ; 14, 4 ; *De Gen. ad litt.* 11, 11, 15 ; *In Iohan.* 27, 10 ; *Conf.* 10, 28, 39 ; *Mus.* 6, 11, 30.

4. *Mor.* 33, 14 (*CCL* 143B, 1684).

5. *Hom. Ez.* II, 1, 18 (*CCL* 142, 15).

sement, ce Dieu miséricordieux choisit le démon sauvage
comme exécuteur de ses jugements de colère[1]. Ainsi, le progrès de l'individu, aussi, suit un chemin mêlé de douceur et
d'amertume, de joie et de souffrance. Abaisser la chair élève
l'esprit[2]. Aussi, ce qui plaît aux pécheurs fait de la peine aux
vertueux[3]. On trouve la joie au travers des larmes[4] ; et des
menaces extérieures nous libèrent de la souffrance intérieure[5]. Chaque blessure infligée par la cruauté du démon
donne à l'homme saint l'occasion d'une victoire[6] ; tandis que
plus on souffre dans cette vie, plus grande sera la récompense dans l'au-delà[7] : le mal devient l'instrument du bien.
Les afflictions sont liées, d'une façon ou d'une autre, à la
nature du bien[8].

Parce que la perception, la vérité et les lois de l'univers
sont faits de tels contrastes complémentaires, Dieu a imaginé
un tel test pour révéler et prouver l'excellence de Job :

« Dans sa prospérité, Job avait appris à gouverner ses
sujets avec gentillesse, et à se tenir strictement éloigné du
mal. Il avait appris comment utiliser les biens qu'il avait
reçus : mais nous ne savions pas s'il ferait preuve de patience
quand il les perdrait. Il avait appris à faire des sacrifices
journaliers à Dieu pour la sécurité de ses enfants, mais nous
ne savions pas s'il offrirait aussi un sacrifice d'action de
grâces s'il venait à les perdre. De peur que sa bonne santé ne
cache quelque vice, il valait la peine que la douleur nous le fît

1. *Mor.* 4, 69 (*CCL* 143, 214) ; *Hom. Eu.* II, 39, 5 (*PL* 76, 1297). Le diable est
aussi l'Exécuteur dans Augustin. Cf. J. RIVIÈRE, *Le Dogme de la Rédemption
après saint Augustin,* Paris 1930, p. 71.
2. *Mor.* 7, 19 (*CCL* 143, 346) ; *Reg. Ep.* II, 18 (*CCL* 140A, 887).
3. *Mor.* 10, 43 (*CCL* 143, 568).
4. *Mor.* 5, 14 (*CCL* 143, 227).
5. *Mor.* 33, 36 (*CCL* 143B, 1707).
6. *Mor.* 23, 1 (*CCL* 143B, 1143-1144).
7. *Hom. Eu.* 1, XIV, 5 (*PL* 76, 1130).
8. *Mor.* 26, 68 (*CCL* 143B, 1317-1318).

savoir[1] ». Job était vertueux dans le bonheur, mais continuerait-il de l'être s'il perdait les dons de Dieu ? L'épreuve révélerait peut-être la vérité cachée. Si Job aimait Dieu quand il souffrait, cela serait la preuve qu'il aimait vraiment Dieu quand tout allait bien, et pas seulement à cause de ses bienfaits. La douleur signifiait honnêteté et discernement, le *discrimen* et le *certamen*, un moment de vérité qui passait au crible toute ambiguïté :

« Il était évident que [Job] savait servir Dieu au milieu de ses bienfaits, mais il était juste que Job fût mis à l'épreuve très sévèrement, pour découvrir si Job resterait encore loyal à Dieu dans l'épreuve, car le châtiment est le test qui révèle si l'homme aime vraiment Dieu lorsqu'il est dans la paix[2]. »

C'est seulement sous la douleur du fouet que la plus profonde vérité de l'homme se révèle. L'épreuve produit des résultats plus clairs que la bonté.

COMPLÉMENTARITÉ DE LA PROSPÉRITÉ ET DE L'ADVERSITÉ DANS LA PENSÉE DE GRÉGOIRE

Au fur et à mesure que Grégoire approfondit la nature de l'épreuve de Job, on voit émerger un plan de complémentarité qui est caractéristique de la pensée de Grégoire en général : les éléments spirituels et charnels s'équilibrent en compensant leurs extrêmes[3]. Notre destinée dans le monde est difficile à déchiffrer, parce que la prospérité comme l'adversité a une double signification. Chacune est l'opposée complémentaire de l'autre et possède le pouvoir de réprimer les excès négatifs de son contraire. Il faut que toutes les deux se trouvent ensemble pour se contrebalancer et que s'établisse ainsi un équilibre entre les

---

1. *Mor.* 23, 1 (*CCL* 143B, 1143-1144) ; Voir aussi *Mor., Praef.* 7 (*CCL* 143, 12-13).

2. *Mor., Praef.* 7 (*CCL* 143, 12-13).

3. On trouvera une étude sur ce thème de la complémentarité dans C. STRAW, *Perfection in Imperfection*, Berkeley 1988.

aspects spirituel et charnel de l'existence humaine. Pour
Grégoire, la vie est complexe ; elle embrasse activité,
pouvoir, réussite dans le monde, en même temps qu'une
retraite contemplative loin de ces obligations et sollicitations.
Il ne s'agit pas pour Grégoire d'une simple opposition
platonique entre le corps et l'esprit. Job représente la vie
humaine, faite de confusion et de paradoxe : c'est un homme
saint, mais aussi il est marié et réussit dans le monde des
affaires. Dans de telles circonstances, les réponses aux
interrogations spirituelles ne sont ni prévisibles ni évidentes.
L'histoire de Job et ses tribulations enseignent comment l'âme
peut aboutir à cette fermeté, cette stabilité, que Grégoire
appelle la *constantia mentis*[1].

De telles complexités et ambiguïtés reflètent le mystère
fondamental de la vie, et l'immensité de cette incertitude
trouble Job. « Quoique les décisions de Dieu soient bien
obscures – pourquoi dans cette vie les bons sont-ils parfois
dans le malheur et les méchants prospères –, elles le sont
encore bien davantage quand ici-bas tout va bien pour les
bons et tout va mal pour les méchants[2] ». Qu'il y ait un
rapport inverse entre les biens spirituels et les biens
matériels peut se comprendre, car cela oriente l'esprit vers le
monde à venir. Plus difficiles à comprendre et plus
troublants sont les bienfaits de ce monde accordés aux gens
détachés du monde, ou les châtiments mérités punissant les
méchants dans cette vie : où est alors l'attente de la vie après
la mort ? Le mystère des desseins de Dieu explique pourquoi
les bienfaits de la vie (*prosperitas*) et les malheurs (*aduersitas*)
sont tous deux ambigus. Les deux sont potentiellement bons
ou mauvais, et ils alternent dans la vie jusqu'à « se confondre

---

1. *Mor.* 7, 47-49 (*CCL* 143, 370-371). Voir aussi *Hom. Ez.* II, 7, 11-20 (*CCL*
142, 324-334) ; *Hom. Eu.* I, 6, 2 (*PL* 76, 1096-1097) ; *Past.* II, 3 (*PL* 77, 28-30).
2. *Mor.* 5, 1 (*CCL* 143, 218).

l'un avec l'autre[1] ». Les visites de Dieu ne peuvent être dis-
cernées facilement, si tant est qu'elles puissent l'être.

« Notre esprit ne peut absolument pas connaître si Dieu
s'approche de nous ou s'il s'en éloigne, et nous l'ignorons
jusqu'à ce que se terminent ces situations alternées, car pour
ce qui est de la tentation, on ne sait si elle va nous éprouver
ou nous donner la mort au cours de notre épreuve, et pour ce
qui est des dons, nous ne pouvons jamais distinguer s'ils
veulent récompenser ici-bas ceux qui sont abandonnés, ou
s'ils viennent nourrir les hommes sur le chemin pour qu'ils
puissent parvenir à la patrie[2] ». Parce que le sens ultime des
aléas de la vie reste un mystère, ce qui nous arrive n'est pas
le plus important. Ce qui importe, c'est la manière dont nous
réagissons aux tentations de la prospérité ou aux épreuves de
l'adversité. Le contrôle de soi et le discernement[3] peuvent
obtenir par elles l'avancement de l'âme, tout comme le
manque de discipline peut rendre l'une et l'autre destruc-
trices. « Ce n'est pas la richesse qui est criminelle, mais
l'affection qu'on a pour elle[4] ». Le chrétien doit s'efforcer de
se contrôler pour maintenir « la citadelle de l'esprit » (*arx
mentis*) dans la stabilité et l'équilibre. Mais il ne doit jamais

1. *Reg. Ep.* III, 51 (*CCL* 140, 196).
2. *Mor.* 9, 20 (*CCL* 143, 471).
3. La *discretio* est un concept clé dans la pensée de Grégoire. Il se réfère à
la fois à la faculté de distinguer un idéal, et aussi à celle de modérer son
comportement pour atteindre cet idéal. Voir E. DEKKERS, « *Discretio* chez
Benoît et Saint Grégoire », *Collectanea Cisterciensia* 46, 1984, p. 79-88 ;
C. DAGENS, *Saint Grégoire le Grand. Culture et expérience chrétiennes*, Paris
1977, p. 117-124 ; A. CABASSUT, « Discrétion », *Dictionnaire de Spiritualité* 9,
col. 1311-1330 ; Fr. DINGJAN, *Discretio : les origines patristiques et monastiques
de la doctrine sur la prudence chez saint Thomas d'Aquin*, Assen (Holland) 1967,
p. 87-102 ; A. DE VOGÜÉ, « *Discretione praecipuam* : A quoi Grégoire pensait-
il ? », *Benedictina* 22, 1975, p. 325-327. Voir aussi R. GILLET, « Introduction à
Grégoire le Grand », *Morales sur Job* I-II, trad. A. de Gaudemaris, Paris 1952,
(*SC* 32).
4. *Mor.* 10, 49 (*CCL* 143, 572).

oublier qu'en un instant, le Seigneur peut réduire à néant tous ses meilleurs efforts. Il faut agir, même si la grâce est tout.

LA PROSPÉRITÉ ET SES DANGERS

Modérée, la prospérité peut être un bien qui calme, soutient et console le chrétien. Elle offre l'espoir du salut et élève hautement l'esprit (*celsitudo, culmen, sublimitas*). La prospérité, ce sont tous les biens dont jouit Job : troupeaux, amitiés, richesses, santé, bonheur, pouvoir temporel et honneurs[1]. Job jouissait des faveurs de Dieu comme le font les chrétiens élus. La prospérité est le sourire de Dieu, sa grâce, ses bénédictions et ses dons[2]. D'un point de vue spirituel, pour le chrétien pris individuellement, la prospérité, c'est la vertu et le succès dans la contemplation. Tels le jour et la lumière du soleil, une telle vie est chaleureuse, tranquille et saine. Mais trop de prospérité est dangereux. La confiance et le confort peuvent relâcher l'esprit, les mauvaises dispositions augmentent, et la discipline se relâche. La foi s'affaiblit, et on glisse facilement vers le péché, car depuis la chute originelle, la condition humaine est notoirement instable. Elle n'est qu'« en équilibre fragile », encline à des changements fréquents.

La prospérité peut être insidieuse d'une autre façon. On peut confondre les dons divins et la faiblesse humaine et s'imaginer que la vertu vient de soi plutôt que de Dieu[3]. Quand il se croit digne des grâces de Dieu, un chrétien peut se rengorger et tomber dans l'orgueil. La prospérité signifie la confusion. On ne peut distinguer sa propre force de la grâce de Dieu ; on ne voit pas clairement si on aime et respecte Dieu pour lui-même, ou pour les grâces qu'il nous

1. *Mor.* 14, 15 (*CCL* 143A, 706-707) ; *Mor.* 8, 91-92 (*CCL* 143, 453-455) ; *Mor.* 30, 38 (*CCL* 143B, 1518).

2. *Mor.* 20, 8 (*CCL* 143A, 1007-1008) ; *Mor.* 30, 38 (*CCL* 143B, 1519-1520) ; *Mor.* 9, 20 (*CCL* 143, 470-471) ; *Mor.* 5, 2 (*CCL* 143, 219-220) ; *Mor.* 23, 52 s. (*CCL* 143B, 1185 s.) ; *Mor.* 10, 16-19 (*CCL* 143, 549-551).

3. *Mor.* 2, 78 (*CCL* 143, 106-107) ; cf. *Mor.* 5, 16 (*CCL* 143, 228-229).

donne ou les souffrances qu'il nous inflige. En conséquence le démon provoque Dieu à tester les vraies intentions de Job : « *Est-ce pour rien que Job craint Dieu ? Ne l'as-tu pas entouré de tout côté d'une clôture, lui, sa maison et tout ce qu'il possède ? Tu as béni le travail de ses mains et sa richesse s'est accrue dans le pays. Mais maintenant étends la main et touche à tout ce qu'il possède ; il te maudira en face !* » (Jb 1, 8-11). Grégoire explique : « L'adversaire rusé, voyant que l'homme saint s'était bien comporté dans la prospérité, a hâte de le montrer, devant le juge, coupable dans l'adversité[1] ». Job cessera-t-il d'aimer Dieu quand il perdra les dons de Dieu ?

L'ADVERSITÉ ET SES BIENFAITS

Comme la prospérité est le don et la grâce de Dieu, l'adversité est sa colère et son châtiment. Celle-ci, Job l'a endurée par une suite de pertes cruelles : maison ruinée, mort de ses proches, pauvreté, maladie, outrages[2]. Quand on parle de la vie morale du chrétien moyen, l'adversité, c'est le péché et la tentation qui le précipite des hauteurs de la contemplation[3]. C'est le même effet dévastateur sur l'âme.

Les images sont agressives. Le plus souvent l'adversité est représentée par le fouet (*flagellum*) et les coups (*uerbera*) ; une fois par le couteau du chirurgien[4]. Telle la nuit ou l'âpre hiver,

---

1. *Mor.* 2, 15 (*CCL* 143, 69).

2. *Mor.* 2, 22 s. (*CCL* 143, 73 s.) ; *Mor.* 8, 2 (*CCL* 143, 382-383) ; *Mor.* 8, 15 (*CCL* 143, 392-393) ; *Mor.* 14, 8 (*CCL* 143A, 702) ; *Mor.* 20, 48-49 (*CCL* 143A, 1038-1039) ; *Mor.* 6, 14 (*CCL* 143, 293-294) ; *Mor.* 26, 84-85 (*CCL* 143B, 1328-1329).

3. *Mor.* 9, 20 (*CCL* 143, 470-741) ; *Mor.* 20, 8 (*CCL* 143A, 1007-1008) ; *Mor.* 23, 52 s. (*CCL* 143B, 1185 s.) ; *Mor.* 10, 16-19 (*CCL* 143, 549-551) ; *Mor.* 6, 38 (*CCL* 143, 312-313) ; *Mor.* 2, 78-79 (*CCL* 143, 106-108).

4. *Mor.* 5, 71 (*CCL* 143, 382-383), où l'adversité est le couteau du chirurgien qui perce la tumeur de l'orgueil. Une consultation du CETEDOC-CLCLT indique 352 occurrences de *flagella*, ou *flagellum*. R. Gillet, dans son Introduction (*SC* 32 bis, p. 58) a noté l'importance du terme.

l'adversité est sombre, amère et tranchante. Elle écrase et déprime l'âme par une peur glacée du jugement rigoureux de Dieu et des tourments effrayants de l'enfer.

Tout au long des *Moralia*, Grégoire souligne combien sont salutaires l'adversité et la souffrance. L'adversité apporte une clarté fortifiante. Quand il gémit sous les coups du fouet et l'épreuve de Dieu, Job déclare : « *Voilà pourquoi mes paroles sont pleines de chagrin. C'est que les flèches du Tout-Puissant sont plantées en moi* » (Jb 6, 3-4). C'est comme s'il avait dit : « Pour moi, condamné à l'exil, je n'ai pas de joie, mais mis en jugement, je gémis, car je reconnais la force de tes coups[1] ». Transpercé par les flèches, ébranlé par les coups du Tout-Puissant, Job en arrive à réaliser pleinement l'humanité dans son état pitoyable. Nous sommes « en exil » depuis la chute originelle. Malheurs et pertes nous apprennent à ne pas nous attacher au monde, mais à attendre impatiemment l'éternité, à n'avoir d'autre but que le ciel.

« Mais, continue Grégoire, il y en a beaucoup qui sont châtiés et torturés, mais ne se réforment pas. » A eux s'applique le verset suivant : « *Leur indignation a épuisé mon esprit* ». Pour Grégoire, l'esprit de l'homme, c'est l'orgueil, que les flèches de l'épreuve de Dieu épuisent. Celle-ci, en détruisant cet orgueil, « garde de la superbe l'âme affligée et la retire de son attention aux réalités extérieures pour la fixer à l'intérieur[2] ». Le fléau de l'adversité, comme discipline de Dieu, est un rappel soudain de la fragilité de l'homme. Toute la complaisance et l'orgueil que la bonne fortune avait favorisés sont promptement mis en échec. L'adversité clarifie la distinction entre Dieu et l'humanité, que la prospérité avait obscurcie. Dieu est à la source de toutes les vertus et de tous les dons matériels, et Dieu en toute justice peut enlever tout ce qu'il a

---

1. *Mor.* 7, 4 (*CCL* 143, 337).
2. *Mor.* 7, 5 (*CCL* 143, 337).

donné : « *Le Seigneur a donné et il a enlevé. Qu'il soit fait comme il a plu au Seigneur*[1] » (Jb 1, 22).

Quand Dieu nous reprend ses biens, notre véritable faiblesse est évidente. Chacun apprend à « attribuer toute la méchanceté à lui-même, et à attribuer sa propre purification au Dieu Tout-Puissant ; il se reconnaît pécheur et sait qu'il devient vertueux par don gratuit[2] ». Maintenant, réveillée, l'âme peut percevoir avec acuité son état misérable et s'examiner en conscience.

Cet examen de conscience est lui-même une épreuve de repentir. On se juge à l'aune du modèle éternel, et à la vue de ses imperfections, on s'impose pénitence et larmes. Pour Grégoire, la pénitence intérieure est comparable aux châtiments corporels. De même que « la discipline corporelle efface les péchés », de même « la componction transperce de repentir l'esprit gonflé d'orgueil[3] ». « Transpercé, l'esprit renonce à l'endurcissement de son cœur, et le sang de la confession s'écoule de la blessure et apporte la guérison[4] ». L'esprit est libéré par de telles souffrances[5]. Par cette péni-

---

1. *Mor.* 2, 31 (*CCL* 143, 79).

2. *Mor.* 11, 51 (*CCL* 143A, 615).

3. *Mor.* 23, 20 (*CCL* 143B, 1174-1175). La componction est particulièrement importante dans la doctrine de Grégoire. Sur l'histoire du mot, voir I. HAUSHERR, *Penthos : la doctrine de la componction dans l'Orient chrétien*, OCA 132, Rome 1944. – Cassien a une influence importante, cf. *Collationes* 1, 17 ; 1, 19 ; 2, 11 ; 4, 5 ; 4, 19 ; 9, 28-29 ; *De Institutis* 4.43.1 ; 12.15.1 ; 12.18.1 ; 12.27.5. Voir aussi *Vitae Patrum* 5.3. – Sur l'influence d'Augustin et la relation entre cette blessure de pénitence et son lien avec la blessure contemplative d'amour, voir J. DOIGNON, « 'Blessure d'affliction' et 'blessure d'amour' (*Moralia* 6, 42) : une jonction de thèmes de la spiritualité patristique de Cyprien à Augustin » dans *Grégoire le Grand*, Chantilly, Centre Culturel Les Fontaines, 15-19 septembre 1982 (*Colloque C.N.R.S*), Paris 1986, p. 297-303. Voir aussi P. R. RÉGAMEY, « La componction du cœur », *VS* suppl. 44, 1935, p. 65-84 ; P. CATRY, « Désir et amour de Dieu chez Grégoire le Grand », *RecAug* 10, 1975, p. 269-303.

4. *Mor.* 7, 5 (*CCL* 143, 337-338).

5. *Mor.* 24, 34 (*CCL* 143B, 1213).

tence, « on offre des sacrifices pour l'expiation des péchés[1] ». Toute révolte se dissout dans une humble confession, qui est le sacrifice d'un esprit brisé (cf. Ps 50, 19)[2].

En rendant à l'homme son humilité, l'adversité devient un remède. Dieu ne châtie-t-il pas tout fils qu'il accueille[3] ? Paradoxalement, l'adversité devient source de prospérité. Quand Elihu sermonne Job au sujet du comportement de l'homme juste, en Job 36, Grégoire étend la signification morale de son conseil à tous les chrétiens. « Déposez la grandeur que vous aviez, quand vous étiez sans tribulation, et tous les (mouvements) que vous donnait votre force » (36, 19). Nous voyons cette conversion : « Par une dispensation merveilleuse, notre Créateur permet que l'esprit élevé par la prospérité soit soudainement frappé par la tentation, pour qu'il puisse se voir avec plus de vérité dans sa faiblesse, et qu'ainsi rendu meilleur, il puisse descendre du pinacle d'orgueil auquel il prétendait au nom de ses vertus [...] Comme l'humilité progresse au travers de la tentation, ainsi cette adversité qui empêche l'orgueil est source de richesse[4] ».

Job résiste aux assauts du démon. Il en triomphe même. Job « gagna de la force au travers des coups reçus », et le démon s'affligea de voir qu'il n'avait fait que « multiplier les vertus de Job par le moyen même par lequel il espérait les anéantir[5] ». Job, émergeant plus fort de son épreuve, une fois sa patience éprouvée, apprend à remercier Dieu de ses adversités, car il voit ses mérites augmentés.

---

1. *Mor.* 24, 52 (*CCL* 143B, 1226).

2. *Hom. Eu.* I, 10, 7, (*PL* 76, 1114).

3. Les afflictions peuvent châtier l'âme, nous rappelant à la vertu et ainsi nous évitant un châtiment plus tard. Ou bien les afflictions sur terre peuvent n'être que le début des tourments encore pires dans la vie à venir, cf. *Mor.* 9, 68 (*CCL* 143, 504-505).

4. *Mor.* 26, 81-82 (*CCL* 143B, 1327-1328).

5. *Mor.* 3, 1 (*CCL* 143, 115).

Les dangers de l'une et de l'autre

Dans l'idéal, le fouet de l'adversité détruit l'orgueil et restaure la santé spirituelle. Mais de même que la prospérité était dangereuse parce qu'elle entraînait l'âme vers l'orgueil, l'adversité peut aussi blesser l'âme et la faire tomber dans le découragement et le blasphème. Ceux qui ont l'esprit charnel pensent que leur situation dans le monde devrait être un reflet de leur position spirituelle par rapport à Dieu. Dans leur révolte ils lancent des insultes contre Dieu, se jugeant victimes de malheurs injustifiés, reprochant à Dieu les malheurs qui les accablent, et ils empêchent ainsi le fruit de sa justice[1].

L'âme ne peut que le supporter, jusqu'à ce que l'esprit se brise. La patience vole en éclats et la colère se déchaîne. Ceci est l'erreur fatale ; c'est cette révolte que le démon espère provoquer avec ses épreuves impitoyables. C'est le blasphème affreux de la femme de Job qui se gausse de son mari : « *Maudis Dieu et meurs !* » Le danger n'est pas seulement la révolte contre Dieu, mais le désespoir. Une fois brisé, on peut se sentir abandonné par Dieu et ainsi perdre tout espoir de salut. Au lieu d'être une discipline qui rétablit la santé de l'esprit, l'adversité ne semble être que le début des châtiments qui se prolongeront dans la vie future[2].

Ainsi chaque situation a ses dangers, et le démon connaît la vulnérabilité de l'humanité. En effet, le démon n'arrête pas de creuser des sapes sous les pas de l'humanité, aussi bien au « jour de la prospérité » que dans la « nuit de l'adversité ». Grégoire en fait la remarque :

« En conséquence, le [démon] ne cesse de nous accuser jour et nuit, car il s'efforce de nous montrer comme coupa-

---

1. *Mor.* 2, 28 (*CCL* 143, 77) et aussi *Mor.* 11, 47 (*CCL* 143A, 612-613).
2. Dons et épreuves, bonne fortune et malheur, peuvent les uns et les autres précéder soit le salut, soit la damnation. Voir *Mor.* 5, 1 (*CCL* 143, 218-219) ; *Mor.* 4, 7 (*CCL* 143A, 701-702) ; *Mor.* 24, 44 (*CCL* 143B, 1221-1222) ; cf. *Mor.* 12, 30-31 (*CCL* 143A, 647-648).

bles aussi bien dans la prospérité que dans l'adversité. De jour, il nous accuse en insinuant que nous usons mal de notre bonheur ; de nuit, il nous accuse en montrant que nous ne gardons pas patience dans l'adversité. Comme Job n'avait pas encore été dans l'épreuve, le démon n'avait aucun moyen de l'accuser de nuit. Mais parce que Job avait joui d'une belle santé dans la prospérité, le démon prétendait qu'il n'avait fait le bien qu'en raison de cette prospérité. En mentant, il affirmait sournoisement que Job n'usait pas de ses biens pour le service du Seigneur, mais qu'il adorait Dieu pour le service de ses biens [1] ».

JOB À LA RECHERCHE DE L'ÉQUILIBRE

Job est donc un modèle pour le chrétien mis à l'épreuve par l'adversité, mais les stratégies utilisées par Job pour survivre spirituellement ne sont pas toujours transparentes.

Alors qu'il est plongé dans l'épreuve, ses amis le réprimandent, l'insultent et lui adressent des reproches, le poussant au désespoir : Job n'aurait-il pas péché sans le savoir, car ceci expliquerait la punition de Dieu ? Mais Job soutient son innocence (non pas sa perfection) et Grégoire prend sa défense.

Mais, dans son épreuve, Job rappelle ses bonnes actions : n'avait-il pas donné à manger aux affamés, protégé l'orphelin et la veuve ? De telles justifications de soi peuvent paraître suspectes aux auditeurs de Grégoire, et Grégoire nous l'atteste puisqu'il les rassure de différentes manières. Quand Job se rappelle ses bonnes actions, ce n'est pas « par jactance et pour s'exalter [2] ». Quand les malveillants entendent la défense de Job, ils croient que c'est « de l'auto-exaltation plutôt que la vérité ». Ce n'est pas le cas, et les éloges de Job ne dépassent pas ce dont Dieu le créditerait. « De même que

1. *Mor.* 2, 15 (*CCL* 143, 69).
2. *Mor., Praef.* 8 (*CCL* 143, 14-15).

c'est un grand péché pour un homme de s'attribuer ce qui n'existe pas, de même aussi ce n'est absolument pas un péché s'il parle avec humilité d'un bien qui existe[1] ». Quand Job dit : « *Si on me juge, je sais qu'on me trouvera juste* », Job dit simplement ce que Dieu a déclaré au démon[2].

Job rappelle ses bonnes actions pour rétablir l'espérance nécessaire à la préservation de sa stabilité émotionnelle – *constantia mentis*. Quand il est accablé et pris de désespoir, Job « rétablit son esprit dans l'espérance » ; Job « a retrouvé le chemin de la confiance » par le souvenir de sa vie passée[3]. De la même façon, l'homme saint garde souvenir de l'adversité au milieu des tentations de la prospérité, de manière à se maintenir dans la discipline et à protéger son âme de l'orgueil. Grégoire cite *Ecclésiastique* 11, 27 : « *Au jour du bien-être n'oublie pas le malheur, et au jour du malheur n'oublie pas le bien-être* », et il commente : « Celui, en effet, qui accepte des bienfaits, mais qui ne songe pas aux épreuves au milieu des bienfaits, sa joie le fait tomber dans l'orgueil. Mais celui qui est accablé par les coups et qui, au temps des coups, ne se console pas à la pensée des bienfaits qu'il a reçus, perd l'équilibre de son esprit par toute sorte de désespoir. Ainsi chaque attitude doit être jointe à l'autre et se soutenir mutuellement, pour que le souvenir des bienfaits tempère la punition des coups, et que la crainte et l'attente de l'adversité modèrent la joie des bienfaits. C'est pourquoi le saint homme Job, pour apaiser son esprit accablé par ses blessures, contemple au milieu de ses épreuves le bonheur des bienfaits de Dieu, disant : '*Si nous accueillons le bonheur comme un don de Dieu, pourquoi ne pas accepter le malheur* !' (Jb 2, 10)[4] ».

Admettre qu'il doit supporter le malheur aussi bien que le bonheur de la main de Dieu veut dire que Job peut apprendre à compenser l'un par l'autre. La prospérité devient une onction

1. *Mor.* 12, 36 (*CCL* 143A, 649).
2. *Mor.* 11, 51 (*CCL* 143A, 615).
3. *Mor., Praef.* 8 (*CCL* 143, 14).
4. *Mor.* 3, 16 (*CCL* 143, 125).

qui guérit et l'adversité une excision de la plaie[1]. Le souvenir de la douceur des bienfaits guérit la douleur des coups, tandis que le souvenir des coups purifie et discipline l'âme, la protégeant de l'orgueil.

« Ainsi, écrit Grégoire, la miséricorde des desseins de Dieu nous rabaisse quand nous sommes orgueilleux et nous soutient pour que nous ne tombions pas dans le désespoir ». C'est ce que le texte signifie quand il dit que Dieu a percé la joue de Léviathan avec un bracelet (cf. Jb 40, 21). Et parlant de ce mouvement de balancier, Grégoire ajoute : « Le Seigneur nous avertit par la bouche de Moïse : '*On ne prendra pas en gage la meule supérieure ou la meule inférieure*' (Dt 24, 6). [...] Car la meule supérieure et la meule inférieure sont l'espoir et la peur. L'espoir porte le cœur vers le haut, tandis que la peur le ramène vers le bas. Mais la meule supérieure et la meule inférieure sont si nécessairement réunies qu'il est vain d'avoir l'une sans l'autre. C'est pourquoi l'espoir et la peur doivent continuellement être réunis dans le cœur du pécheur, parce qu'il espère en vain la miséricorde s'il ne craint pas aussi la justice ; et il ne sert à rien de craindre la justice si on ne fait pas confiance aussi à la miséricorde[2] ».

Dans *Mor.* 26, 30, discutant sur cet équilibre que l'on trouve par le souvenir de l'adversité dans la prospérité et celui de la prospérité au temps de l'adversité, Grégoire observe que la vie de Job « se gardait merveilleusement en équilibre entre la hauteur et l'abaissement[3] ».

Souffrance et mérite

Grégoire nous enseigne que les coups de l'adversité sont une discipline salutaire et que, lorsqu'on est frappé, il faut examiner son âme et se repentir.

---

1. *Mor.* 5, 71 (*CCL* 143, 271).
2. *Mor.* 33, 24 (*CCL* 143B, 1694) ; Cf. *Mor.* 7, 47-48 (*CCL* 143, 370-371).
3. *Mor.* 26, 30 (*CCL* 143B, 1287) : *Inter alta et infima mirabiliter temperatur.*

Néanmoins, il faut savoir que toutes les souffrances d'une vie ne sont pas forcément une purification pour notre péché (de même que les récompenses ne reflètent pas nécessairement notre qualité spirituelle). C'est la leçon de Job. Tout chrétien peut y trouver une consolation (quoique prudemment) et chercher à élucider le mystère qu'il enseigne. Job est innocent ; il n'avait pas à se purifier du péché[1]. Job est frappé pour montrer la puissance de Dieu, frappé pour apprendre à remercier, frappé pour que soit prouvée la constance de son amour. « Certains aiment Dieu dans la prospérité, mais dans l'adversité retirent leur amour à celui de qui viennent les coups[2] ! ». Mais Job, lui, ne cesse pas d'adorer Dieu même sous les coups, quand lui sont enlevés tous ses biens et que son corps même est couvert de plaies. Il reste patient au milieu des afflictions[3]. Quand il se rappelle tous ses biens, quand il paraît résister, c'est par ignorance. Il ne comprend pas qu'il a été frappé pour faire grandir sa vertu. « *Il a barré ma route pour que je ne puisse passer, répandu les ténèbres sur mon sentier* », se lamente Job (19, 8). Il trouvait qu'il ne méritait pas un tel malheur et sur les sentiers de son cœur, il ne rencontrait que les ténèbres de sa propre ignorance[4]. Job soutient avec sagesse : « *Sachez maintenant au moins que Dieu ne m'a pas affligé avec un jugement juste* », parce que sa vie vertueuse ne méritait pas un tel malheur[5]. Job rappelle ses bonnes actions, mais il n'est pas sûr que ce fait n'ait pas porté offense à Dieu[6]. Il se demande si ses actions vont être suivies de tourments sans fin, car si maintenant il souffre après avoir accompli de bonnes actions, que peut-il bien l'attendre à la fin de sa vie[7] ? Job a de quoi être troublé, et si l'homme juste

1. *Mor.* 3, 3 (*CCL* 143, 116).
2. *Mor.* 2, 29 (*CCL* 143, 78).
3. *Mor., Praef.* 13 (*CCL* 143, 18).
4. *Mor.* 14, 41 (*CCL* 143A, 723).
5. *Mor.* 14, 36 (*CCL* 143A, 719-720).
6. *Mor.* 15, 42 (*CCL* 143A, 775).
7. *Mor.* 13, 55 (*CCL* 143A, 697-698).

se met à douter, combien plus le chrétien moyen devrait-il être attentif et toujours faire pénitence pour ses péchés ?

Néanmoins le message fondamental de Grégoire est incontestable : le juste peut être frappé pour que sa vertu grandisse. Par l'épreuve, Dieu n'avait pas l'intention d'effacer les péchés de Job, mais de faire grandir ses mérites[1]. Ainsi trouve-t-on une solution au problème de la justice et de l'innocence. Il n'est pas injuste que l'innocent soit frappé, si cela sert à faire grandir ses mérites et sa récompense éternelle. En effet, un tel malheur est plein de miséricorde.

Grégoire éclaire ce mystère : « Le bienheureux Job croyait que ses propres péchés étaient effacés par le fouet et non que son mérite en était augmenté. Il appelle donc cela *un jugement injuste* parce qu'il compare sa vie avec les épreuves : si la vie et les épreuves sont mises en balance, ce n'est pas un traitement juste. Le bienheureux Job supposait que ceci lui était infligé dans le courroux de la sévérité. Mais si on considère la miséricorde du juge qui, au moyen de la punition de l'homme juste, augmente les mérites de sa vie, c'était un jugement juste, bien plus, miséricordieux. C'est pourquoi Job a dit la vérité lorsqu'il mettait en balance sa vie avec l'épreuve, et d'un autre côté, Dieu n'a pas affligé Job par un jugement injuste puisque, par suite des coups, il a multiplié ses mérites[2] ».

On ne gagne pas des mérites simplement parce qu'on est affligé, mais parce qu'on accepte bien le châtiment, avec la *patientia*. Ni protestation dans les sentiments, ni étalage, comme le feraient les hypocrites. On se soumet humblement à Dieu, acceptant dans le malheur son jugement. Alors, se souvenant que Dieu est source de toute bonté et vertu, on le remercie pour la leçon qu'il nous donne. Bien plus, on devrait

---

1. *Mor.* 11, 51 (*CCL* 143A, 615).
2. *Mor.* 14, 38 (*CCL* 143A, 720-721).

en arriver à rechercher les épreuves pour mettre son âme à l'épreuve[1].

LE JUSTE PÉNITENT

Job fait part de son expérience : « *'Prêtez-moi attention et soyez stupéfaits'* (Jb 21, 5). [...] Considérez ce que j'ai fait et soyez étonnés devant les coups que je subis. [...] Connaissant les bonnes actions que j'ai faites et considérant les malheurs dont je souffre, évitez de pécher, même en parole : et devant mes épreuves, craignez pour votre propre châtiment[2] ».

Mais comment le chrétien moyen peut-il atteindre à la grandeur d'esprit et à l'endurance de Job dans la souffrance, – à sa *longanimitas* et sa *patientia* ?

La réponse de Grégoire au verset 9, 13 est révélatrice. Job s'écrie : « *Dieu est celui à la colère duquel nul ne peut résister et devant qui s'inclinent ceux qui portent le monde* ». Grégoire remarque : « Il est curieux que le texte déclare que personne ne peut résister à la colère de Dieu, étant donné que les Écritures saintes témoignent que beaucoup se sont opposés aux avertissements de la colère divine[3] ». Le commandement est de persévérer, quelle que soit l'épreuve que l'on souffre, même si les souffrances endurées sont sévères ; ceci suppose implicitement qu'aucune épreuve qui nous est infligée n'est au-dessus de nos forces ; nous pouvons la supporter tant bien que mal et donc nous devons le faire. Les épreuves sont adaptées à nos forces pour que l'affliction n'excède pas celles-ci[4]. Grégoire s'appuie sur Paul, 1 Co 10, 13, qu'il cite six fois dans les *Moralia* : « *Dieu est fidèle ; il ne permettra pas que vous soyez tentés au-delà de vos forces. Avec la tentation, il vous don-*

---

1. *Hom. Ez.* 2, X, 24 (*CCL* 142, 397-398) ; cf. *Mor.* 33, 35 (*CCL* 143B, 1706).
2. *Mor.* 15, 43 (*CCL* 143A, 775-776).
3. *Mor.* 9, 23 (*CCL* 143, 473).
4. *Mor.* 9, 71 (*CCL* 143, 507).

nera le moyen d'en sortir et la force de la supporter[1] ». Mais cette consolation perd de sa valeur par suite de l'ambiguïté de l'adversité, c'est-à-dire que Dieu peut frapper de deux façons, ou pour corriger un fils par la discipline, ou pour punir un ennemi par colère[2].

Tout homme, dans l'épreuve, devrait assurément se comporter comme un fils châtié, examinant son âme et se servant du jugement extérieur de Dieu pour se juger lui-même et se repentir. Mais est-ce suffisant ? Personne ne connaît ou ne peut prévoir le vrai jugement de Dieu. Pour cette raison, la pénitence devrait être continuelle et même les bonnes actions devraient être accompagnées d'un sacrifice au cas où elles ne seraient pas assez parfaites. Si nous voulons vraiment plaire à Dieu, nous avons peur même pour nos bonnes actions[3]. L'idéal de Grégoire, c'est le Juste Pénitent qui évite même ce qui est permis et se lamente du plus petit péché avec des larmes abondantes : « Il y a, en effet, beaucoup d'hommes qui ne sont coupables d'aucun péché, et qui, néanmoins, s'affligent violemment comme si tous les péchés les accablaient. Ils rejettent même tout ce qui est permis ; ils sont prêts généreusement à supporter le mépris du monde ; ils refusent de se permettre rien de plaisant et renoncent aux biens qui leur ont été accordés. Ils méprisent les réalités visibles et brûlent pour celles qui sont invisibles. Ils se réjouissent en pleurant et s'humilient en toute circonstance. Et, de même que certains pleurent sur leurs actions mauvaises, eux se lamentent de leurs pensées mauvaises. Et comment donc les appellerai-je sinon à la fois justes et pénitents, eux qui s'humilient dans la pénitence pour les péchés en pensées et persévèrent dans la justice de leurs actions[4] ? »

1. *Mor.* 2, 19 (*CCL* 143, 71) ; *Mor.* 9, 71 (*CCL* 143, 507) ; *Mor.* 14, 45 (*CCL* 143A, 725) ; *Mor.* 24, 31 (*CCL* 143B, 1210) ; *Mor.* 28, 35 (*CCL* 143B, 1422) ; *Mor.* 29, 46 (*CCL* 143B, 1465).
2. *Mor.* 14, 45 (*CCL* 143A, 725).
3. *Mor.* 9, 52 (*CCL* 143, 494).
4. *Hom. Eu.* II, 34, 5 (*PL* 76, 1248).

Le Juste Pénitent garde le plus grand contrôle possible sur son destin dans un univers qui est tout à fait hors de son contrôle. La sévérité même de sa discipline est proportionnelle à la puissance et à la grâce du Juge. Ironiquement, le degré de consolation que nous apportait la doctrine selon laquelle l'adversité n'est pas forcément une punition pour les péchés, se trouve contredit par l'examen minutieux de la conscience qui, en fait, considère l'affliction comme une telle punition.

Finalement, tout est entre les mains du Créateur, dont la puissance terrifiante est absolue. Ceci, Job l'apprend lorsque Dieu l'humilie du milieu de la tempête. Toutefois, cette dispensation de la grâce a une logique certaine, qui tourne à l'avantage de l'humanité. Parce que justement Dieu est tout-puissant, les êtres humains ne peuvent que se jeter dans les bras de sa miséricorde : pénitent, le Juste n'est pas juste pour rien. Sachant que « *nul ne peut délivrer de la main (de Dieu)* » (Jb 10, 7), le plaidoyer de Job à Dieu est poignant. C'est comme si Job avait dit : « Que te reste-t-il à faire, sauf à épargner, toi à la puissance duquel aucun homme ne peut résister ? Puisqu'il n'y a personne qui, par le mérite de sa propre vertu, puisse empêcher tes reproches, puisse ta bonté nous obtenir plus facilement le pardon[1] ! ». Il doit y avoir de l'espoir, si Dieu est effectivement bon. C'est en cela que les hommes doivent mettre leur confiance, d'une manière ou d'une autre. Dieu pourrait-il détruire *l'œuvre de [ses] mains* (cf. Jb 10, 3) ? Grégoire répond : « Tu ne peux jamais opprimer aveuglément, celui que, tu t'en souviens, tu as créé par ta seule grâce[2] ». Sans doute, jamais Dieu ne « mépriserait injustement » ce qu'il a « créé miséricordieusement » ; pas plus qu'ayant bâti le monde à partir de rien, il n'abandonnerait injustement ce qui existe[3]. Certes, Job subit l'affliction de Dieu, et

---

1. *Mor.* 9, 73 (*CCL* 143, 508).
2. *Mor.* 9, 70 (*CCL* 143, 506).
3. *Mor.* 26, 35 (*CCL* 143B, 1292-1293).

certes Dieu humilie Job au milieu de la tourmente, mais en fin de compte, Job est récompensé.

Le pouvoir de sauver ou d'abandonner repose uniquement en Dieu, et finalement Dieu doit accepter de lui-même sa propre miséricorde, que ce soit sous la forme du sacrifice du Christ pour l'humanité ou sous celle des œuvres humaines qui imitent et lui rappellent ce sacrifice. Alors que le *Livre de Job* ne fait aucune référence au Christ, l'exégèse de Grégoire n'a de sens que parce que le Christ est au centre même des *Moralia*.

Job est avec évidence une figure du Christ.

LE RÔLE DU CHRIST DANS LES *MORALIA*

Chez Grégoire, le Christ se présente sous des titres nombreux[1]. Il est la Parole éternelle par qui le monde a été créé, la Vérité, la Sagesse, la Lumière et la Voie. Il est le Rédempteur, le Défenseur, le Médiateur et le Juge, et la Perfection même. Mais par-dessus tout, le Christ est celui qui souffre.

LA SOUFFRANCE ET LE SACRIFICE DU CHRIST

Grégoire insiste sur la souffrance et le sacrifice, dans la personne de Job, en tant qu'il est la figure du Christ. Le nom de Job signifie « affligé » ou « peiné » et fait référence à la souffrance du Rédempteur pour nous[2]. Toutes les souffrances terribles de Job se réfèrent ainsi à celles que le Christ a endurées volontairement afin de racheter l'humanité et de

1. La christologie de Grégoire est relativement négligée. Voir F.H. DUDDEN, *Gregory the Great. His Place in History and Thought,* London 1905, vol. 2, p. 324-347 ; C. DAGENS, *Saint Grégoire,* p. 166, 176, 255 ; C. STRAW, *Gregory the Great,* Berkeley 1988, p. 147-178. La tendance de Grégoire à équilibrer les aspects humains et divins du Christ est chalcédonienne, et Grégoire a une dette envers le *Tome* (*Ep.* 28) de saint Léon et ses sermons.

2. *Mor.* 1, 15 (*CCL* 143, 31-32) ; *Praef.* 16 (*CCL* 143, 21).

rendre possible la vie éternelle. Job « porte la ressemblance de notre Rédempteur dans sa passion » ; il est l'image du « Médiateur entre Dieu et les hommes, l'homme Jésus Christ[1] ».

Au niveau le plus profond, souffrir comme Job a souffert revient à souffrir à l'image du Christ, à payer en retour et à offrir à nouveau le sacrifice du Christ pour l'humanité. Le sacrifice est au cœur même des *Moralia*, non seulement parce qu'il définit le comportement de Job, mais aussi parce que le sacrifice du Christ rétablit l'ordre cosmique disloqué par la chute d'Adam. Subir les tourments envoyés par Dieu devient alors une offrande sacrificatoire faite à Dieu, à l'image du Christ qui a souffert devant Dieu pour l'expiation des péchés de l'humanité déchue. Ainsi, toutes les bonnes œuvres de Job sont des offrandes sacrificatoires, tout comme les holocaustes qu'il offrait pour les transgressions possibles de sa famille. Comme Job offrait des sacrifices de façon continue (cf. Jb 1, 5), ainsi le Christ offre au Père pour nous un holocauste continuel. Son intercession efface les méfaits de l'homme et, dans le mystère de son humanité, le Christ offre un sacrifice perpétuel[2]. L'homme, à son tour, doit devenir un reflet du Christ.

Le sacrifice est également la « charnière » qui relie le spirituel et le charnel. Alors que le sacrifice sépare le corps et l'âme dans la mort, à travers le sacrifice le corps et l'âme sont réunis, régénérés et transformés. Le Christ guérit les divisions qui marquent la vie humaine en unissant en lui Dieu et l'homme. Il reconstitue un univers divisé fait de chair et d'esprit, en servant de médiateur entre ses deux parties disparates. En tant que Médiateur entre Dieu et l'homme (1 Tm 2, 5), le Christ est le point central, qui rassemble et réconcilie toute contrariété. Le Christ est la réponse à la demande de

1. *Mor.* 3, 26 (*CCL* 143, 131).
2. *Mor.* 1, 32 (*CCL* 143, 42-43).

Job (31, 35) : « *Qui me donnera un Protecteur pour que mon désir soit entendu par le Tout-Puissant ?* »

LE CHRIST MÉDIATEUR

« Étant mortels et injustes, nous nous trouvions très loin de celui qui est Juste et Immortel. Mais entre celui qui est Immortel et Juste, et nous, les mortels et les injustes, est apparu le Médiateur entre Dieu et les hommes, lui qui était mortel et juste, partageant avec les hommes la mortalité, et avec Dieu la justice. Puisque par notre bassesse nous étions si loin des hauteurs, il fallait qu'il joigne en lui-même l'humilité et la grandeur, et qu'il devienne pour nous le chemin du retour, unissant notre bassesse avec sa hauteur [1] ».

Ainsi, en la personne du Christ, sont résolues toutes les oppositions : mortel et immortel, droiture et iniquité, hauteur et petitesse. Grégoire voit dans le Christ un médecin qui utilise comme remèdes le semblable et le dissemblable :

« Il est venu vers nous, comme un homme vers des hommes, mais aussi comme un juste vers ceux qui sont dans le péché. Il s'accordait avec nous par la vérité de sa nature, mais il en différait par la force de sa justice ; car l'homme dans le péché ne pouvait être réformé que par Dieu. Mais il fallait que le guérisseur fût visible, afin de pouvoir réformer notre ancienne vie de pécheurs en nous montrant un modèle à imiter. Et puisqu'il n'était pas possible que Dieu fût vu par l'homme, Dieu est donc devenu homme, afin qu'il puisse être vu. Le Dieu juste et invisible est par conséquent apparu en homme visible comme nous, de sorte que, en étant vu parce que semblable, il nous guérisse parce que juste ; et que, en s'accordant en nature avec notre condition, il puisse mettre fin à notre maladie par la puissance de son art [2] ».

1. *Mor.* 22, 42 (*CCL* 143A, 1122).
2. *Mor.* 24, 2 (*CCL* 143B, 1189).

Le Christ devient le remède du semblable en devenant homme, car ce lien lui permet de transférer ses qualités à l'humanité et cette justice dont l'humanité manque gravement. Le Dieu invisible a daigné se rendre visible pour nous fournir des exemples à imiter, afin que nous-mêmes nous puissions revêtir sa sainteté et être guéris.

Particulièrement, le Christ a rétabli la santé spirituelle de l'humanité en faisant passer la chair du péché vers la droiture, non seulement en triomphant de la tentation, mais aussi par l'épreuve douloureuse de son sacrifice. Quand Job s'assoit sur son fumier (Jb 2, 8), Grégoire y voit un symbole de l'Incarnation, dans laquelle le Rédempteur revêt la chair pour endurer « la douleur de sa passion » au milieu du « mépris de son peuple[1] ». C'est au Christ que s'appliquent les paroles de Dieu au diable dans *Job* 2, 3 : « *C'est toi qui m'as dressé contre lui pour que je l'accable sans motif* ». « Assurément le Médiateur entre Dieu et les hommes, l'homme Jésus Christ, est venu endurer les fléaux de notre nature mortelle afin d'effacer les péchés issus de notre désobéissance[2] ». Le Christ purifie l'humanité de ses péchés en souffrant dans la chair. Il expie pour l'humanité, nous affranchissant par sa passion[3]. Le Christ purifie la chair par la souffrance : la « rouille du péché ne pouvait être nettoyée que par le feu de la torture » ; son « sang ôte la tache de notre péché[4] ».

Ainsi, c'est l'expiation du Christ que présentent à l'avance les souffrances pitoyables de Job. C'est au cours de sa passion, en s'abandonnant à la rage de Satan, en acceptant les crachats et les coups, en étant transpercé et crucifié, que le Christ libère l'humanité du pouvoir de Satan[5].

1. *Mor.* 3, 34 (*CCL* 143, 137).
2. *Mor.* 3, 26 (*CCL* 143, 131).
3. *Mor.* 3, 33 (*CCL* 143, 136-137).
4. *Mor.* 3, 27 (*CCL* 143, 132).
5. *Mor.* 3, 29 (*CCL* 143, 133-134).

Le Christ est innocent, mais il souffre ; tel fut aussi le lot de Job. Il y a un verset que Grégoire juge s'appliquer difficilement à Job : « *Je n'ai pas commis le péché, et (pourtant) mon œil demeure dans l'amertume* » (Jb 17, 2), mais qu'il comprend parfaitement dans la bouche du Christ, car le Rédempteur n'a pas péché et pourtant il a subi l'amertume en étant puni pour le péché[1]. Seul le Christ est parfait, et c'est pourquoi le sacrifice de sa totale innocence rachète l'humanité. Parce que le Christ, le Juste, pour racheter les péchés de l'humanité, a pris sur lui la souffrance et la mort qu'il ne méritait pas, son sacrifice apaise la colère de Dieu et expie le péché de l'humanité[2]. Le sacrifice du Christ ôte la culpabilité qui maintient l'humanité dans l'asservissement du diable[3]. Ce que le premier homme avait perdu par sa désobéissance volontaire, la mort volontaire du Christ, le second homme le rétablit[4].

Le rôle du Christ en tant que médiateur est compris littéralement : le Christ négocie avec les deux parties. Si Dieu est apaisé par le sacrifice du Christ, l'humanité doit en retour imiter la droiture du Christ. Job 9, 33 met en lumière cette double action du Christ : « *Il n'y a personne qui nous puisse reprendre tous les deux, et poser la main sur l'un et l'autre* ». Grégoire se représente le Christ tendant les mains vers les cieux et vers l'humanité.

« D'une part, il a repris l'homme afin qu'il ne pèche pas, et de l'autre, il s'est opposé à Dieu afin qu'il ne frappe pas. Il a offert un modèle d'innocence, et il a porté la peine de l'iniquité [...] Il a posé la main sur les deux, puisqu'il a donné aux hommes des modèles à imiter, et qu'il a aussi manifesté en lui à Dieu des œuvres, par lesquelles Dieu a pu être apaisé vis-à-vis des hommes [...] Du fait qu'il a enseigné la droiture aux coupables, par là-même il a apaisé le Juge en colère[5]. »

---

1. *Mor.* 13, 34 (*CCL* 143A, 687).
2. *Mor.* 3, 27 (*CCL* 143, 132) ; *Mor.* 17, 46 (*CCL* 143A, 877-878).
3. *Mor.* 17, 46 (*CCL* 143A, 877-878).
4. *Mor.* 3, 26 (*CCL* 143, 131).
5. *Mor.* 9, 61 (*CCL* 143, 501).

LE RÔLE DE L'HOMME DANS SON SALUT

Le salut implique l'équilibre entre les activités humaine et divine qui sont complémentaires, un équilibre entre Dieu et l'humanité. L'œuvre du Christ est nécessaire, mais l'effort humain aussi. Le Christ rachète l'humanité, mais le chrétien se doit d'imiter cette rédemption et d'offrir en retour sa souffrance. « La dette de l'homme envers Dieu est d'autant plus grande que, pour l'homme, Dieu a pris sur lui des choses indignes de sa grandeur [1] ». La rédemption du Christ doit être compensée par les efforts correspondants du chrétien pour imiter et suivre le Christ [2]. Nous devons « rendre active » sa rédemption : « Pour que le sacrement de la passion de notre Seigneur ne soit pas inefficace en nous, nous devons imiter ce que nous recevons, et prêcher à autrui ce que nous adorons ». « Tout pécheur qui reçoit le prix de sa rédemption (*sumere pretium suae redemptionis*) confesse, loue, et prêche autant qu'il peut [3]. » Toute la vie du Christ, son incarnation autant que sa mort, fournissent aux êtres humains un exemple à suivre ; « Il a enduré railleries et outrages, dérisions et insultes, souffrance et tourments, afin que le Dieu humble puisse enseigner à l'homme à ne pas être orgueilleux [4] ». Suivre les pas du Christ signifie en particulier garder la *patientia*, à l'image de Job, et se soumettre dans l'obéissance et l'humilité à toutes les épreuves que Dieu peut nous envoyer.

Cette réciprocité de l'action de Dieu et de l'action humaine exprime la justice ou *aequitas* qui dirige le monde ; l'équilibre

---

1. *Mor.* 29, 1 (*CCL* 143B, 1434).

2. *Mor.* 13, 26 (*CCL* 143A, 683) ; *Mor.* 16, 41 (*CCL* 143A, 823-824) ; cf. *Dial* IV, 61, 1 (*SC* 265, 202). A travers la Rédemption, l'homme devient le débiteur du Christ, cf. *Hom. Eu.* II, 25, 9 (*PL* 76, 1195).

3. *Mor.* 13, 26 (*CCL* 143A, 683) ; cf. LÉON, *Tract.* 67, 5. Voir aussi *Mor.* 9, 64 (*CCL* 143, 503) ; *Mor.* 33, 24 (*CCL* 143B, 1694) ; *Mor.* 9, 95 (*CCL* 143, 524) ; *Mor.* 12, 57 (*CCL* 143A, 662-663).

4. *Mor.* 34, 54 (*CCL* 143B, 1770-1771).

et la stabilité sont rétablis. La puissance divine du Christ a délivré l'humanité des mâchoires de Léviathan, tandis que la mort de celui qui est parfait a racheté l'humanité pécheresse et retenu la main courroucée de Dieu.

Le Christ est le vrai héros du *Livre de Job*, car ses exploits surnaturels sauvent l'humanité et offrent l'espoir. Mais Grégoire voit un genre particulier de salut, qui équilibre l'action divine et la responsabilité humaine. Le Christ, pour ainsi dire, « aplanit le terrain de jeu », donnant aux chrétiens une chance de faire le bien et de faire valoir leurs actions. Le Christ apporte une Nouvelle Économie de grâce et de miséricorde, qui permet aux chrétiens d'être fidèles à la loi de Dieu par la confession et la repentance. Le repentir est au cœur de cette Nouvelle Économie. C'est l'inoubliable leçon de Job, humilié maintes fois par Dieu : il faut sans arrêt confesser que l'on n'est que « poussière et cendres[1] ». Mais grâce à ce sacrifice de componction, il y a guérison et rétablissement, car le repentir renouvelle constamment notre obéissance à la Loi. Il trace un chemin de retour continuel, en dépit de fautes malheureuses. Celui qui « ne voulait pas rester » revient ; celui qui « ne daignait pas se tenir » dans la droiture peut maintenant « se relever après sa faute[2] ». Par la repentance, les chrétiens peuvent se saisir de « l'héritage du Juste », car le Christ veut que « le royaume des cieux, qui ne peut être atteint par nos mérites, puisse être saisi grâce à nos larmes[3] ».

LA GRÂCE ET LE LIBRE ARBITRE

Les chrétiens peuvent maintenant « rendre » et « payer en retour » le don de Dieu par des œuvres qui en soient dignes[4]. La grâce et le libre arbitre agissent de façon complémentaire

1. *Mor.* 35, 7 (CCL 143B, 1777-1778).
2. *Hom. Eu.* II, 33, 8 (PL 76, 1245).
3. *Hom. Eu.* I, 20, 15 (PL 76, 1169).
4. *Mor.* 9, 64 (CCL 143, 503).

et réciproque[1]. Certainement, tout bien provient de Dieu, et les chrétiens n'ont pas reçu la grâce en retour de leurs propres mérites[2]. Le monde est clairement partagé entre les élus et ceux qui sont abandonnés et ainsi damnés. Mais, pour les élus, la grâce délivre le libre arbitre de son asservissement au péché et fait aspirer au bien. De façon significative, la volonté humaine et la grâce divine coopèrent et les chrétiens en sont dûment honorés : « Le bien que nous faisons vient à la fois de Dieu et de nous ; de Dieu par sa grâce prévenante, et de nous par le libre arbitre qui suit la grâce[3] ». Si cela ne vient pas de Dieu, pourquoi le remercions-nous ? Si cela ne vient pas de nous, pourquoi espérons-nous une récompense ? « Par l'accord du libre arbitre, nous avons choisi les bonnes actions que nous ferions[4] ».

La crainte s'équilibre avec l'espoir. Les chrétiens peuvent bien avoir le crédit de leurs bonnes œuvres, mais que peuvent-ils faire d'autre que de rendre à Dieu ses propres dons ? Ceci cependant renvoie de nouveau à la miséricorde, car puisqu'il en est ainsi, Dieu détruirait-il ses propres œuvres ? En citant *Job* 10, 7 : « *Puisque nul ne peut me délivrer de ta main* », Grégoire se représente Job en train de plaider sa cause devant Dieu, un Job qui n'est pas du tout le héros

---

1. Pour les discussions au sujet de la doctrine de Grégoire sur la grâce et le libre arbitre, voir L. WEBER, *Hauptfragen der Moraltheologie Gregors des Grossen*, Freiburg in der Schweiz 1947 ; F.H. DUDDEN, *Gregory the Great*, London 1905, vol. 2, p. 393-400 ; C. DAGENS, *Saint Grégoire*, p. 242 s., 446 s., qui rappelle les reproches faits à Grégoire de semi-pelagianisme, – Grégoire n'est pas semi-pélagien, car il attribue tout pouvoir à Dieu et au Christ. Cependant ses enseignements font écho à ceux de CASSIEN quand il parle des devoirs de l'homme, voir surtout *Coll.* 13, 6-18, et O. CHADWICK, *John Cassian*, 2ᵉ éd., Cambridge 1968, p. 110-136.

2. *Mor.* 18, 63 (*CCL* 143A, 929) ; *Mor.* 23, 13 (*CCL* 143B, 1153-1154) ; *Mor.* 20, 11 (*CCL* 143A, 1009).

3. *Mor.* 33, 40 (*CCL* 143B, 1710) ; *Mor.* 16, 30 (*CCL* 143A, 816) ; *Mor.* 24, 24 (*CCL* 143B, 1204) ; *Mor.* 18, 63 (*CCL* 143A, 929) ; *Mor.* 24, 13 (*CCL* 143B, 1196-1197).

4. *Mor.* 33, 40 (*CCL* 143B, 1710).

qu'est le Christ, qui lui se tient ferme dans la droiture, et convainc Dieu et l'humanité. « C'est comme si Job avait dit ouvertement : que te reste-t-il à faire, sauf à épargner, toi à la puissance duquel aucun homme ne peut résister ? Puisqu'il n'y a personne qui, par le mérite de sa propre vertu, puisse empêcher tes reproches, puisse ta bonté nous obtenir plus facilement le pardon ! » De plus, « puisque nous sommes conçus dans le péché et nés dans l'iniquité, ou bien nous faisons le mal vicieusement, ou bien, même en agissant correctement, nous péchons involontairement ; nous n'avons donc aucune possibilité d'apaiser la sévérité du juge. Mais puisque nous ne pouvons pas présenter nos œuvres comme dignes de ses regards, il reste que nous lui offrions ses propres œuvres afin de l'apaiser[1] ».

Quelle consolation pouvaient apporter de telles réflexions, il est impossible de le savoir. La rédemption du Christ signifie que Dieu peut accepter les bonnes œuvres plutôt que d'abandonner automatiquement les chrétiens. La miséricorde de Dieu n'est jamais une raison pour nous relâcher, mais plutôt une incitation à faire grandir la discipline. La Nouvelle Économie du Christ signifie que les chrétiens doivent s'assurer qu'ils se repentent suffisamment pour rendre l'offrande de leurs œuvres acceptable à Dieu. Job n'a pas cessé d'offrir des holocaustes dans l'incertitude de la bonne et de la mauvaise fortune ; le chrétien moyen devrait faire de même.

---

1. *Mor.* 9, 73 (*CCL* 143, 508).

LES DERNIERS LIVRES DES *MORALIA* (28-35)

Les huit derniers livres des *Moralia* étudient le récit le plus dramatique du *Livre de Job*, depuis le trente-huitième chapitre, où Dieu parle à Job du sein de la tempête, jusqu'au dix-septième verset du chapitre quarante-deux, où Job meurt *âgé et rassasié de jours*, après avoir été vengé et récompensé.

C'est directement selon le sens littéral que Grégoire traite les derniers livres.

Dieu pose à Job une série de questions péremptoires, parmi lesquelles celles-ci : « *Où étais-tu quand je posais les fondements de la terre ?* » (Jb 38, 4) ; « *Après ta naissance, as-tu donné des ordres à l'aube ? As-tu montré sa place à l'aurore ?* » (Jb 38, 12) ; « *Le rhinocéros acceptera-t-il d'être à ton service ?* » (Jb 39, 9).

Dans chaque verset, les images inspireront diverses leçons morales, christologiques ou ecclésiologiques. Mais le sens littéral est clair : ces versets sont prononcés afin d'humilier Job, car seul Dieu est capable de ces exploits[1].

Commentant *Job* 38, 29 : « *Du sein de qui la glace est-elle sortie ? Et qui a produit du ciel la gelée ?* », Grégoire donne cette interprétation : « De quoi s'agit-il donc dans ces paroles ? Le Seigneur entend humilier le bienheureux Job au sujet de ses éminentes vertus ; il s'était réchauffé en vivant dans l'exercice du bien ; le Seigneur veut l'empêcher de se refroidir par l'orgueil et de se faire chasser du sein de la divinité s'il venait à s'enfler de vanité dans le fond de son cœur[2]. » Ainsi, l'humilité maintient Job parmi les élus.

Pourquoi Job avait-il besoin d'être humilié, il est difficile de le discerner. Au début du Livre 28, Grégoire note que Job n'est pas abattu par les blessures et les pertes qu'il a subies. Job est si vertueux que Dieu ne peut que « lui faire connaître lui-même les hauts faits qu'il a accomplis » pour l'humilier,

---

1. Cf. *Mor.* 28, 20 (*CCL* 143B, 1411) ; *Mor.* 29, 30 (*CCL* 143B, 1454) ; *Mor.* 29, 42 (*CCL* 143B, 1463) ; *Mor.* 29, 47 (*CCL* 143B, 1466).

2. *Mor.* 29, 59 (*CCL* 143B, 1476).

pour « [le] reprendre avec une juste sévérité », de peur que son comportement vertueux pendant l'épreuve ne le mène à l'orgueil[1]. La vertu de Job se trouve être peu de chose par rapport aux qualités divines, et, en particulier, Job est incapable de percer les mystères des desseins secrets de Dieu. Les êtres humains ne sauront jamais pourquoi les choses sont telles qu'elles sont.

Dans *Job* 38, 33, Dieu demande à Job : « *Connais-tu l'ordre du ciel et en rendras-tu raison sur la terre ?* » ; un verset qui, d'après Grégoire, fait allusion à cette providence de Dieu. « Demandons-nous pour quelle raison secrète le juste sort souvent puni du tribunal, bien loin d'y avoir obtenu justice, et le méchant, son adversaire, en sort non seulement impuni mais triomphant. » L'incompréhension face à cet « équilibre secret d'une justice cachée » a des implications inexorables. Non seulement les chrétiens doivent être humbles, mais ils doivent se soumettre à la souffrance « d'autant plus patiemment » qu'ils sont dans « l'ignorance des secrets célestes » et du « pourquoi » de leur souffrance[2].

L'INNOCENCE DE JOB MISE EN QUESTION

En dépit des éloges que Grégoire prodigue à Job, il devient plus critique lorsqu'il commente *Job* 39, 31-42 : « *Le Seigneur continua à parler à Job : 'Comment celui qui dispute avec Dieu, se tait-il si facilement ? Certes celui qui fait des reproches à Dieu, doit aussi lui répondre'* ». Grégoire a reconnu auparavant que Job estimait être injustement affligé. Maintenant, il déclare qu'en effet, Job a murmuré contre les coups, non par orgueil, mais par incompréhension. Mais ceci reste quand même un reproche : « C'est en effet reprendre [Dieu] que de douter de la justice de [ses] coups[3] ». Job, en fait, reconnaît qu'il s'est égaré : « *J'ai dit une chose (plût à Dieu que je ne l'eusse pas dite)*

---

1. *Mor.* 28, 1 (*CCL* 143B, 1394).
2. *Mor.* 29, 77 (*CCL* 143B, 1489).
3. *Mor.* 31, 107 (*CCL* 143B, 1623).

et une autre à laquelle je n'ajouterai rien de plus » (Jb 39, 35).
Quels étaient ces égarements ? « Il reconnut d'abord qu'il
n'avait pas été aussi juste qu'il pensait dans ses actes, et avait
ensuite manqué de patience dans ses souffrances[1] ».

Cette idée que Job « était puni pour le péché de l'injustice »
(*pro iniustitiae peccato*)[2] ne s'accorde pas avec l'insistance
préalable de Grégoire sur le fait que Job « ne pécha point
sous l'épreuve ». Job est « doucement blâmé par Dieu », qui
lui montre ses propres œuvres et celles des autres, afin qu'il
« apprenne à se soumettre à celui qui est le plus grand ». Grégoire explique le comportement de Job comme de l'ignorance
et de l'incompréhension. Job n'a pas compris que ses mérites
grandissaient dans l'affliction, mais pensait que la sévérité
de l'épreuve retranchait ses vices[3]. Alors qu'il était frappé,
Job ne trouvait pas quelle était sa faute et s'est donc plaint à
haute voix. La question mordante de Dieu réprimande Job :
« *Est-ce que tu rendras vain mon jugement et me condamnera-tu
pour que toi, tu sois justifié ?* » (Jb 40, 3). Même si les êtres
humains ne peuvent pas comprendre le jugement caché de
Dieu, Dieu ne pourra jamais être injuste[4]. Chercher à se justifier contre le Dieu tout-puissant n'est que présomption
ridicule. Qui donc a le pouvoir de juger le Juge ?

Dans son exégèse des chapitres précédents de Job, Grégoire utilise toutes les stratégies possibles pour expliquer que
les plaintes et les protestations de Job n'ont rien d'un reproche à Dieu. Dans son exégèse de ces derniers chapitres,
Grégoire semble changer d'avis, mais c'est seulement pour
souligner le besoin pour l'homme d'une obéissance absolue
et du sacrifice de sa volonté. Grégoire attribue à la protestation de Job les motifs les plus doux : Job est dérouté par le
dessein de Dieu, il est réduit au silence lorsque Dieu déroule

1. *Mor.* 32, 3 (*CCL* 143B, 1627-1628).
2. Cf. *Mor.* 32, 5 (*CCL* 143B, 1630).
3. *Mor.* 31, 107 (*CCL* 143B, 1623).
4. *Mor.* 32, 5 (*CCL* 143B, 1631).

la liste des exploits qu'il n'a pas accomplis. Job reconnaît son erreur et son humilité est rétablie. Finalement, la punition de Dieu enseigne à Job l'unique leçon qui lui manquait : « s'associer à Dieu qui le châtie » ; « accept[er] le jugement porté contre lui » ; et « se réjou[ir] d'être frappé[1] ». Voici vraiment ce que signifie voir sa vertu cachée, révélée, par le fléau de l'adversité. Il ne s'agit pas seulement d'avoir la force d'endurer des épreuves, mais d'aimer le Dieu qui envoie ces afflictions.

Ainsi Grégoire prend le texte hébraïque et le relit entièrement dans un contexte chrétien, le transformant en leçon d'obéissance absolue, de sacrifice de la volonté, et de souffrance volontaire.

LES DERNIERS LIVRES ET L'ESCHATOLOGIE DE GRÉGOIRE

Les huit derniers livres des *Moralia* étudient sans changement de perspective des thèmes introduits auparavant. Dieu réprimandant Job du milieu de la tempête devient l'allégorie du Christ réprimandant l'homme en lui rappelant ses propres souffrances : « C'est comme s'il disait à l'homme éprouvé : soupèse ce que j'ai enduré et pèse ce que j'ai acheté ; ne te plains pas toi-même de tes épreuves, tant que tu ignores les récompenses qui te sont réservées dans la vie future.[2]. La dette de l'homme envers Dieu est d'autant plus grande que, pour l'homme, Dieu a pris sur lui des choses indignes de sa grandeur[3]. Soupèse avec soin mes peines et relativise sereinement les tiennes ; les coups que tu endures sont bien peu de choses comparés à ceux que je dois souffrir de la part des hommes[4] ». Le sens tropologique ou moral découle facilement du sens littéral, et Grégoire continue

---

1. *Mor.* 32, 5 (*CCL* 143B, 1630-1631).
2. *Mor.* 29, 26 (*CCL* 143B, 1451).
3. *Mor.* 29, 1 (*CCL* 143B, 1434).
4. *Mor.* 30, 3 (*CCL* 143B, 1492-1493).

d'insister sur l'humilité, le repentir, et la constance dans l'adversité comme dans la prospérité.

Ce qui est davantage développé dans les huit derniers livres, c'est l'ecclésiologie de Grégoire, à l'intérieur d'une perspective apocalyptique[1]. L'apparition de Béhémoth et de Léviathan dans *Job* 40 attise l'intérêt de Grégoire pour les luttes de l'Église dans l'histoire et, maintenant, près de la fin des temps. L'Antichrist et son corps de pécheurs sont là pour se battre contre le Corps du Christ et ses élus. Dans les livres précédents, Grégoire a expliqué que les amis de Job représentent les ennemis de l'Église, les hérétiques qui détournent les fidèles en donnant de faux enseignements[2]. Comme les êtres humains, l'Église a connu l'adversité (par les persécutions) et la prospérité (par la conversion de princes païens). Tout comme la condition humaine est énigmatique, la condition de l'Église est ambiguë. Son succès extérieur, sa richesse et son pouvoir peuvent paraître dangereux et inconvenants : ils sont critiqués, jugés déplacés par les hypocrites. Mais les hommes saints savent comment assumer le pouvoir avec sécurité, en préservant l'humilité intérieure et en se dissociant des marques extérieures du pouvoir qui pourraient devenir une tentation d'orgueil.

En tant qu'institution dont les fortunes passées et présentes sont mêlées, l'Église est aussi un corps dont les membres sont un mélange d'élus et de damnés, de forts et de faibles, d'hommes plus spirituels et d'autres plus séculiers.

---

1. L'apocalyptique de Grégoire a été bien soulignée par C. DAGENS, *Saint Grégoire*, p. 345-400 ; du même, « La fin des temps et l'Église selon saint Grégoire le Grand », *RSR* 58, 1970, p. 273-288 ; R. MANSELLI, « L'escatologismo di Gregorio Magno », dans *Atti del 1° Congresso internazionale di studi longobardi*, Spoleto 1952, p. 383-387 ; et du même, « L'escatologia di Gregorio Magno », dans *Ricerche di storia religiosa* 1, 1954, p. 72-88 ; R. WASSELYNK, « La voix d'un Père de l'Église. L'orientation eschatologique de la vie chrétienne d'après S. Grégoire le Grand » (*Assemblées du Seigneur*, 1e série 2), 1962, p. 66-80.

2. *Mor., Praef.* 15 (*CCL* 143, 20).

Grégoire met en valeur la complémentarité de ces membres. Job, qui a été « des yeux pour les aveugles » et « des pieds pour les boiteux », symbolise l'Église. Les membres plus spirituels contemplent les vérités divines, et par cette qualité de vision supérieure, indiquent aux autres la voie à suivre. Mais ces dirigeants doivent être protégés de la « poussière » du monde. Ici les « pieds » de l'Église, les membres plus charnels, prennent en charge les affaires séculières. Chacun fournit ce qui manque à l'autre et reçoit un remède pour sa propre faiblesse. Le corps du Christ forme ainsi une harmonie.

A ce corps du Christ s'opposent l'Antichrist et ses membres, symbolisés par Béhémoth et Léviathan[1]. Certains sont dans l'Église en tant que prédicateurs pervers[2] ; d'autres sont des hypocrites qui dissimulent le vice sous la vertu et critiquent le pouvoir terrestre de l'Église[3] ; d'autres sont simplement des charnels qui s'adonnent aux diverses voies du péché[4].

Alors que le monde approche de sa fin, Béhémoth va *étendre sa queue* (cf. Jb 40, 12), et les élus de Dieu subiront des tourments plus grands que ceux subis par les martyrs précédents, car il apparaîtra de faux Christs, de faux prophètes, des signes et des miracles, qui feront que même les élus tomberont dans l'erreur (Mt 24, 24)[5]. La confrontation est inévitable. « Parce que nous portons un corps tiré de ce monde, considérons la fin du tout d'après cette petite partie que nous sommes », écrit Grégoire. Nous vieillissons ; de même aussi le monde : la santé se perd, les épreuves

---

1. Voir spécialement *Mor.* 29, 15 s. (*CCL* 143B, 1443 s.). Grégoire, plus haut, a parlé de Léviathan. Voir C. NARDI, « Gregorio Magno interprete di *Apocalisse* 20 », *Gregorio Magno e il suo tempo* (*Studia Ephemeridis « Augustinianum »* 34), Rome 1991, p. 267-283.

2. *Mor.* 32, 28 (*CCL* 143B, 1651) ; *Mor.* 33, 46 (*CCL* 143B, 1713).

3. *Mor.* 31, 28 (*CCL* 143B, 1570) ; *Mor.* 32, 45 (*CCL* 143B, 1661).

4. *Mor.* 32, 18 (*CCL* 143B, 1643) ; *Mor.* 33, 29 (*CCL* 143B, 1698-1699) ; *Mor.* 32, 28 (*CCL* 143B, 1651).

5. *Mor.* 32, 24 (*CCL* 143B, 1647-1648).

augmentent, l'ennemi fait rage avec des tentations encore plus sévères[1]. Les signes de puissance sont retirés à l'Église : les prophéties, les guérisons, l'abstinence, la doctrine, les miracles[2]. Grégoire se montre particulièrement soucieux au sujet de l'Antichrist, car il enlèvera le « sacrifice perpétuel » de l'Église en prenant sous son contrôle les membres bons. Il tuera *les puissants et le peuple des saints* (Dn 8, 24). Que tout cela s'achève en triomphe pour les justes, avec l'apparition du Juge, semble insuffisant pour apaiser l'angoisse de Grégoire.

La persécution, à l'échelle cosmique, du Corps du Christ par Léviathan devrait servir à rendre l'individu plus obéissant à Dieu : « Si vous considérez le combat de l'ennemi secret, ne vous plaignez pas de ce que vous subissez de Dieu, rappelez-vous le véritable ennemi et ne pensez pas que ce que vous endurez est rude, alors que par les tortures extérieures, vous évitez la souffrance intérieure[3] ». Et Grégoire fait cette remarque : « Qui peut douter de ce que les méchants subiront, si même les élus sont affligés d'une telle discipline[4] ? » Mais c'est là une froide consolation.

Ce dernier moment de vérité souligne la contingence radicale de l'humanité. Dieu, le Juge, et les anges verront le spectacle du monstre emprisonné ; mais pourquoi donc, s'interroge Grégoire, Dieu nous demande-t-il de nous battre alors que nous sommes faibles et que le Léviathan est fort ? Pourquoi lui est-il permis d'en dévorer autant[5] ? La réponse se trouve en *Job* 41, 2 : « *Qui donc résisterait devant ma face ? Qui donc m'a donné en premier, pour que j'aie à lui rendre ?* ». Grégoire explique que Dieu n'est pas cruel, puisqu'il sauve ses élus, et qu'il ne condamne pas non plus les réprouvés injuste-

---

1. *Mor.* 34, 1 (*CCL* 143B, 1733).
2. *Mor.* 34, 7 (*CCL* 143B, 1737).
3. *Mor.* 33, 36 (*CCL* 143B, 1706-1707).
4. *Mor.* 34, 23 (*CCL* 143B, 1748).
5. *Mor.* 33, 37 (*CCL* 143B, 1707-1708).

ment. En effet, les élus sont sauvés miséricordieusement, mais les réprouvés ne sont pas abandonnés injustement, car « nul n'a donné à Dieu en premier, de sorte que la grâce divine doive suivre[1] ». Ici, les sentiments de Grégoire sont très augustiniens. Ceux qui sont écrasés comme de l'argile par Léviathan (cf. Jb 41, 21) n'ont de toute façon jamais été saints aux yeux de Dieu[2]. Mais alors que le salut est totalement gratuit, qu'il est un choix inconditionnel fait par l'Amour de Dieu, les êtres humains doivent toutefois payer pour cette grâce offerte par de bonnes œuvres, ce dont ils recevront la récompense[3].

Les derniers chapitres de *Job* sont tout à fait troublants et soulignent le côté sévère et pénitentiel de Grégoire. L'homme juste est complètement démuni face à la puissance terrible de Dieu, et ce même Dieu tout-puissant laisse Léviathan semer la destruction parmi les élus. Job se repent *sur la poussière et sur la cendre* (Jb 42, 6) ; la sagesse humaine comparée à la sagesse de Dieu n'est que folie[4]. Que peuvent faire d'autre les chrétiens dans ce monde si rude, sinon adopter le rôle du Juste Pénitent, et s'efforcer en quelque manière de ne pas perdre espoir ?

LA GLORIFICATION DU JUSTE PÉNITENT

Heureusement, le *Livre de Job* s'achève avec des versets remplis d'une affirmation extraordinaire, et l'espoir, par contraste, se fait plus lumineux. La pénitence et la conversion sont essentielles. « Dieu est miséricordieux autant que juste : il ne laisse pas plus passer les fautes [de ses serviteurs] sans réprimande qu'il ne laisse leur faute sans conversion[5] ». Le problème posé par l'innocence de Job n'est

1. *Mor.* 33, 38 (*CCL* 143B, 1708).
2. *Mor.* 34, 29 (*CCL* 143B, 1754).
3. *Mor.* 33, 38 (*CCL* 143B, 1708).
4. *Mor.* 35, 3 (*CCL* 143B, 1775).
5. *Mor.* 35, 11 (*CCL* 143B, 1781).

pas facile à résoudre, mais Grégoire y parvient. Après que
Job a été humilié par Dieu et qu'il s'est fait des reproches en
se repentant, ses amis sont châtiés et il est jugé meilleur
qu'eux. « Comment se fait-il que [Job] soit glorifié devant
l'ennemi et réprimandé en sa personne, et pourtant jugé
meilleur que ses amis[1]? » Grégoire l'explique : Job sur-
passait les autres par sa vertu, mais devant Dieu il demeurait
condamnable. Job croyait qu'il était affligé pour avoir péché,
et non pas que c'était une faveur pour accroître ses mérites.
Il est accusé d'incompréhension, mais reste préféré à ses
amis. Cette ironie révèle un mystère : « D'où l'on voit
clairement la grandeur de la justice, en ce fait que celui qui a
affirmé l'innocence de sa conduite contre les critiques de ses
amis, c'est celui qui, par un jugement divin, est préféré à
ceux-là mêmes qui défendaient le jugement divin[2] ».
Grégoire s'efforce de rassurer ses lecteurs : les reproches de
Job qui pourraient leur paraître un péché ne le sont peut-être
pas aux yeux de Dieu, tout comme ce qui est vertu aux yeux
de l'homme peut n'avoir aucun sens pour Dieu. Aux yeux de
Dieu, Job est victorieux, et c'est là tout ce qui compte.
L'opinion des simples êtres humains est bien souvent
erronée[3]. Tel est le dessein de Dieu, son jugement
mystérieux, et c'est là une réponse suffisante.

L'exégèse de ce livre tenait au cœur de Grégoire ; Grégoire
s'identifiait à Job. Par une disposition de la Providence, il
convenait qu'une personne affligée comme l'était Grégoire
dût exposer les épreuves d'une personne aussi affligée que
Job[4]. Les *Moralia*, ce sont les *Confessions* de Grégoire, un
exposé de la grandeur de Dieu et de la faiblesse humaine ; un
appel à la miséricorde de Dieu et à l'intercession des lecteurs.
« Je crois qu'il vaut la peine que je révèle sans hésitation aux

1. *Mor.* 35, 9 (*CCL* 143B, 1779).
2. *Mor.* 35, 9 (*CCL* 143B, 1779).
3. Cf. *Mor.* 35, 10 (*CCL* 143B, 1781).
4. *Mor., Ep.* 5 (*SC* 32 bis, p. 131).

oreilles de mes frères tout ce que je me reproche secrètement. De même que dans mon exposé je n'ai pas dissimulé ce que je pensais, dans ma confession je ne cache pas ce que j'endure [...] Je prie quiconque lira ces livres de m'accorder devant le Juge sévère le réconfort de ses prières [1] ».

1. *Mor.* 35, 49 (*CCL* 143B, 1810-1811).

TEXTE ET TRADUCTION

PARS SEXTA

LIBER VIGESIMVS OCTAVVS

Praefatio Post damna rerum, post funera pigno-
rum, post uulnera corporis, post uerba male
suadentis uxoris, post contumeliosa dicta con-
solantium, post suscepta fortiter iacula tot dolorum, de tanta
5 uirtute constantiae laudandus a iudice beatus Iob fuerat, sed
si iam de praesenti saeculo esset euocandus. At postquam
hic adhuc duplicia recepturus est, postquam saluti pristinae
restituitur, ut rebus redditis diutius utatur, ne per elationis
gladium ipsa illum sua uictoria sternat, debet omnipotens
10 Deus increpare per districtam iustitiam quem seruat ad
uitam. Quid enim peius plerumque animam quam conscia
uirtus interficit ? Quae illam dum consideratione sua inflat, a
plenitudine ueritatis euacuat ; et dum se ad percipienda praemia sufficere suggerit, eam a meliorationis intentione
15 distendit.

---

1. Restriction finale introduite par *sed si* : ici à l'irréel du passé, ce type de
phrase se rencontre ailleurs avec l'indicatif (*Hom. Eu.* 26, 9) ou le subjonctif
présent (*Hom. Ez.* 11, 5, 14 ; *Reg. Ep.* XI, 27, l. 269-270). Présent chez Benoît
(*RB* Prol 39 = *RM* Ths 39) comme chez le Maître (*RM* Thp 61 et 76 ; cf. 73), il
remonte au moins à Cornelius Nepos : voir *La Règle de S. Benoît*, t. IV (*SC*
184), p. 65, n. 109.

SIXIÈME PARTIE

LIVRE 28

Préface Après la perte de ses biens, après la mort de ses enfants, après les blessures corporelles, après les mauvais conseils de sa femme et les paroles humiliantes de ses consolateurs, après avoir supporté courageusement les traits de tant de douleurs, le bienheureux Job aurait mérité de recevoir les louanges de son Juge pour tant de constance, si toutefois il avait dû être appelé à quitter aussitôt ce monde[1]. Mais comme il va recevoir dès ici-bas le double de ce qu'il a perdu et recouvrer la santé, pour qu'il puisse jouir plus longtemps de ces biens retrouvés sans que sa victoire même l'abatte par le glaive de l'orgueil, le Dieu tout-puissant doit reprendre avec une juste sévérité celui qu'il préserve pour le garder en vie. Une âme qui périt parce qu'elle prend conscience de sa vertu[2], n'est-ce pas la pire des choses ? A la considérer, elle s'enfle et se vide de tout son contenu de vérité ; tandis qu'elle se persuade qu'elle en a fait assez pour recevoir des récompenses, elle se relâche dans son effort vers le mieux.

---

2. *Conscia uirtus* : réminiscence de VIRGILE, *Aen*. V, 455. Toute positive chez le poète – la conscience de sa valeur permet au vieil Entelle de se relever d'une chute et de reprendre le combat –, l'expression est chargée par Grégoire d'un sens religieux négatif : devant Dieu, la bonne opinion de soi-même n'est qu'orgueil.

Iustus igitur Iob ante flagella exstitit, sed iustior post flagella permansit, et laudatus antea Dei uoce, postmodum
creuit ex uerbere. Profecto uelut tuba^a ductilis ex percussione producta in laudem Dei tanto eleuatus est, quanto
20 maiori est castigatione percussus. Sed humiliandus erat iste
qui, prostratus ulceribus, sic uirtutibus stabat. Humiliandus
erat, ne tam robustissimum pectus elationis tela confoderent,
quod constabat certe quia et illata uulnera non uicissent.
Requirendus nimirum fuit homo cuius debuisset compara-
25 tione superari. Sed quid quod de eo uoce Domini dicitur :
« *Vidisti seruum meum Iob, quod non sit ei similis super*
terram^b *?* » Cuius ergo comparatione poterat uinci, de quo
Deo attestante dicitur quia nullius hominis comparatione
possit aequari ? Quid itaque agendum est, nisi ut ex persona
30 sua ipse Dominus suas illi uirtutes narret ; et dicat ei :
« *Numquid producis luciferum in tempore suo, et uesperum super*
filios terrae consurgere facis^c *?* » Et iterum : « *Numquid apertae*
sunt tibi portae mortis ; et ostia tenebrosa uidisti^d *?* » Vel certe :
« *Numquid post ortum tuum praecepisti diluculo, et ostendisti*
35 *aurorae locum suum*^e *?* » Quis uero ista, nisi Dominus potest ?
Et tamen interrogatur homo, ut cognoscat quia ista non
potest, quatenus uir qui tam immensis uirtutibus creuit, et
nullius hominis exemplo uincitur, ne extolli debeat, Dei comparatione superetur. Sed o quam potenter erigitur qui tam
40 sublimiter humiliatur ! O quanta est hominis uictoria, ex Dei
comparatione perdidisse ! O quanto hominibus maior est qui

a. Cf. Nb 10, 2 ; Ps 97, 6   b. Jb 1, 8 ; 2, 3   c. Jb 38, 32   d. Jb 38,
17   e. Jb 38, 12

1. *Velut... producta* : même phrase chez TERIDIUS, *Ep.* 3, 10 (*SC* 345, p. 428 :
ductilis avant *tuba*), qui s'inspire comme Grégoire d'AUGUSTIN, *En. Ps* 97, 6 :
Ductiles tubae ex percussione productae... ad laudem Dei productae. Cette dernière expression d'Augustin, où *Dei* est un génitif objectif, a peut-être chez
Grégoire un sens différent (génitif subjectif). Voir aussi *En. Ps.* 32, II, 10.

Job a donc été juste avant d'être flagellé, mais après ces fléaux, il le demeure plus encore. La voix de Dieu l'avait loué auparavant, mais il grandit encore sous les fouets. Comme une trompette de métal[a] qu'on allonge à coups de marteau[1], il monta d'autant plus dans l'estime de Dieu que plus sévères furent les coups de semonce qu'il reçut. Il fallait que fût humilié cet homme qui, terrassé par ses ulcères, se maintenait debout par ses vertus. Il fallait qu'il fût humilié, de peur que les traits de l'orgueil ne transpercent un cœur si solide[2], que, de toute évidence, les plaies infligées n'avaient pu vaincre. Il aurait donc fallu chercher un homme à qui le comparer pour qu'il fût surpassé. Mais alors pourquoi cette parole du Seigneur : « *As-tu vu mon serviteur Job ? Il n'a pas son pareil sur la terre*[b] ». Qui pourrait le surpasser, quand Dieu lui-même atteste qu'aucun homme ne peut l'égaler ? Un seul recours : que, de sa propre initiative, le Seigneur lui fasse connaître lui-même les hauts faits qu'il a accomplis et lui dise[3] : « *Est-ce toi qui fais paraître en son temps l'étoile du matin et fais se lever l'étoile du soir sur les fils de la terre*[c] ? » Et encore : « *A-t-on ouvert pour toi les portes de la mort ? As-tu vu les portes des ténèbres*[d] ? » Et encore : « *Depuis ta naissance, as-tu commandé au matin ? As-tu indiqué sa place à l'aurore*[e] ? » Qui a puissance d'accomplir de telles œuvres sinon le Seigneur seul ? L'homme cependant est interrogé : qu'il reconnaisse que ces œuvres-là ne sont pas en son pouvoir. Ainsi Job, qui s'est élevé à de si hautes vertus et n'est dépassé par aucun homme, une fois comparé à Dieu, sera vaincu, il n'aura plus à s'enorgueillir. Mais comme puissamment il est élevé, celui qui est si magnifiquement humilié ! Qu'elle est grande la victoire de l'homme, quand il n'est perdant que comparé à Dieu !

---

2. Superlatif après *tam* comme dans *Dial.* IV, 57, 5 : *tam deuotissime* (cf. *Dial.* III, 24, 1 : *tam citius*). *Elationis tela* rappelle *elationis gladium* (ligne 8).

3. Ces trois citations sont rangées en ordre régressif.

testimoniis conuincitur Deo minor ! Multum quippe potens
est qui tali interrogatione ostenditur quia potens non est. Sed
quia ad obscura nimis disserenda ducimur, ad eiusdem tex-
45 tus iam uerba ueniamus :

38, 1   I, **1. Respondens autem Dominus Iob de turbine dixit**.
Notandum uideo quia si sano atque incolumi loqueretur, ex
tranquillitate dominica locutio facta diceretur, nequaquam
de turbine Dominus locutus fuisse scriberetur. Sed quia fla-
5 gellato loquitur, de turbine locutus fuisse describitur. Aliter
enim Dominus seruis suis loquitur, cum eos intrinsecus per
compunctionem prouehit, aliter cum per districtionem ne
extollantur premit. Per blandam enim locutionem Domini
amanda dulcedo eius ostenditur, per terribilem uero potestas
10 eius metuenda monstratur. In illa persuadetur animae ut pro-
ficiat, in ista reprimitur quae proficit. In illa discit quod
appetat, in ista quod metuat. Per illam dicit : « *Lauda et lae-
tare, filia Sion, quia ecce uenio, et habitabo in medio tui*[a] » ; per
istam dicitur : « *Dominus in tempestate et in turbine uiae eius*[b] ».
15 Blandus quippe est qui ut in medio inhabitet uenit. Cum uero
se per tempestatem et turbinem insinuat, nimirum quae tan-
git corda perturbat, atque ad edomandam elationem se
exserit, quando potens et terribilis innotescit.

---

1. a. Za 2, 10   b. Na 1, 3

---

1. Même interprétation de l'ouragan (*turbine*) chez AUGUSTIN, *Adnot. in
Iob*, PL 34, 871, qui le rapproche déjà du trouble (*perturbationem carnis*) de
Job, en contraste avec la bonne santé (*sanam carnem*) ; cf. ici *sano* (ligne 2) et
perturbat (ligne 17).

Comme il est plus grand que les hommes, celui qu'on a dû convaincre par des preuves qu'il était inférieur à Dieu ! Il est vraiment fort l'homme à qui on a posé de telles questions pour lui prouver qu'il n'était pas fort. Mais nous voici amenés à discuter des sujets très obscurs, reprenons plutôt les paroles mêmes du texte :

I, **1. Le Seigneur répondit à Job du sein de l'ouragan.** Il faut 38, 1 le noter, si le Seigneur s'adressait à un homme sain et bien portant, il serait dit que sa parole lui parvient d'une région de paix ; il ne serait pas écrit qu'il lui a parlé du sein de l'ouragan. Mais parce que le Seigneur s'adresse à un homme dans le malheur, il est précisé qu'il lui a parlé du sein de l'ouragan[1]. Le Seigneur parle à ses serviteurs d'une façon quand il les fait progresser intérieurement par la componction, d'une autre quand il les harcèle par la correction pour les empêcher de s'élever. Par la parole caressante du Seigneur se manifeste sa douceur qui se fait aimer ; à l'opposé, la parole terrible montre sa puissance redoutable. Par la première, il incite l'âme à grandir ; par la seconde, il l'empêche de s'élever quand elle grandit. D'un côté, l'âme apprend ce qu'elle doit désirer ; de l'autre, ce qu'elle doit craindre. D'un côté on lui dit[2] : « *Sois dans la joie et l'allégresse, fille de Sion, parce que je viens habiter en toi*[a] » ; de l'autre : « *Le Seigneur viendra dans la tempête, et son chemin est dans l'ouragan*[b] ». Pour habiter dans l'âme, il vient avec tendresse ; pour bouleverser les cœurs qu'il touche, il s'approche dans la tempête et l'ouragan, et pour dompter l'orgueil, il se montre puissant et terrible.

2. Première citation (Za 2, 10) comme en *Mor.* 34, 55 ; deuxième (Na 1, 3 ; corriger l'apparat du *CCL*) comme en *Mor.* 9, 31.

78   MORALES SUR JOB

2. Sciendum praeterea est quia in duobus modis locutio diuina distinguitur. Aut per semetipsum namque Dominus loquitur, aut per creaturam angelicam eius ad nos uerba formantur. Sed cum per semetipsum loquitur, sola nobis ui
5 internae inspirationis aperitur. Cum per semetipsum loquitur, de uerbo eius sine uerbis ac syllabis cor docetur, quia uirtus eius in intima quadam subleuatione cognoscitur. Ad quam mens plena suspenditur, uacua grauatur. Pondus enim quoddam est quod omnem animam quam replet leuet. Incor-
10 poreum lumen est quod et interiora repleat, et repleta exterius circumscribat. Sine strepitu sermo est, qui et auditum aperit, et habere sonitum nescit. Quod enim de aduentu sancti Spiritus scriptum est : « *Factus est repente de caelo sonus, tamquam aduenientis spiritus uehementis ; et repleuit totam*
15 *domum ubi erant sedentes ; et apparuerunt illis dispertitae linguae quasi ignis ; seditque super singulos eorum*ᶜ ». Per ignem quidem Dominus apparuit, sed per semetipsum locutionem interius fecit. Et neque ignis Deus, neque ille sonitus fuit, sed per hoc quod exterius exhibuit, expressit hoc quod interius gessit.
20 Quia enim discipulos et zelo succensos, et uerbo eruditos intus reddidit, foras linguas igneas ostendit. In significatione igitur admota sunt elementa, ut ignem et sonitum sentirent corpora, igne uero inuisibili et uoce sine sonitu docerentur corda. Foras ergo fuit ignis qui apparuit, sed intus qui scien-
25 tiam dedit. Et cum reginae Candacis eunuchus currui praesi-

2. c. Ac 2, 2-3

1. Ce traité de la « locution divine » (28, 2-10) prolonge celui de *Mor.* 2, 8-12, où Grégoire a étudié la façon dont Dieu converse avec les anges, les saints et le diable. Ici, il se borne aux paroles que Dieu adresse aux hommes, sans considérer la réponse de ceux-ci.

2. Parole silencieuse : thème cher à Grégoire. Voir *Mor.* 5, 50 (*Sermo Spiritus in aure cordis silenter sonat*) et les autres passages indiqués par P. CATRY, « Les voies de l'Esprit chez Grégoire », dans *Grégoire le Grand*, Paris 1986, p. 209-214, spécialement p. 212, n. 7.

Dieu parle par l'inspiration

2. Il faut aussi remarquer que Dieu a deux manières de parler[1] : ou bien il nous parle par lui-même, ou bien il forme ses mots par une créature angélique. Quand il nous parle par lui-même, il se communique à nous uniquement par une inspiration intérieure ; quand il nous parle par lui-même, le cœur perçoit sa parole sans mots ni syllabes, sa présence agissante est connue par une sorte d'élévation intérieure[2]. Quand l'âme est remplie de cette présence active, elle y est comme suspendue ; quand elle en est privée, elle se sent toute pesante. Cette présence agissante est comme un poids qui allège toute âme qu'elle remplit. Elle est une lumière incorporelle qui la remplit au-dedans et l'enveloppe au-dehors. La parole de Dieu ne fait pas de vacarme : elle ouvre l'oreille, mais sans bruit. C'est ce qui est écrit de la descente du Saint-Esprit : « *Il se fit tout à coup venant du ciel un bruit comme celui d'un violent coup de vent ; il remplit toute la maison où ils se trouvaient ; et ils virent apparaître comme des langues de feu qui se divisaient et il s'en posa sur chacun d'eux*[c] ». Certes le Seigneur s'est manifesté par le feu, mais c'est par lui-même qu'il parla au fond des cœurs. Sans doute Dieu n'était pas ce feu, pas plus que ce fracas ; mais par ce qu'il a manifesté au-dehors, il a exprimé ce qu'il accomplissait au-dedans : parce qu'il a enflammé ses disciples de zèle[3] et qu'il les a rendus capables au-dedans d'annoncer sa parole, il a fait voir au-dehors des langues de feu. Les éléments ne sont ajoutés que pour leur signification : afin que les sens corporels perçoivent le feu et le fracas, tandis que les cœurs reçoivent l'enseignement d'un feu invisible et d'une voix silencieuse. A l'extérieur, le feu visible ; au-dedans, celui qui donne la science. Et quand l'eunuque de la reine Candace allait son chemin, assis sur son

---

3. Le feu de la Pentecôte signifie le zèle : cf. *Hom. Eu.* 30, 5-6, où Grégoire revient aussi sur l'enseignement intérieur de l'Esprit, qui est immédiat et instantané (30, 8).

dens iter carperet, atque Isaiam in manibus non intellegens
haberet, in corde nimirum Philippo spiritus dixerat :
« *Adiunge te ad currum*^d ». Et cum ad euocandum Petrum
timentes Deum milites Cornelius direxisset, in mente procul
30 dubio ab spiritu Petrus audiuit : « *Ecce tres uiri quaerunt te,
surge itaque, descende et uade cum eis*^e ». Spiritui enim Dei quasi
quaedam nobis uerba dicere est occulta ui ea quae agenda
sunt intimare, et cor hominis ignarum, non adhibito strepitu
et tarditate sermonis, peritum repente de absconditis red-
35 dere. Nam quia auditus ea quae ad se fiunt non simul omnia
dicta comprehendit, quippe qui et causas per uerba et particulatim uerba per syllabas percipit, uisus autem noster in eo
quod se dirigit, totum subito et simul apprehendit, Dei locutio ad nos intrinsecus facta uidetur, potius quam auditur,
40 quia dum semetipsam sine mora sermonis insinuat, repen-
tina luce nostrae ignorantiae tenebras illustrat. Vnde et
Baruch, Neriae filius, cum requisitus exponeret quemadmodum uerba Ieremiae prophetantis audisset, ait : « *Ex ore suo
loquebatur quasi legens et ego scribebam*^f ». Qui enim legens
45 loquitur, alio intendit, sed alio uerbum facit, quia quod uidet
dicit. Prophetae ergo Dei, quia eius uerba uident potius in
corde quam audiunt, quasi legentes loquuntur.

3. Cum uero per angelum uoluntatem suam Dominus indicat, aliquando eam uerbis, aliquando rebus demonstrat,
aliquando simul uerbis et rebus, aliquando imaginibus cordis
oculis ostensis, aliquando imaginibus et ante corporeos ocu-
5 los ad tempus ex aere assumptis, aliquando caelestibus sub-

---

2. d. Ac 8, 29   e. Ac 10, 19   f. Jr 36, 18

---

1. Citation unique dans l'œuvre grégorienne.
2. En réalité « deux serviteurs et un soldat craignant Dieu » (Ac 10, 7). La
citation suivante reparaît dans *Hom. Ez.* I, 1, 11.

char, lisant Isaïe sans le comprendre, l'Esprit dit au cœur de Philippe[1] : « *Rejoins ce char*[d] ». Et quand Corneille envoya des soldats craignant Dieu[2] pour chercher Pierre, celui-ci entendit clairement l'Esprit lui dire en son âme : « *Voici trois hommes qui te cherchent ; lève-toi, descends et suis-les*[e] ». Pour l'Esprit de Dieu, nous parler c'est, pour ainsi dire, nous pousser par une force secrète à agir, et sans bruit ni lenteur de paroles, rendre tout à coup le cœur ignorant de l'homme instruit des secrets divins. L'ouïe en effet ne saisit pas d'un seul coup tout ce qu'on lui dit : elle perçoit le sens par les mots et chaque mot séparément par les syllabes qui le composent ; notre regard, par contre, appréhende d'un seul coup et dans son ensemble l'objet sur lequel il se dirige. La parole que Dieu nous dit intérieurement se voit donc plutôt qu'elle ne s'entend, parce que, se communiquant sans la lenteur inhérente au langage, elle illumine soudain de sa lumière les ténèbres de notre ignorance. C'est pourquoi, Baruch, fils de Néri, prié d'expliquer comment il avait entendu les paroles de Jérémie qui prophétisait, déclare[3] : « *On aurait dit qu'il lisait ce qu'il énonçait, et moi j'écrivais*[f] ». Celui qui lit à haute voix doit à la fois faire attention au texte qu'il a sous les yeux et articuler des paroles ; il dit ce qu'il voit. Parce que les prophètes voient les paroles de Dieu dans leur cœur plus qu'ils ne les entendent, il est donc juste de dire qu'ils donnent l'impression de lire à haute voix.

Dieu parle par les anges

3. Quand Dieu veut faire connaître sa volonté par un ange, il le fait tantôt par des paroles, tantôt par des choses, tantôt à la fois par des paroles et par des choses, tantôt par des images présentées aux yeux du cœur, tantôt par des images de corps aériens momentanément visibles même aux yeux de chair. Ce

---

3. Citation unique.

stantiis, aliquando terrenis ; aliquando simul terrenis et caelestibus. Nonnumquam uero etiam per angelum humanis
cordibus ita loquitur, ut ipse quoque angelus mentis obtutibus praesentetur.

4. Verbis namque per angelum loquitur Deus, cum nil in
imagine ostenditur, sed supernae uerba locutionis audiuntur,
sicut dicente Domino : « *Pater, clarifica filium tuum, ut et filius
tuus clarificet te*[g] », protinus respondetur : « *Clarificaui et iterum*
5 *clarificabo*[h] ». Neque enim Deus, qui sine tempore ui impul-
sionis intimae clamat, in tempore per suam substantiam
illam uocem edidit, quam circumscriptam tempore per
humana uerba distinxit ; sed nimirum de caelestibus
loquens, uerba sua quae audiri ab hominibus uoluit rationali
10 creatura administrante formauit.

5. Aliquando rebus per angelos loquitur Deus, cum nil
uerbo dicitur, sed ea quae futura sunt, assumpta de elementis
imagine, nuntiantur ; sicut Ezechiel, nil uerborum audiens,
electri speciem in medio ignis uidit ; ut uidelicet dum solam
5 speciem aspiceret, quae essent in nouissimis uentura
sentiret[i]. Electrum quippe ex auri argentique metallo misce-
tur, in qua permixtione argentum quidem clarius redditur,
sed tamen fulgor auri temperatur. Quid ergo in electro nisi
10 mediator Dei et hominum demonstratur[j] ? Qui dum semetipsum nobis ex diuina atque humana natura composuit, et
humanam per deitatem clariorem reddidit, et diuinam per

4. g. Jn 17, 1   h. Jn 12, 28
5. i. cf. Ez 1, 4   j. cf. I Tm 2, 5

1. Uniques l'une et l'autre, ces deux citations sont rapprochées artificielle-
ment. Quant à la première, Grégoire semble confondre Jn 12, 28 (*Pater clarifica nomen tuum*) et 17, 1 (*Pater clarifica filium tuum*).

2. L'électrum, sorte de vermeil, est pareillement considéré comme figure
du Christ dans *Hom. Ez.* I, 2, 14-17, avec la même allusion initiale à 1 Tm 2, et

sont parfois des substances célestes, parfois des substances terrestres, parfois encore des substances à la fois terrestres et célestes. Il arrive aussi que Dieu parle au cœur des hommes par l'intermédiaire d'un ange, mais de telle sorte que l'ange lui-même est comme présent aux regards de l'âme.

4. Il arrive que Dieu parle par l'intermédiaire d'un ange, sans montrer aucune image, en faisant seulement entendre des paroles venues d'en haut. Par exemple, lorsque le Seigneur a dit[1] : « *Père, glorifie ton Fils afin que ton Fils te glorifie*[g] » et qu'aussitôt il lui est répondu : « *Je l'ai glorifié et je le glorifierai encore*[h] ». Il n'était pas de la nature de Dieu, dont la clameur intemporelle agit par une impulsion secrète, d'émettre dans le temps et de sa propre substance cette parole et de l'inscrire dans une succession de mots humains, mais, parlant du ciel et voulant se faire entendre des hommes, il a confié son discours à une créature intelligente.

Le langage des signes   **5.** Il arrive aussi que Dieu parle par le ministère des anges au moyen de choses, quand, sans aucune parole, les événements futurs sont annoncés au moyen d'une image tirée des éléments. Ézéchiel, par exemple, sans entendre aucune parole, a vu au milieu du feu comme l'apparence de l'électrum[2] ; par cette seule vision, il comprit ce qui devait arriver dans les derniers temps[i]. L'électrum est un mélange d'or et d'argent, qui augmente l'éclat de l'argent, mais tempère celui de l'or. Qu'est-ce qui est montré par l'électrum, sinon le Médiateur entre Dieu et les hommes[j] : en lui se sont unies pour nous la nature divine et la nature humaine[3] ; il a fait resplendir la nature humaine d'une manière nouvelle grâce à la nature divine

la même interprétation finale du « feu » comme signifiant le jugement. Voir aussi *Hom. Ez.* I, 8. 25.

3. *Mediator Dei et hominum* (1 Tm 2, 5) est une appellation favorite du Christ chez Grégoire, qui l'emploie plus de 60 fois (cf. *Mor.* 28, 33, etc.).

humanitatem nostris aspectibus temperauit. Quia enim uirtute diuinitatis eius tot miraculis humanitas fulsit, ex auro
15 creuit argentum ; et quod per carnem Deus cognosci potuit
quodque per carnem tot aduersa tolerauit, quasi ex argento
temperatum est aurum. Quod bene et in medio ignis ostenditur, quia incarnationis eius mysterium subsequentis iudicii
flamma comitatur. Scriptum quippe est : « *Pater non iudicat*
20 *quemquam, sed omne iudicium dedit Filio*ᵏ ».

6. Aliquando per angelos uerbis simul et rebus loquitur
Deus, cum quibusdam motibus insinuat hoc quod sermonibus narrat. Neque enim Adam post culpam in diuinitatis
substantia uidere Dominum potuit, sed increpationis uerba
5 per angelum audiuit ; de quo scriptum est : « *Cum audisset*
uocem Domini Dei deambulantis in paradiso ad auram post meri-
*diem, abscondit se inter ligna paradisi*ⁱ ». Quid est enim quod
post peccatum hominis in paradiso Dominus non iam stat,
sed deambulat, nisi quod irruente culpa se a corde hominis
10 motum demonstrat ? Quid est quod *ad auram post meridiem*,
nisi quod lux feruentior ueritatis abscesserat, et peccatricem
animam culpae suae frigora constringebant ? Increpauit ergo
Adam deambulans, ut caecis mentibus nequitiam suam non
solum sermonibus, sed etiam rebus aperiret, quatenus pec-
15 cator homo et per uerba quod fecerat audiret ; et per
deambulationem, amisso aeternitatis statu, mutabilitatis
suae inconstantiam cerneret ; et per auram, feruore caritatis
expulso, torporem suum animaduerteret ; et per declinatio-
nem solis cognosceret quod ad tenebras propinquaret.

5. k. Jn 5, 22
6. l. Gn 3, 8

1. Ce commentaire de Gn 3, 8, qu'on retrouvera plus loin (*Mor.* 33, 5), ressemble à celui d'Augustin, *De Gen. ad litt.* 11, 43, qui attribue de même un
rôle aux anges (Dieu ne s'est pas montré lui-même) et voit dans le soleil cou-
chant la perte de la « lumière de la vérité ». Cette dernière interprétation
reparaît dans *De Gen. contra Man.* 2, 24.

et il a tempéré la splendeur de la nature divine grâce à la nature humaine pour l'adapter à notre regard. Son humanité brillant de l'éclat des nombreux miracles accomplis par la puissance de sa divinité, c'est l'argent ennobli par l'or. Et Dieu se faisant connaître par le moyen de la chair et rendu capable par le moyen de la chair aussi de souffrir tant de maux : c'est comme l'or tempéré par l'argent. Et il convient aussi que l'électrum soit montré au milieu du feu, parce que le mystère de son incarnation est accompagné par la flamme du jugement à venir. Il est écrit en effet : « *Le Père ne juge personne, mais il a remis tout jugement au Fils*[k] ».

6. Dieu peut encore se servir des anges tout à la fois en paroles et en actes, quand il fait comprendre par certains déplacements ce que racontent ses discours. Adam, après sa faute, n'a pu voir le Seigneur en la substance de sa divinité, mais c'est par l'intermédiaire d'un ange qu'il a entendu les reproches de Dieu[1] : « *Quand il entendit la voix du Seigneur Dieu qui se promenait dans le paradis à la brise de l'après-midi, il se cacha parmi les arbres du paradis*[1] ». Que signifie cette attitude du Seigneur après le péché de l'homme et pourquoi ne se tient-il plus immobile dans le paradis, mais marche-t-il, sinon pour montrer qu'une fois la faute consommée, il s'est éloigné du cœur de l'homme ? Pourquoi est-ce *à la brise de l'après-midi*, sinon parce que la lumineuse chaleur de la vérité s'étant retirée de l'âme pécheresse, le froid de la faute commençait à l'envahir ? C'est donc en marchant que le Seigneur a réprimandé Adam pour montrer aux esprits aveugles leur iniquité, non seulement par des discours, mais aussi par des gestes. Ainsi l'homme pécheur entendrait par des paroles ce qu'il a fait et verrait par cette marche l'inconstance de sa nature mobile, une fois perdue la stabilité de l'éternité ; la brise doit lui faire prendre conscience de son engourdissement lorsqu'est bannie la ferveur de la charité ; le déclin du soleil enfin lui fait connaître qu'il s'approche des ténèbres.

7. Aliquando imaginibus cordis oculis ostensis per angelos loquitur Deus, sicut Iacob subnixam caelo scalam dormiens uidit[m], sicut Petrus linteum reptilibus ac quadrupedibus plenum in ecstasi raptus aspexit[n], qui nisi incorporeis haec
5   oculis cerneret, in ecstasi non fuisset ; sicut Paulo in uisione noctis uir Macedo apparuit, qui transire eum Macedoniam rogauit[o].

Aliquando imaginibus et ante corporeos oculos ad tempus ex aere assumptis per angelos loquitur Deus, sicut Abraham
10   non solum tres uiros uidere potuit, sed etiam habitaculo terreno suscipere[p], et non solum suscipere, sed eorum usibus etiam cibos adhibere[q]. Nisi enim Angeli quaedam nobis interna nuntiantes ad tempus ex aere corpora sumerent, exterioribus profecto nostris obtutibus non apparerent ; nec
15   cibos cum Abraham caperent, nisi propter nos solidum aliquid ex caelesti elemento gestarent. Nec mirum quod illic ipsi qui suscepti sunt, modo angeli, modo Dominus uocantur, quia angelorum uocabulo exprimuntur qui exterius ministrabant, et appellatione Domini ostenditur qui eis inte-
20   rius praeerat ; ut per hoc praesidentis imperium, et per illud claresceret officium ministrantium.

8. Aliquando caelestibus substantiis per angelos loquitur Deus, sicut, baptizato Domino, scriptum est quia de nube uox sonuit, dicens : « *Hic est Filius meus dilectus, in quo mihi complacui*[r] ». Aliquando terrenis substantiis per angelos loqui-

---

7. m. cf. Gn 28, 12   n. cf. Ac 10, 10-12   o. cf. Ac 16, 9   p. cf. Gn 18, 2 s.   q. cf Gn 18, 6-9
8. r. Mt 3, 17

---

1. Chacune des trois visions qui suivent est commentée ailleurs (voir en particulier *Mor.* 5, 54 ; 28, 15 ; 33, 33), mais Grégoire ne s'intéresse là qu'à l'objet, interprété allégoriquement. Ici, et ici seulement, il considère le mode de locution divine.

2. Commentaires différents dans *Mor.* 27, 29 ; *Reg. Ep.* II, 44.

**Visions
et visites**

7. Parfois Dieu, se servant du ministère des anges, parle en des images présentées aux yeux du cœur[1]. Ainsi Jacob, dans son sommeil, vit une échelle qui atteignait le ciel[m]. Ainsi Pierre, ravi en extase, aperçut une toile remplie de reptiles et de quadrupèdes[n]; s'il était en extase, c'est qu'il voyait de ses yeux immatériels. Ainsi encore pour Paul : c'est en vision nocturne que lui apparut le Macédonien qui le pria de passer en Macédoine[o].

Parfois Dieu parle par l'intermédiaire des anges au moyen d'images de corps aériens mises pour un temps devant les yeux du corps. Ainsi Abraham non seulement a pu voir trois hommes, mais encore les accueillir dans une demeure terrestre[p], et non seulement les accueillir, mais encore leur offrir une nourriture qu'ils mangeraient[q]. Si les anges qui veulent nous communiquer quelque message intérieur ne prenaient pas momentanément un corps aérien, ils ne pourraient pas apparaître à nos yeux extérieurs, pas plus qu'ils n'auraient pu prendre de la nourriture avec Abraham s'ils n'avaient revêtu pour nous quelque corps solide d'origine céleste[2]. Il n'est pas étonnant que les hommes reçus par Abraham soient appelés tantôt anges et tantôt Seigneur : le vocable d'« anges » désigne ceux qui exécutaient extérieurement les ordres ; le titre de « Seigneur » indique celui qui leur commandait intérieurement ; en sorte que l'un met en lumière l'autorité du chef et l'autre, le service de ses ministres[3].

Signes divers

8. Parfois Dieu, lorsqu'il confie sa parole à ses anges, use de réalités célestes ; ainsi il est écrit qu'au baptême du Seigneur, une voix retentit de la nuée : « *Celui-ci est mon Fils bien-aimé en qui j'ai mis toute ma complaisance*[r] ». Il use aussi de réalités terrestres ; ainsi quand

---

3. Cf. AUGUSTIN, *Q. Hept.* 1, 33, dont la seconde explication annonce celle de Grégoire.

5 tur Deus, sicut cum Balaam corripuit, in ore asinae humana
uerba formauit[s]. Aliquando simul terrenis et caelestibus
substantiis per angelos loquitur Deus, sicut ad Moysen in
montem cum iussionis suae uerba edidit, ignem rubumque
sociauit, atque aliud superius, aliud inferius iunxit[t]. Quod
10 tamen tunc solum agitur, cum ex ipsa aliquid coniunctione
signatur. Nam per succensum rubum Moysen alloquens,
quid aliud ostendit, nisi quod eius populi ductor fieret qui et
legis flammam perciperet, et tamen peccati spinam nequaquam uitaret ; uel quod ex illo populo exiret qui in igne
15 deitatis carnis nostrae peccata quasi rubi spinas acciperet, et
inconsumptam humanitatis nostrae substantiam etiam in
ipsa diuinitatis flamma seruaret ?

9. Nonnumquam uero humanis cordibus etiam per angelos Deus secreta eorum praesentia uirtutem suae aspirationis
infundit. Vnde Zacharias ait : « *Dixit ad me angelus qui loqueba-*
tur in me[u] ». Dum ad se quidem sed tamen in se loqui
5 angelum dicit, liquido ostendit quod is qui ad ipsum uerba
faceret per corpoream speciem extra non esset. Vnde et
paulo post subdidit : « *Et ecce angelus qui loquebatur in me*
egrediebatur[v] ». Saepe enim non exterius apparent, sed sicut
sunt angelici spiritus uoluntatem Dei prophetarum sensibus
10 innotescunt, atque ita eos ad sublimia subleuant ; et quaeque
in rebus futura sunt in causis originalibus praesentia demons-
trant. Humanum namque cor ipso carnis corruptibilis
pondere grauatum hanc ipsam corpulentiam suam quasi obi-

---

8. s. cf. Nb 22, 28   t. cf. Ex 3, 2
9. u. Za 1, 14   v. Za 2, 3

---

1. Autres remarques sur l'ânesse dans *Mor. Ep.* 2, l. 63-67 (*CCL* 143) ; 27, 2.
2. C'est « par un ange » que Dieu parle à Moïse : *Mor.* 35, 31. Cf. Augustin, *Q. Hept.* 2, 3 (*per angelum*).

il corrigea Balaam[1], il mit des paroles humaines dans la bouche d'une ânesse[s]. Parfois encore, Dieu parle par ses anges[2], en se servant de réalités à la fois terrestres et célestes ; ainsi quand il donna ses ordres à Moïse sur la montagne, il unit le feu et le buisson, joignant ce qui est d'en haut à ce qui est d'en bas[t]. Mais Dieu n'agit ainsi que lorsqu'il veut signifier quelque chose par cette conjonction d'éléments. En s'adressant à Moïse du sein d'un buisson ardent, que veut-il montrer sinon que le chef de ce peuple recevrait les flammes de la Loi, mais ne pourrait éviter les épines du péché. Peut-être aussi voulut-il faire comprendre que naîtrait de ce peuple celui qui recevrait dans le feu de sa divinité les péchés de notre chair comme autant d'épines du buisson, sans que notre humanité soit consumée par la flamme de la divinité[3] ?

Mystérieux ministères des anges   **9.** Mais Dieu a une autre manière de se servir des anges pour infuser aux cœurs des hommes la vertu de son inspiration, c'est leur présence secrète[4]. Ce qui fait dire au prophète Zacharie : « *L'ange qui parlait en moi me dit*[u] ». En disant que l'ange lui parlait et qu'il était cependant en lui, il signifie clairement que celui qui lui adressait la parole n'avait pas une apparence corporelle extérieure à lui. Aussi ajoute-t-il un peu plus loin : « *Et voici que l'ange qui me parlait sortit*[v] ». Souvent en effet, ils n'apparaissent pas extérieurement, mais comme ce sont des esprits angéliques, ils font connaître la volonté de Dieu à l'intelligence des prophètes en les élevant dans les hauteurs et en rendant le futur présent dans ses causes originelles. Le cœur humain, alourdi par le poids de la chair corruptible et qui porte sa corporéité comme un obsta-

---

3. Même interprétation « typique » (péché du peuple juif et Loi) dans *Hom. Ez.* 1, 7, 10, mais l'interprétation christologique qui la suit voit dans le feu les souffrances de la Passion.

4. Les deux citations suivantes et le commentaire du *loquebatur in me* ne se rencontrent pas ailleurs chez Grégoire. Voir cependant p. 91, n. 3.

cem sustinens, interna non penetrat et graue exterius iacet,
15 quia leuantem manum interius non habet. Vnde fit, sicut dictum est, ut prophetarum sensibus ipsa ut est subtilitas
angelicae uirtutis appareat, eorumque mens quo subtili spiritu tangitur, leuetur ; et non iam pigra torpensque in ima
iaceat, sed repleta intimis afflatibus, ad superna conscendat ;
20 atque inde quasi de quodam rerum uertice, quae infra se uentura sunt uideat. Sed ne quis in praedictis Zachariae uerbis
angeli designatum nomine uel Patrem, uel Filium, uel Spiritum sanctum putet, si textum scripturae sacrae considerat,
quod sentit uelociter emendat, quae numquam Patrem, num-
25 quam Spiritum sanctum, et non nisi pro incarnationis suae
praedicatione Filium angelum uocat. Vnde et in eiusdem
Zachariae uerbis aperte ostenditur quod in illo uere angelus,
id est creatura, loqueretur cum dicitur : « *Et ecce angelus qui
loquebatur in me, egrediebatur*ʷ ». Statimque subiungitur : « *Et*
30 *alius angelus egrediebatur in occursum eius et dixit ad eum :
Loquere ad puerum istum, dicens : Absque muro habitabitur
Ierusalem*ˣ ». Non est itaque Deus angelus qui mittitur, cui
uerba ab angelo quae dicere debeat iubentur. Sed quia in
conspectu conditoris angelica ministeria ordinata graduum
35 positione distincta sunt, ut et pro communi felicitate beatitu-
dinis opificem suum simul uidentes gaudeant, et tamen pro
dispositione dignitatis aliis alii subministrent, ad prophetam
angelum angelus mittit ; et quem secum de Deo gaudere
communiter conspicit et docet et dirigit, quia eum et per
40 superiorem scientiam uirtute cognitionis, et per praestantio-
rem gratiam culmine potestatis excedit.

9. w. Za 2, 3   x. Za 2, 3-4

1. Cette image spatiale sera reprise dans le commentaire de la vision de
Benoît (*Dial.* II, 35, 6-7), mais sans la considération du temps qui l'accompagne ici.

2. Allusion à Is 9, 6 (VL) : *magni consilii angelus*, appliqué au Christ comme
ici dans *Mor.* 11, 19 (il « annonce » les réalités éternelles en se faisant
homme) et 24, 2 (il s'annonce lui-même).

cle, ne pénètre pas les réalités intérieures, il gît appesanti à l'extérieur, parce qu'il n'a pas de main à l'intérieur pour le relever. C'est pourquoi, comme il vient d'être dit, les anges se communiquent à l'intelligence des prophètes en la subtilité même de leur nature, ils élèvent leur esprit par leur toucher spirituel. Dès lors, celui-ci ne gît plus dans les bas-fonds, indolent et engourdi, mais rempli par d'intimes inspirations, il s'élève dans les hauteurs et de là comme d'une espèce de sommet, il voit au-dessous de lui les événements futurs[1]. Mais que personne ne pense que dans les paroles de Zacharie citées plus haut, le terme d'ange désigne le Père, le Fils ou l'Esprit ; on corrigera rapidement sa pensée si on regarde attentivement le texte de l'Écriture sainte, qui, en effet n'appelle jamais ange ni le Père ni le Saint-Esprit, et n'appelle ainsi le Fils que pour annoncer son incarnation[2]. C'est pourquoi, les termes employés par Zacharie montrent clairement que c'est bien d'un ange, c'est-à-dire d'une créature, qu'il parle quand il dit[3] : « *Et voici que l'ange qui me parlait sortit*[w] ». Car il ajoute aussitôt : « *Et un autre ange sortit à sa rencontre, qui lui dit : 'Dis à ce jeune homme : Jérusalem sera habitée sans murailles'*[x] ». L'ange qui est ainsi envoyé n'est donc pas Dieu, puisqu'un autre ange lui ordonne ce qu'il doit dire. En présence de leur Créateur, les anges ont des ministères distincts et ordonnés selon une hiérarchie ; tous ensemble ils jouissent d'une commune plénitude de bonheur par la vision de leur Créateur et cependant ils sont subordonnés les uns aux autres selon leur dignité. C'est ainsi qu'un ange en envoie un autre au prophète ; celui qu'il voit jouir de Dieu de concert avec lui, il l'enseigne et le guide parce qu'il le surpasse par une science supérieure à sa connaissance et par une grâce plus éminente de puissance.

---

3. Ces deux versets de Zacharie sont cités ensemble, comme ici, dans *Mor.* 4, 55 et *Hom. Eu.* 34, 13, où Grégoire en tire le même enseignement sur la hiérarchie des anges. De plus, l'Homélie observe que leur ministère auprès des hommes n'interrompt pas leur contemplation de Dieu, idée voisine de celle qu'on trouve ici : les degrés hiérarchiques vont de pair avec la vision béatifique commune.

10. Haec igitur dicta sunt ut quibus modis loquatur Deus
hominibus monstraretur. Cum uero beato Iob respondisse
Dominus de turbine dicitur, utrum per semetipsum, an ei per
angelum sit locutus ambigitur. Potuerunt quippe per ange-
5 lum commotiones aeris fieri, et haec ei quae subiuncta sunt
per eum uerba mandari. Rursumque potuit et exterius angelus in turbine aerem excutere, et tamen interius per
semetipsum Dominus uim suae sententiae cordi eius sine
uerbis insonare ; ut credatur quod dicta dominica quae
10 sequuntur ipse iam per uerba protulit, qui repletus Deo, haec
sine uerbis audiuit.

38, 2 II, **11.** Itaque dicitur : « **Quis est iste inuoluens sententias**
sermonibus imperitis ? » Sicut et superiori parte iam diximus, prima exprobratio est talis interrogatio, qua dicitur :
« *Quis est iste ?* » Eliu enim arroganter locutus fuerat. Et « *quis*
5 *est iste ?* » non dicimus nisi de eo utique quem nescimus.
Scire autem Dei approbare est, nescire reprobare. Vnde quibusdam quos reprobat dicit : « *Nescio uos unde sitis ; discedite*
*a me, omnes operarii iniquitatis*ᵃ ». Quid est ergo de hoc arro-
10 gante requirere : « *Quis est iste ?* » nisi aperte dicere : ego
arrogantes nescio, id est eorum uitam in sapientiae meae arte
non approbo ? Quia dum laudibus humanis inflantur, a uera
gloria aeternae retributionis inanescunt. In eo uero quod ait,
« *sententias* », et non addidit quales, bonas utique accipimus,
15 quas quidem imperitis asserit sermonibus inuolutas, quia cum

11. a. Lc 13, 27

1. Renvoi au début de la cinquième partie (*Mor.* 23-27), où Grégoire a déjà
commenté Jb 38, 2. Ici, il commence par reproduire littéralement *Mor.* 23, 7
(*CCL* 143B, p. 1148-1149, l. 209-217), puis résume *Mor.* 23, 4 (p. 1146, l. 130-
140).
2. Cette phrase se lit déjà dans *Mor.* 25, 41, ainsi que la citation qui suit.
Grégoire prend là les mots *scire Dei approbare est*, qu'il insère dans son
emprunt à *Mor.* 23, 7. On trouve aussi *nescire Dei reprobare est*, suivi de
Lc 23, 27, dans *Mor.* 2, 6.

10. Tout ceci pour expliquer de quelles manières différentes Dieu parle aux hommes. Quand il est dit que le Seigneur répondit à Job du sein de l'ouragan, on ne sait pas s'il lui a parlé par lui-même ou par un ange. Les perturbations atmosphériques peuvent avoir été produites par un ange, de même il peut avoir communiqué à Job les paroles qui suivent. Il se peut aussi qu'un ange ait provoqué l'ouragan, mais que le Seigneur ait fait entendre toute sa pensée au cœur de Job par lui-même et sans mots. On pourrait donc admettre que Job a exprimé avec des mots les paroles du Seigneur qui suivent, parce que, rempli de Dieu, il les a d'abord entendues sans l'intermédiaire d'aucun mot.

Dieu rejette l'orgueilleux

II, **11.** Le texte dit donc : **« Quel est celui-là qui enveloppe ses pensées de discours insensés ? »** Comme nous l'avons 38, 2 déjà dit dans la partie précédente[1], la forme même de l'interrogation est un premier blâme : « *Quel est celui-là ?* » Élihou en effet avait parlé avec arrogance. « *Quel est celui-là ?* » : question qu'on ne pose que si l'on ignore le personnage. Or, pour Dieu, connaître c'est approuver, ignorer c'est réprouver[2]. Aussi dira-t-il aux réprouvés : « *Je ne sais d'où vous êtes ; éloignez-vous de moi, vous tous, qui vivez dans l'iniquité*[a] ». Dire de l'arrogant Élihou : « *Quel est celui-là ?* » revient donc à dire : je ne connais pas les arrogants, dans ma profonde sagesse[3] je n'approuve pas leur vie. Parce que les louanges des hommes les enflent d'orgueil, ils se retrouvent vides de la vraie gloire de la récompense éternelle. Du fait que le texte dit « *ses pensées* » sans préciser lesquelles, nous supposons que ce sont de bonnes pensées enveloppées, selon l'auteur, de discours

---

3. *In sapientiae meae arte* (Adriaen). Le dernier mot remplace *uirtute* (*Mor.* 23, 7, l. 216), auquel il correspond mieux que *arce* (Mauristes).

uerbis iactantiae fuerant prolatae. Imperitiae quippe uitium
est rectum non recte sapere, id est caeleste donum ad appeti-
tum terrenae laudis inclinare. Sicut enim saepe contingit ut
et bona male et mala bene proferantur, ita Eliu arrogans recta
20 non recte protulit, quia humiles in Dei defensione sententias
non humiliter dixit. Vnde et eorum qui intra catholicam
Ecclesiam inani gloriae student, non immerito typum tenet ;
qui dum se prae ceteris peritos credunt, diuino iudicio de
imperitia redarguuntur, quia sicut apostolus ait : « Si quis se
25 existimat scire aliquid, nondum cognouit quemadmodum oporteat
eum scire[b] ». Quia enim prima stultitia angeli elatio cordis
fuit, uera sapientia efficitur hominis humilitas suae aestima-
tionis. Quam quisquis uel magna sapiendo deserit, eo ipso
uehementer desipit, quo semetipsum nescit. Vnde Eliu et
30 sententias protulit et imperitis sermonibus inuolutas ; quia et
de Deo rectum quod diceret nouerat, et tamen de semetipso
dicta illius elatio stulta fatuabat.

38, 3   III, **12**. Hoc itaque despecto, ad erudiendum Iob uerba
uertuntur : « **Accinge sicut uir lumbos tuos** ». Scriptura sacra
uiros uocare consueuit qui nimirum uias Domini fortibus et
non dissolutis gressibus sequuntur. Vnde per psalmistam
5 dicitur : « Viriliter agite et confortetur cor uestrum[a] ». Vnde Paulus ait : « Remissas manus et dissoluta genua erigite[b] ». Vnde
Sapientia in Prouerbiis dicit : « O uiri, ad uos clamito[c] ». Ac si
aperte diceret : ego non feminis, sed uiris loquor, quia hi qui
fluxa mente sunt mea uerba percipere nequaquam possunt.

11. b. 1 Co 8, 2
12. a. Ps 30, 25   b. He 12, 12   c. Pr 8, 4

1. *Recta non recte protulit* : même tour, à propos du même personnage,
dans *Mor., Praef.* 19 et 23, 5, où Eliu est pareillement représenté comme le
type des docteurs « arrogants ». Voir aussi, pour l'expression, *Mor.* 11, 1 ;
12, 36, etc.

2. Déjà cité et paraphrasé en *Mor.* 27, 62.

insensés, parce qu'associés à des paroles de jactance. En effet, c'est manquer de sens que de ne pas user correctement d'une pensée correcte, et d'utiliser le don céleste pour contenter le désir d'une louange terrestre. Il arrive souvent qu'on exprime mal ce qui est bien, et qu'on exprime bien ce qui est mal. C'est ce que fit l'arrogant Élihou : il fit un mauvais usage d'un jugement juste en soi[1], parce qu'il manqua d'humilité en défendant humblement la cause de Dieu. Aussi est-il à juste titre tenu pour le type de ceux qui, dans l'Église catholique, recherchent la vaine gloire : ils pensent en savoir plus que les autres, mais le jugement de Dieu les convainc de manquer de sens. Comme le dit l'Apôtre[2] : « *Si quelqu'un estime savoir quelque chose, il ne connaît pas encore comme il faut connaître*[b] ». La première folie de l'ange fut l'orgueil du cœur. Aussi la vraie sagesse de l'homme est-elle d'avoir une humble estime de lui-même. Même si c'est par la hauteur de sa raison qu'il manque d'humilité, il est déraisonnable par le fait même qu'il s'ignore lui-même. Élihou a émis des pensées, mais il les a enveloppées de discours insensés, parce que, s'il savait exactement ce qu'il devait dire au sujet de Dieu, un fol orgueil à son propre sujet viciait tous ses dires.

Les deux luxures   III, **12.** Élihou une fois remis à sa place, le texte se met à instruire Job : « **Ceins tes reins** 38, 3 **comme un homme** ». Pour l'Écriture sainte, un homme, c'est quelqu'un qui marche dans la voie du Seigneur d'un pas ferme et sans mollesse[3]. Ainsi le psalmiste dit : « *Agissez en hommes et que votre cœur soit fort*[a] » ; et saint Paul : « *Relevez les mains défaillantes et fortifiez les genoux chancelants*[b] » ; et encore la Sagesse dans les Proverbes : « *O hommes, c'est à vous que je crie*[c] ». C'est comme si elle disait : je ne parle pas à des femmes, mais à des hommes, car les esprits faibles ne peuvent comprendre mes paroles.

---

3. Même interprétation de *uir* (force) dans *Mor.* 16, 68 ; *Hom. Eu.* 14, 5, etc.

10   Lumbos uero accingere est uel in opere luxuriam uel in
       cogitatione refrenare. Delectatio namque carnis in lumbis
       est. Vnde et sanctis praedicatoribus dicitur : « *Sint lumbi ues-*
       *tri praecincti et lucernae ardentes*ᵈ ». Per lumbos enim luxuria,
       per lucernas autem bonorum operum claritas designatur.
15   Iubentur ergo lumbos accingere et lucernas tenere. Ac si
       aperte audiant : prius in uobismetipsis luxuriam restringite
       et tunc de uobis aliis bonorum operum exempla monstrate.
       Sed cum beatum Iob tanta praeditum castitate nouerimus,
       cur ei post tot flagella dicitur : « *Accinge sicut uir lumbos tuos* »,
20   id est, sicut fortis restringe luxuriam, nisi quia alia est carnis
       luxuria qua castitatem corrumpimus, alia uero luxuria cordis
       est, qua de castitate gloriamur ? Dicitur ergo ei : « *Accinge*
       sicut uir lumbos tuos », ut qui prius luxuriam corruptionis uice-
       rat, nunc luxuriam restringat elationis, ne de patientia uel de
25   castitate superbiens, tanto peius intus ante Dei oculos luxu-
       riosus exsisteret, quanto magis ante oculos hominum et
       patiens et castus appareret. Vnde bene per Moysen dicitur :
       « *Circumcidite praeputia cordis uestri*ᵉ », id est, postquam luxu-
       riam a carne exstinguitis, etiam superflua a cogitatione
30   resecate.

38, 3 IV, **13**. Sequitur : « **Interrogabo te et responde mihi** ». Tri-
       bus modis nos conditor interrogare consueuit, cum aut
       flagelli districtione nos percutit, et quanta nobis insit uel
       desit patientia ostendit ; aut quaedam quae nolumus praeci-

----

12. d. Lc 12, 35   e. Dt 10, 16

----

1. Voir *Hom. Eu.* 13, 1, où Lc 12, 35 est commenté comme ici. Le commentaire est partiel dans *Mor.* 22, 11 (rien sur la chasteté) et 30, 9 ; 32, 20 ; 33, 33
(seuls sont cités les mots *Sint lumbi uestri praecincti*).

2. Voir Jb 31, 1 et 9 (*Mor.* 21, 5-7 et 18).

3. Déjà *Mor.* 26, 63 parlait de « sexe du cœur » et de la corruption de
l'esprit par la louange (*laudis luxuria*). Voir aussi *Mor.* 21, 6 : la chasteté n'est
rien sans l'humilité.

Ceindre ses reins, c'est mettre un frein à la luxure en actes et en pensées. Le siège du plaisir de la chair, en effet, est dans les reins. Aussi est-il dit aux saints prédicateurs[1] : « *Que vos reins soient ceints et vos lampes allumées*[d] ». Les reins symbolisent la luxure, et les lampes allumées, la clarté des bonnes œuvres. Les saints prédicateurs reçoivent donc l'ordre de ceindre leurs reins et de tenir leurs lampes. Comme si on leur disait en termes clairs : commencez par réprimer la luxure en vous-mêmes et vous montrerez aux autres l'exemple de vos bonnes œuvres. Mais nous connaissons la chasteté de Job[2]. Pourquoi donc lui est-il dit après tant d'épreuves : « *Ceins tes reins comme un homme* », c'est-à-dire : montre-toi fort pour réprimer la luxure ? C'est qu'il y a deux sortes de luxure : une luxure de la chair qui corrompt la chasteté, et une luxure du cœur[3] qui tire gloire de sa chasteté. Il est donc dit à Job : « *Ceins tes reins comme un homme* », pour inviter celui qui a déjà vaincu la luxure de la corruption, à réprimer maintenant la luxure de l'orgueil ; car il ne faudrait pas que, fier de sa patience et de sa chasteté, il devienne d'autant plus luxurieux aux yeux de Dieu qu'il paraîtrait plus patient et plus chaste aux yeux des hommes. Aussi Moïse dit-il fort bien[4] : « *Circoncisez le prépuce de votre cœur*[e] », c'est-à-dire : après avoir éteint dans votre chair le foyer de la luxure, retranchez aussi de votre esprit ce qui est superflu.

Les trois manières divines d'interroger   IV, **13**. Le texte poursuit : « **Je t'interrogerai ; réponds-moi** ». Notre Créateur nous interroge de trois manières : en nous frappant par la souffrance, il nous montre ce que vaut notre patience et ce qui lui fait défaut ; en nous donnant des ordres qui nous contrarient, il nous découvre

38, 3

---

4. Citation unique chez Grégoire.

5 pit et nostram nobis oboedientiam uel inoboedientiam
patefacit ; aut aliqua nobis occulta aperit, et aliqua abscondit,
et mensuram nobis nostrae humilitatis innotescit.

Flagello namque interrogat cum mentem bene sibi per
tranquillitatem subditam afflictionibus pulsat, sicut idem Iob
10 et laudatur attestatione iudicis, et tamen ictibus conceditur
percussoris[a], ut eius patientia tanto uerius claresceret quanto
inquisita durius fuisset. Praecipiendo autem dura nos interrogat, sicut Abraham terram suam iubetur egredi et pergere
quo nesciebat[b], in montem unicum filium ducere, et quem ad
15 consolationem senex acceperat immolare[c]. Cui nimirum ad
interrogationem bene respondenti, id est ad iussionem oboe-
dienti dicitur : « *Nunc cognoui quia times Deum[d]* ». Vel sicut
scriptum est : « *Temptat uos Dominus Deus uester, ut sciat si dili-
gitis eum[e]* ». Temptare quippe Dei est magnis nos iussionibus
20 interrogare. Scire quoque eius est nostram oboedientiam
nosse nos facere.

Aperiendo uero nobis quaedam, atque claudendo nos
interrogat Deus, sicut per psalmistam dicitur : « *Palpebrae
eius interrogant filios hominum[f]* ». Palpebris quippe apertis cer-
25 nimus, clausis nihil uidemus. Quid ergo palpebras Dei, nisi
eius iudicia accipimus ? Quae iuxta aliquid clauduntur hominibus, et iuxta aliquid reserantur, ut homines qui se nesciunt
sibimetipsis innotescant ; quatenus dum quaedam intellegendo comprehendunt, quaedam uero cognoscere omnino
30 non possunt, eorum corda sese latenter inquirant, si illos
diuina iudicia uel clausa non stimulant, uel aperta non
inflant.

13. a. cf. Jb 2, 3-7   b. cf. Gn 12, 1 ; Hb 2, 8   c. cf. Gn 22, 2   d. Gn 22,
12   e. Dt 13, 3   f. Ps 10, 5

1. Cette citation et la suivante sont déjà unies dans *Mor.* 19, 13, où Grégoire glose la seconde comme ici : *ut sciat... id est ut scire nos faciat.* Voir aussi
les commentaires de Gn 22, 12 dans *Mor.* 21, 11 (*cognoscere ejus est... nobis
cognitionem praebere*). Dans ce dernier passage, Grégoire se réfère à Augustin.

notre obéissance ou notre désobéissance ; en nous révélant ou en nous cachant quelque secret, il nous fait connaître la mesure de notre humilité.

Il interroge par la souffrance, quand il trouble par des afflictions la tranquillité d'une âme qui lui fut soumise ; c'est ce qui est arrivé à Job : loué par son Juge, il fut quand même livré aux coups de Satan[a] pour que sa patience brillât avec d'autant plus d'éclat qu'elle fut soumise à plus rude épreuve. Il nous interroge en commandant des choses dures, comme il arriva à Abraham qui reçut l'ordre de quitter sa patrie sans savoir où il devait aller[b], de conduire son fils unique sur une montagne et d'immoler celui qu'il avait reçu comme consolation en sa vieillesse[c]. A cette interrogation de Dieu, Abraham fit une bonne réponse : il obéit ; il lui est dit alors[1] : « *Maintenant je sais que tu crains Dieu*[d] ». L'Écriture dit ailleurs : « *Le Seigneur vous tente pour savoir si vous l'aimez*[e] ». Tenter, pour Dieu, c'est nous sonder par des ordres difficiles ; savoir, pour lui, c'est nous faire connaître à nous-mêmes notre obéissance.

Dieu nous interroge encore en nous révélant ou en nous cachant ses secrets, comme le dit le psalmiste[2] : « *Ses paupières interrogent les fils des hommes*[f] ». Pour voir, il faut ouvrir les paupières ; si nous les fermons, nous ne voyons rien. Les paupières de Dieu, ce sont ses jugements ; il les tient cachés ou les dévoile dans une certaine mesure, pour que les hommes qui s'ignorent eux-mêmes, apprennent à se connaître ; en comprenant une partie des jugements de Dieu, tout en ignorant totalement l'autre, ils sont conduits à sonder leur cœur en secret pour voir si leur ignorance des jugements de Dieu ne les irrite pas et si leur révélation ne les enfle pas d'orgueil.

Voir notamment AUGUSTIN, *En. Ps.* 6, 1, qui cite Dt 13, 3 et commente : *ut sciat id est scire faciat nos.*

2. Ces mots du Psaume sont entendus pareillement dans *Hom. Ez.* II, 5, 6, avec une application différente.

Hac enim Paulus interrogatione probatus est, qui post per-
ceptam internam sapientiam, post aperta claustra paradisi,
35 post ascensum caeli tertii, post supernae locutionis
mysteria[g], adhuc dicit : « *Ego me non arbitror comprehendisse*[h] ». Et rursum : « *Ego sum minimus apostolorum, qui non
sum dignus uocari apostolus*[i] ». Et rursum : « *Non quia sufficien-
tes sumus cogitare aliquid a nobis, quasi ex nobis ; sed sufficientia
40 nostra ex Deo est*[j] ». Apertis ergo palpebris Dei interrogatus
Paulus recte respondit, qui et superna secreta attigit, et
tamen in humilitate cordis sublimiter stetit. Qui rursum cum
secreta Dei iudicia de repulsione Iudaeorum et gentium uocatione discuteret, atque ad ea peruenire non posset, quasi
45 clausis Dei palpebris interrogatus est. Sed rectum ualde responsum reddidit, qui Deo se in ipsa sua ignorantia scienter
inclinauit, dicens : « *O altitudo diuitiarum sapientiae et scientiae
Dei, quam incomprehensibilia sunt iudicia eius et inuestigabiles
uiae eius ! Quis enim cognouit sensum Domini, aut quis consilia-
50 rius eius fuit*[k] ? » Ecce enim absconsis mysteriis quasi clausis
palpebris inquisitus placita ac recta respondit, qui secreti aditum pulsans, quia per cognitionem intromitti ad interiora
non ualuit, per confessionem ante ianuas humilis stetit ; et
quod intus comprehendere non potuit, foris timendo
55 laudauit.

Vnde nunc quoque beatus Iob post interrogationem uerbe-
ris discutitur interrogatione sermonis, ut quae sint superna
consideret ; quae dum minime comprehendit, ad semetipsum redeat, et quam sit iuxta nihilum in supernorum
60 comparatione cognoscat. Audiat itaque : « *Interrogabo te et
responde mihi* ». Ac si ei apertius dicatur : uerbis meis ad
sublimia consideranda te excito, et dum ea quae super te sunt

13. g. cf. 2 Co 12, 2-4   h. Ph 3, 13   i. 1 Co 15, 9   j. 2 Co 3, 5   k. Rm
11, 33-34

---

1. *In... sua ignorantia scienter* : oxymore analogue à *scienter nescius* (*Dial.* II,
Prol. 1). Les deux versets cités ensuite sont commentés à rebours dans
Dial. II, 16, 4 et 6.

Paul fut soumis à ce genre d'interrogation : après avoir saisi la sagesse intérieure, après avoir vu les portes du paradis s'ouvrir devant lui, après être monté au troisième ciel et après avoir entendu de mystérieuses paroles venues d'en haut[g], il dit cependant : « *Je n'estime pas avoir saisi*[h] ». Et encore : « *Je suis le plus petit des apôtres, moi qui ne suis pas digne d'être appelé apôtre*[i] ». Et encore : « *Nous ne sommes pas capables de penser quelque chose comme si cela venait de nous ; c'est Dieu qui nous en rend capables*[j] ». Interrogé par les paupières ouvertes de Dieu, Paul a donc répondu correctement ; autrement dit, bien qu'ayant atteint les secrets célestes, il sut magnifiquement garder l'humilité du cœur. D'autre part, quand il scruta les secrets jugements de Dieu sur le rejet des Juifs et l'appel des païens et qu'il ne put les pénétrer, il fut comme interrogé par les paupières fermées de Dieu. Mais il donna une réponse tout à fait correcte ; il s'humilia devant Dieu en avouant avec sagesse son ignorance[1] et s'écria : « *O profondeur des richesses de la sagesse et de la science de Dieu ! Que ses jugements sont incompréhensibles et ses voies impénétrables ! Qui en effet a connu la pensée du Seigneur ? ou bien qui a été son conseiller*[k] ? » Voici donc que confronté à ces mystères cachés comme à des paupières closes, il donna une réponse excellente et juste ; ayant frappé à la porte des secrets de Dieu et n'ayant pas été introduit dans leur connaissance, il demeura humblement devant l'entrée dans la louange de Dieu ; le mystère qu'il n'avait pu comprendre de l'intérieur, il le chanta avec crainte de l'extérieur.

Maintenant donc, le bienheureux Job, lui aussi, après avoir été interrogé par des épreuves, l'est par la parole, pour qu'il concentre son attention sur les réalités d'en haut ; ne les comprenant pas, il fera retour sur lui-même et saura qu'il n'est presque rien en comparaison de ces réalités. Quand Dieu lui dit : « *Je t'interrogerai ; réponds-moi* », c'est comme s'il voulait dire : je t'incite par mes paroles à considérer les réalités les plus élevées. Quand tu te rendras compte que tu ignores ce

nescire te perspicis, tibimetipsi te notiorem reddo. Tunc
enim mihi uere respondes, si quae ignoras intellegis.

38, 4-6   V, **14**. Sequitur : « **Vbi eras quando ponebam fundamenta
terrae ? Indica mihi, si habes intellegentiam. Quis posuit
mensuras eius, si nosti, uel quis tetendit super eam lineam ?
Super quo bases illius solidatae sunt ?** » Ecce quasi omnia de
5 mundi origine narratione historica contexuntur. Repente
uero subiungitur quod non de mundi, sed de Ecclesiae dic-
38, 6 tum conditione uideatur. Nam dicitur : « **Aut quis dimisit
lapidem angularem eius ?** » Per hoc enim quod non in mundi
origine factum est, et illud superius ostenditur, quia de
10 mundi origine dictum non est. Idcirco namque rebus planis
ac patentibus obscura quaedam ac dissona permiscentur, ut
per hoc, quod ab intellectu litterae discrepat et illud inquira-
tur mystice quod dictum iuxta litteram sonat. Namque sicut
aliis apertis rebus alia clausa cognoscimus, ita aliis clausis
15 compellimur et illa altiori intellectu pulsare, quae aperta cre-
debamus. Dicat ergo : « *Vbi eras quando ponebam fundamenta
terrae ?* ». In scriptura sacra quid aliud fundamenta quam
praedicatores accipimus ? Quos dum primos Dominus in
sancta Ecclesia posuit, tota in eis sequentis fabricae structura
20 surrexit. Vnde et sacerdos cum tabernaculum ingreditur duodecim lapides portare in pectore iubetur[a], quia uidelicet
semetipsum pro nobis sacrificium offerens pontifex noster,
dum fortes in ipso exordio praedicatores exhibuit, duodecim
lapides sub capite in prima sui corporis parte portauit. Sancti

---

14. a. cf. Ex 28, 17-29

---

1. Les obscurités et contradictions de la lettre invitent à chercher un sens
caché : *Mor.* 4, *Praef.* (633 BC ; 636 C-637 A).

2. Interprétations différentes, plus morales, du pectoral (Ex 18, 17-29) dans
Past. II, 2 (27 C) : les noms des douze patriarches représentent les exemples
des Pères, constamment présents à la mémoire du pasteur ; *Hom Eu.* 17, 15 :

qui est au-dessus de toi, j'aurai obtenu que tu te connaisses mieux toi-même. Tu me répondras en vérité, quand tu auras compris ton ignorance.

Le fondement du Christ et des apôtres V, **14.** Le texte poursuit : « **Où étais-tu quand je posais les fondements de la terre ? Indique-le moi, si tu es intelligent. Qui en fixa les dimensions ? Le sais-tu ? Qui tendit sur elle le cordeau ? Sur quoi s'appuient ses bases ?** » Littéralement, tout ceci ressemble fort à un récit des origines du monde. Mais aussitôt, s'ajoute à ce récit une donnée qui semble se rapporter à la fondation de l'Église plutôt qu'à celle du monde : « **Qui laissa aller sa pierre angulaire ?** » Ce dernier fait n'ayant pas eu lieu aux origines du monde, il est clair que tout ce passage ne concerne pas ces origines. Quand l'Écriture mêle à des faits évidents et intelligibles, des faits obscurs et contradictoires qu'on ne peut prendre au sens propre, cela nous incite à chercher un sens mystique à la lettre du texte[1]. De même que les réalités évidentes nous font accéder à celles qui nous restaient fermées, ainsi nous sommes poussés par ces réalités cachées à pénétrer le sens profond de ce qui au premier abord nous paraissait évident. Qu'il dise donc : « *Où étais-tu quand je posais les fondements de la terre ?* » Pour l'Écriture sainte, les fondements ne sont autres que les prédicateurs. Le Seigneur les a établis les premiers dans la sainte Église, pour que la construction de l'édifice entier s'élevât sur eux. C'est pourquoi, au prêtre qui pénètre dans le sanctuaire, il est enjoint de porter douze pierres sur la poitrine[a] ; notre grand-prêtre[2] venu s'offrir lui-même pour nous en sacrifice, en mettant en avant dès ses débuts les intrépides prédicateurs, plaça ces douze pierres juste au-dessous de sa tête, sur la partie supérieure du corps. Les saints apôtres

38, 4-6

38, 6

les pierres, que le grand-prêtre portait seulement à l'intérieur du sanctuaire, sont les évêques, qui doivent rester devant Dieu dans la prière.

25 itaque apostoli et pro prima ostensione ornamenti lapides
sunt in pectore, et pro prima soliditate aedificii in solo, fundamenta. Vnde Dauid propheta cum sanctam Ecclesiam in
sublimibus apostolorum mentibus poni aedificarique conspiceret, dixit : « *Fundamenta eius in montibus sanctis*[b] ». Cum
30 uero in sacro eloquio non fundamenta, sed singulari numero
fundamentum dicitur, nullus alius nisi ipse Dominus designatur, per cuius diuinitatis potentiam, nutantia infirmitatis
nostrae corda solidantur. De quo et Paulus ait :
« *Fundamentum aliud nemo potest ponere, praeter id quod positum*
35 *est, quod est Christus Iesus*[c] ». Ipse quippe fundamentum fun-
damentorum est, quia et origo est incohantium, et constantia
robustorum. Quia igitur fundamenta nostra sunt hi qui ini-
quitatum nostrarum pondera portauerunt, ne beatus Iob in
superbia de uirtutum suarum potentia subleuetur, in ipsa
40 dominici prima parte sermonis de sanctorum praedicatorum
commemoratione discutitur, ut quanto illos admirabiles
uenire conspiceret, tanto in eorum comparatione de se uilius
aestimaret. Quod idcirco a Domino iam quasi praeteritum
describitur, quia quicquid foras futurum est in opere, intus
45 iam factum est in praedestinatione. Dicitur itaque ei : « *Vbi*
eras quando ponebam fundamenta terrae ? » Ac si aperte
diceretur : uirtutem fortium considera, meque eorum ante
saecula auctorem pensa ; et cum eos quos in tempore condidi
mirabiles suspicis, perpende quantum mihi subdi debeas,
50 quem auctorem mirabilium sine tempore esse cognoscis.

14. b. Ps 86, 1   c. 1 Co 3, 11

1. Citation unique. Dans la suivante (1 Co 3, 11), Grégoire écrit tantôt,
comme ici, *quod est* (*Mor.* 28, 31 ; *Hom. Ez.* II, 1, 5 ; *Reg. Ep.* 11, 28), tantôt *qui*
est (*Mor.* 25, 27 ; *Reg. Ep.* 9, 136). Voir aussi *Dial.* IV, 41, 5.

sont donc les pierres précieuses sur la poitrine de notre grand-prêtre. Premier ornement offert à la vue, ils sont en même temps les fondements placés à la base de l'édifice pour en assurer la solidité première. Aussi le prophète David, contemplant l'Église construite sur ces âmes sublimes des apôtres, s'exclama-t-il[1] : « *Ses fondements sont posés sur les saintes montagnes*[b] ». Mais quand la sainte Écriture parle du fondement au singulier, et non des fondements au pluriel, elle ne désigne personne d'autre que le Seigneur qui, par la puissance de sa divinité, affermit nos cœurs chancelants. C'est Paul qui l'affirme : « *De fondement, personne ne peut en poser d'autre que celui qui est en place : Jésus-Christ*[c] ». Lui-même est le fondement des fondements, parce qu'il est l'origine des commençants et la constance des forts. Car nos fondements sont ceux qui ont porté le poids de nos iniquités ; afin que le bienheureux Job ne s'enorgueillisse pas à cause de la hauteur de ses vertus, le Seigneur commence par l'interroger au sujet des saints prédicateurs pour qu'il ait d'autant moins d'estime de lui-même qu'il les aura vus venir et trouvés admirables. Le Seigneur parle des apôtres comme au passé, parce que tout ce que doivent réaliser leurs œuvres extérieures est déjà accompli intérieurement dans la prédestination[2] : Dieu dit donc à Job : « *Où étais-tu quand je posais les fondements de la terre ?* » C'est comme s'il lui disait clairement : considère la vertu des forts et médite sur moi qui les ai créés avant les siècles ; et quand tu admires ceux que j'ai produits dans le temps, réfléchis à la soumission que tu me dois, à moi qui suis hors du temps et que tu reconnais comme l'auteur de ces merveilles.

2. Cette explication du passé prophétique par la « prédestination » sera répétée plus loin (*Mor.* 29, 25).

38, 4-5   VI, **15**. Sequitur : « **Indica mihi, si habes intellegentiam. Quis posuit mensuras eius, si nosti, uel quis tetendit super eam lineam ?** » Mensurarum lineae in terrarum partitione tenduntur, ut dimensionis aequitas ex ipsa linearum ten-
5 sione teneatur. In carne autem Dominus ad Ecclesiam ueniens mensuras terrae lineis mensus est, quia fines Ecclesiae occulti iudicii subtilitate distinxit. Huius terrae occultae mensurae uel lineae tendebantur quando praedicatores sancti agente Spiritu in aliis partibus mundi uocabantur ut
10 irent, ad alias uero partes arcebantur ne accederent. Paulus namque apostolus cum Macedoniam praedicare neglegeret, per uisum illi apparuit uir Macedo qui diceret : « *Transiens in Macedoniam adiuua nos*[a] ». At contra, sicut scriptum est : « *Temptabant apostoli ire Bithyniam et non permisit eos Spiritus*
15 *Iesu*[b] ». Dum ergo praedicatores sancti et uocantur ad Macedoniam et ab Asia prohibentur, ista occultarum mensurarum linea illic ducta est, hinc reducta. Illic tenditur, ut Macedonia intra sanctae Ecclesiae spatia colligatur ; hinc attrahitur, ut extra fines fidei Asia relinquatur. Erant quippe tunc in ea qui
20 colligendi non erant, quibus iuxta meritum suum perditis, iam nunc Asia intra mensuras Ecclesiae Deo largiente suscepta est.

16. Intra has ergo mensuras sunt omnes electi, extra has omnes reprobi, etiam si intra fidei limitem esse uideantur. Vnde et in Apocalypsi scriptum est : « *Atrium quod foris tem-*

---

15. a. Ac 16, 9   b. Ac 16, 7

1. Comme ici, ces deux épisodes des *Actes* sont cités en ordre inverse (Ac 16, 9 avant Ac 16, 7) dans *Hom. Ez.* II, 1, 12, où la Bithynie est d'emblée remplacée par l'Asie. L'occasion de la citation est la même : le cordeau (*funiculus lineus*) dans la main de l'ange (Ez 40, 3), figurant le « jugement caché » du Christ. Voir aussi *Hom. Eu.* 4, 1 (*subtili ... occultoque iudicio*), qui cite seulement Ac 16, 6-7. - Exégèse voisine chez AUGUSTIN, *Adn. in Iob.* 38, 5 : le cordeau figure la séparation des élus et des réprouvés.

Dieu trace les frontières de l'Église   VI, **15.** Le texte poursuit : « **Indique-le moi, si tu es intelligent. Qui en fixa les dimensions ? Le sais-tu ? Qui tendit sur elle le cordeau ?** » On se sert du cordeau pour le partage des terres ; en les délimitant nettement, il permet de garder l'équité. Le Seigneur ayant pris chair est venu vers l'Église pour mesurer la terre au cordeau, c'est-à-dire pour fixer les frontières de l'Église selon ses jugements cachés et pénétrants. Il mesurait secrètement la terre au cordeau, quand, sous l'impulsion de l'Esprit-Saint, les saints prédicateurs étaient appelés dans telle partie du monde et étaient empêchés d'aller dans telle autre. Par exemple, l'Apôtre Paul, qui avait négligé d'aller prêcher en Macédoine, eut la vision d'un Macédonien qui lui disait : « *Passe en Macédoine à notre secours*[a] ». Au contraire, il est écrit ailleurs : « *Les apôtres tentèrent d'aller en Bithynie, mais l'Esprit de Jésus ne le leur permit pas*[b] ». D'une part, on appelle en Macédoine les saints prédicateurs, de l'autre, on les empêche d'aller en Asie : c'est cela, tendre ou non le cordeau selon les mesures secrètes de Dieu[1]. On tend le cordeau d'un côté pour inclure la Macédoine dans les limites de l'Église ; de l'autre, on le retire pour que l'Asie reste en dehors des frontières de la foi. C'est qu'il y avait alors en cette province des gens qui ne devaient pas être agrégés à l'Église ; une fois qu'ils se furent perdus par leur faute, l'Asie fut accueillie dans les limites de l'Église par la grâce de Dieu.

16. Tous les élus se trouvent dans ces limites et les réprouvés à l'extérieur, même s'ils paraissent à l'intérieur des frontières de la foi. C'est pourquoi, il est écrit dans l'Apocalypse[2] : « *Ce parvis extérieur du temple, exclus-le, ne le*

38, 4-5

---

2. Cité plus amplement et commenté différemment dans *Hom. Ez.* I, 12, 6. Quant au texte évangélique mis en regard (Mt 7, 14), on le retrouvera plus loin (*Mor.* 28, 26).

plum est eice foras, ne metiaris illud[c] ». Quid enim aliud atrium
5 quam latitudinem significat uitae praesentis ? Et recte foris
templum sunt qui per atrium designantur, atque ideo
metiendi non sunt, quia angusta porta est quae ducit ad
uitam[d] ; et latitudo uitae prauorum non admittitur ad mensuras et regulas electorum. Istae spiritales lineae occulto iudicio
10 tendebantur quando cuidam dicenti : « *Magister, sequar te quo-
cunque ieris*[e] », eiusdem magistri uoce responsum est :
« *Vulpes foueas habent et uolucres caeli nidos ; Filius autem hominis non habet ubi caput suum reclinet*[f] ». Istae mensurae et lineae
tendebantur cum cuidam dicenti : « *Domine, permitte me pri-
15 mum ire et sepelire patrem meum*[g] », eiusdem magistri uoce
responsum est : « *Sine ut mortui sepeliant mortuos suos ; tu
autem uade, annuntia regnum Dei*[h] ». Ecce alius secuturum se
promittit, et repellitur ; alius relaxandum se postulat et retinetur. Vnde hoc, nisi quia super occulta cordis spatia
20 supernorum iudiciorum lineae tendebantur, ut et hunc intus
incomprehensibiles mensurae constringerent, et ille foras
non iniuste remaneret ? Sed cum nullus nesciat quia Deus
has occultorum iudiciorum lineas tendat, cur ad Iob dicitur :
« *Indica mihi, si habes intellegentiam. Quis posuit mensuras eius,
25 si nosti, uel quis tetendit super eam lineam ?* » An idcirco requiritur, ut quod nosse, sed tamen praetermittere poterat,
memoretur ; quatenus pondus secretorum Dei sollicitius
penset, dispositionem uidelicet hominis non in humanis uiribus, sed in manu consistere conditoris ; ut dum considerat
30 inuisibiliter ista quis agat, suae uirtuti nihil tribuat, nec iam
de se audeat aliquid, cum Dei iudicia occulta formidat ; sed
perpendens desuper mensuras et lineas incomprehensibili-
ter tensas, sit tanto magis in humilitate formidinis, quanto
magis pendere uidet omnia in potestate mensoris.

16. c. Ap 11, 2   d. cf. Mt 7, 14   e. Mt 8, 19 ; Lc 9, 57   f. Mt 8, 20 ; Lc
9, 58   g. Lc 9, 59 ; Mt 8, 21   h. Lc 9, 60

1. Ces deux faits sont pareillement contrastés dans *Hom. Ez.* II, 1, 13, qui
parle aussi de « jugement occulte ». Mais les considérations sur l'humilité
qui suivent ici sont propres aux Morales.

mesure pas[c] ». N'a-t-on pas dans ce parvis un symbole de la vie présente avec toute sa largeur ? Il est donc juste que restent hors du temple ceux que symbolise le parvis extérieur ; on ne doit pas les inclure dans ses mesures, parce qu'étroite est la porte qui conduit à la vie[d] ; les vies larges des réprouvés n'ont pas accès à la conduite mesurée et bien réglée des élus. Un jugement secret de Dieu tendait le cordeau spirituel, quand, à un premier interlocuteur déclarant : « *Maître, je te suivrai partout où tu iras*[e] », le Maître répondit : « *Les renards ont des terriers et les oiseaux du ciel des nids ; le Fils de l'homme n'a pas où poser sa tête*[f] ». Le même cordeau était encore tendu et les dimensions bien fixées, quand, au second qui disait : « *Seigneur, permets-moi d'aller d'abord d'enterrer mon père*[g] », le Maître cette fois répondit : « *Laisse les morts enterrer leurs morts ; mais toi, va annoncer le règne de Dieu*[h] ». L'un promet de suivre le Seigneur et il est repoussé ; l'autre demande une permission et il est retenu. Pourquoi ? Dieu tend le cordeau de ses jugements sublimes sur les espaces secrets du cœur, de sorte que l'un se voit retenu dans des limites incompréhensibles et que l'autre se voit exclu sans injustice[1]. Mais alors que nul n'ignore que c'est Dieu qui tend le cordeau de ses jugements cachés, pourquoi est-il dit à Job : « *Indique-le moi, si tu es intelligent. Qui en fixa les dimensions ? Le sais-tu ? Qui tendit sur elle le cordeau ?* » Peut-être cette question lui est-elle posée comme un rappel de ce qu'il avait pu connaître et cependant négliger, afin qu'il pèse avec plus de soin le poids des secrets de Dieu. L'homme n'a pas le pouvoir de disposer de lui-même ; ce pouvoir est entre les mains de son Créateur. En considérant celui qui agit invisiblement, l'homme n'attribuera rien à ses propres forces ; il n'osera rien de lui-même, puisqu'il redoute les jugements secrets de Dieu. Quand il réfléchit à ces dimensions fixées d'en haut et à ce cordeau tendu d'une manière incompréhensible pour lui, l'humilité et la crainte le saisissent d'autant plus qu'il voit tout dépendre du pouvoir de celui qui mesure.

38, 6   VII, **17**. Sequitur : « **Super quo bases illius solidatae sunt ?** » Quid aliud huius terrae bases quam sanctae Ecclesiae doctores accipimus ? In basibus quippe columnae, in columnis autem totius fabricae pondus erigitur.

5 Non ergo immerito doctores sancti basium nomine designantur, quia dum recta praedicant, et praedicationi suae uiuendo concordant, omne pondus Ecclesiae fixa morum suorum grauitate sustentant, asperas ab infidelibus temptationes ferunt ; et quaeque in praeceptis Dei uelut difficilia a fidelibus formi-

10 dantur, exemplis operum facilia ostendunt. Vnde et bene cum in typo Ecclesiae tabernaculum figeretur, ad Moysen dicitur : « *Facies columnas quattuor et bases earum uestitas argento*[a] ». In argento enim quid aliud quam claritas diuini sermonis accipitur ? Sicut scriptum est : « *Eloquia Domini elo-*

15 *quia casta, argentum igne examinatum terrae*[b] ». Bases ergo argento uestitae quattuor columnas tabernaculi sustinent, quia praedicatores Ecclesiae diuino eloquio decorati, ut in cunctis se exemplum praebeant, quattuor euangelistarum dicta et ore et operibus portant.

18. Possunt per bases etiam prophetae signari, qui dum primi aperte de dominica incarnatione locuti sunt, quasi quasdam bases eos conspicimus a fundamento surgere, et superpositae fabricae pondera sustinere. Vnde ad Moysen

5 rursum Dominus, cum tabernaculi tabulas erigi praecipit, fundi earum bases argenteas iubet[c]. Quid enim per tabulas nisi apostoli extensa in mundum praedicatione dilatati, quid

---

17. a. Ex 26, 32   b. Ps 11, 7
18. c. Cf. Ex 26, 15-21

---

1. L'exemple rend facile ce qui paraissait difficile : même remarque, à propos du possible et de l'impossible, chez Sulpice Sévère, *V. Mart.* 25, 5 (éloge de Paulin de Nole).

VII, **17**. Le texte poursuit : « **Sur** 38, 6
quoi s'appuient ses bases ? » Les
bases de cette terre figurent les
docteurs de la sainte Église. Sur ces
bases s'élèvent les colonnes, sur les colonnes repose le poids
de toute la construction. C'est à juste titre que les saints
docteurs sont symbolisés par les bases parce que, prêchant la
vérité et vivant conformément à ce qu'ils disent, ils soutiennent tout le poids de l'Église par la ferme gravité de leur
mœurs et supportent de rudes attaques de la part des
infidèles ; leur exemple montre encore que tout ce qui, aux
yeux des fidèles, paraît difficile et redoutable dans les
commandements de Dieu, est en somme facile à pratiquer[1].
Aussi, quand Moïse dressa la tente, figure de l'Église, il lui fut
dit[2] : « *Tu feras quatre colonnes et tu couvriras leurs bases*
d'argent[a] ». L'argent symbolise l'éclat de la parole de Dieu
selon qu'il est écrit : « *Les paroles du Seigneur sont des paroles*
sincères, de l'argent éprouvé au feu, purifié dans la terre[b] ». Des
bases couvertes d'argent soutiennent les quatre colonnes de
la tente : cela veut dire que les prédicateurs de l'Église, ornés
de la parole de Dieu, portent les enseignements des quatre
évangélistes par leurs paroles comme par leurs œuvres, afin
d'être un exemple pour tous.

Docteurs
d'aujourd'hui et
prophètes d'antan

18. Les bases peuvent aussi symboliser les prophètes, qui
les premiers ont parlé clairement de l'incarnation du
Seigneur ; nous les voyons surgir du fondement, comme des
bases sur lesquelles portera tout le poids de l'édifice. C'est
pourquoi, en prescrivant à Moïse de dresser les cadres de la
tente, le Seigneur lui ordonne de leur faire des bases d'argent
fondu[c]. Que vont signifier les cadres sinon les apôtres dont

---

2. Citation unique. Au contraire, la suivante (Ps 11, 7) est fréquente
(*Mor.* 4, 61 ; 6, 6 ; 16, 23 : 18, 24 et 73), et sa finalité constante : montrer que
l'argent représente les paroles divines (cf. Origène, *Hom. In Ex.* 9, 3).

per bases argenteas nisi prophetae signantur ? Qui superim-
positas tabulas ipsi firmi ac fusiles sustinent, quia
10 apostolorum uita dum eorum praedicatione instruitur, eorum
et auctoritate solidatur. Vnde et coniunctae binae bases singulis tabulis[d] supponuntur, quia dum prophetae sancti in
uerbis suis de Mediatoris incarnatione concordant, subsequentes praedicatores Ecclesiae indubitanter aedificant, ut
15 cum a semetipsis non discrepant, illos in se robustius figant.
Nec immerito bases quibus prophetae signantur, ut ex
argento debeant fundi praecipitur. Argenti quippe claritas ex
usu seruatur, sine usu autem in nigredinem uertitur. Prophetarum quoque dicta ante Mediatoris aduentum, quia in usu
20 spiritalis intellegentiae non erant, dum conspici prae obscuritate non poterant, quasi nigra remanebant. At postquam
Mediator ueniens ea ante oculos nostros incarnationis suae
manu tersit, quicquid lucis in eis latebat inclaruit, sensusque
patrum praecedentium in usum dedit, quia uerba rebus
25 exposuit. Siue itaque prophetas, seu doctores extremis temporibus subsequentes, basium appellatione significet, dicat :
« *Super quo bases illius solidatae sunt ?* » Subaudis, nisi super
me, qui cuncta mirabiliter teneo, et bonis exterioribus intus
principaliter originem praesto. Qui enim sibi quod bonum
30 est tribuit, solida basis non est ; quia dum fundamento non
innititur, ipso suo pondere in ima praecipitatur.

Sed cum tam multa de sanctae Ecclesiae constructione
referantur, audire mens appetit inimicae nationes qua uirtute
coniunctae sunt, id est diuersa huius domus aedificia qua
35 sibi arte concordent.

18. d. cf. Ex 26, 19-21

1. Comme tout ce commentaire d'Ex 26, 15-21, la présente remarque est
originale. Ailleurs (*Mor.* 18, 53), l'obscurcissement de l'or (Lm 4, 1) est
entendu autrement.

la prédication s'est répandue à travers le monde, et les bases d'argent, si ce n'est les prophètes. Ces bases à la fois solides et faites d'un métal fondu, supportent les cadres ; autrement dit, la vie des apôtres s'appuie sur la prédication des prophètes et s'affermit par leur autorité. Aussi chaque cadre[d] est-il placé sur deux bases réunies ; autrement dit, les paroles des saints prophètes s'accordant au sujet de l'incarnation du Médiateur, les prédicateurs de l'Église, qui les ont suivis, bâtissent en toute sécurité. Moins les premiers sont en désaccord, plus est solide l'appui qu'ils offrent aux seconds. Ce n'est pas sans raison que les bases symbolisant les prophètes doivent être couvertes d'argent fondu. L'éclat de l'argent se garde en effet par l'usage ; si on ne s'en sert pas, il noircit[1]. Avant la venue du Médiateur, les paroles des prophètes, faute d'intelligence spirituelle dans leur usage, ne se laissaient pas discerner : demeurant dans l'obscurité, elles paraissaient noires. Le Médiateur est venu et les a comme essuyées sous nos yeux par le toucher de son incarnation ; il a fait briller toute la lumière qu'elles recelaient et mis à l'usage de tous la pensée des anciens Pères en expliquant leurs paroles par ses actes. Peu importe finalement que les bases symbolisent les prophètes ou les docteurs qui les ont suivis en ces derniers temps ; quand il est dit : « *Sur quoi s'appuient ses bases ?* », il faut sous-entendre : sur qui ? sinon sur moi qui soutiens merveilleusement toutes choses et, du dedans, suis le principe et l'origine de tous les biens extérieurs. Qui s'attribue la bonté qui est en lui, n'est pas une base solide, parce que ne s'appuyant pas sur un fondement, il s'affaisse par son propre poids.

Mais, après tant d'explications se référant à la construction de la sainte Église, l'esprit voudrait maintenant apprendre autre chose : par quelle puissance s'unissent les deux peuples ennemis, c'est-à-dire par quel procédé s'agencent les différentes parties de cette demeure.

38, 6   VIII, **19**. Sequitur : « **Aut quis dimisit lapidem angularem eius ?** » Iam per diuinam gratiam omnibus liquet, quem scriptura sacra angularem lapidem uocet, illum profecto qui, dum in se hinc iudaicum illinc gentilem populum suscipit, in
5   una Ecclesiae fabrica quasi duos parietes iungit, illum de quo scriptum est : « *Fecit utraque unum*ᵃ ». Qui angularem se lapidem non solum in inferioribus, sed et in supernis exhibuit, quia et in terra plebi israeliticae nationes gentium et utramque simul angelis in caelo sociauit. Eo quippe nato
10   clamauerunt angeli : « *In terra pax hominibus bonae uoluntatis*ᵇ ». In ortu enim regis nequaquam pro magno offerrent hominibus pacis gaudia, si discordiam non haberent. De hoc lapide per prophetam dicitur : « *Lapidem quem reprobauerunt aedificantes, hic factus est in caput anguli*ᶜ ». Huius lapidis typum Iechonias
15   rex tenuit, quem Matthaeus dum quaterdenas generationes describeret, secundo numerauitᵈ. Quem enim fini secundae, ipsum rursum initio tertiae generationis inseruit. Ipse namque in Babyloniam cum israelitica plebe migratus est, qui dum ab aliis ad alia ducitur, pro utriusque parietis latere
20   non immerito secundo numeratur. Cuius migrationis flexu angularem lapidem signat. Vbi enim ordo a rectitudine flectitur, ut eat in diuersum, tamquam angulum facit. Recte ergo numerari bis potuit, quia per utrumque parietem quasi duo in se latera ostendit, unde et eius bene imaginem tenuit,
25   qui in Iudaea ortus, gentilitatem colligens, quasi ab Ierosolymis Babyloniam uenit ; atque hanc in semetipso fidei fabricam prius discordiae studio scissam arte caritatis intexuit.

---

19. a. Ep 2, 14   b. Lc 2, 14   c. Ps 117, 22   d. cf. Mt 1, 11-12

---

1. Déjà Augustin, *Adnot. In Iob* 38, 6 (872) pense ici au Christ et à Ps. 117, 22 (cf. Mt 21, 42). Souvent cité par Grégoire, l'hymne angélique (Lc 2, 14) est entendu comme ici (réconciliation des anges et des hommes) dans *Mor.* 27, 29 et 28, 34 ; *Hom. Eu.* 8, 2.

2. Grégoire ne commente pas ailleurs Mt 1, 11-12, pas plus qu'il ne men-

La pierre angulaire du Christ

VIII, **19.** Le texte poursuit : « **Qui** **38, 6** **laissa aller sa pierre angulaire ?** » Par la grâce de Dieu, tout le monde connaît déjà celui que l'Écriture sainte appelle la pierre angulaire : c'est celui qui, accueillant en lui d'un côté le peuple juif et de l'autre les païens, les a réunis, comme on rejoint deux murs, en l'unique édifice de l'Église[1] ; c'est celui dont il est dit : « *De deux peuples, il n'en a fait qu'un*[a] ». Il est la pierre angulaire non seulement à la base de l'édifice, mais aussi à son sommet ; parce que si sur terre il a uni le peuple venu de la gentilité au peuple d'Israël, au ciel il les a associés tous deux aux anges. A sa naissance, en effet, les anges ont proclamé : « *Sur la terre, paix aux hommes de bonne volonté*[b] ». Si, à la naissance du roi, ils offrent aux hommes les joies de la paix comme un présent de grand prix, c'est qu'il y avait désaccord entre eux. De cette pierre, le prophète a dit : « *La pierre qu'ont rejetée les bâtisseurs est devenue tête d'angle*[c] ». De cette pierre angulaire, le roi Jéchonias est une figure, lui que Matthieu a compté deux fois dans ses séries de quatorze générations[d] ; il l'a inséré à la fin de la seconde série et de nouveau, au début de la troisième[2]. Il fut en effet déporté à Babylone avec le peuple d'Israël ; passé d'un peuple à l'autre, c'est à juste titre qu'il est compté deux fois comme faisant partie des deux côtés d'un mur. Au tournant de la déportation, il symbolise la pierre angulaire. Le mur fait comme un angle à l'endroit où il quitte la ligne droite pour changer de direction. Jéchonias a donc pu être compté deux fois légitimement, car il formait pour ainsi dire les deux côtés d'un mur faisant angle ; aussi symbolise-t-il bien celui qui, né en Judée et rassemblant la gentilité, s'est comme transporté de Jérusalem à Babylone ; en lui, il a réimbriqué avec tout l'art de la charité cet édifice de la foi, rompu autrefois par la passion de la discorde.

tionne Jéchonias. Faire de celui-ci un personnage unique, deux fois mentionné par l'Évangile, est contraire à Jérôme, *In Mat.* I, 1, 11-12, qui veut que les deux mentions visent des hommes différents.

Sed haec quae de significatione sanctae Ecclesiae dicta
30 sunt placet ut breuiata replicatione moraliter disserantur.
Dignum namque est ut per ea quae beato Iob dici cognoscimus ad corda nostra reuocemur, quia uerba Dei tunc mens
uerius intellegit cum in eis semetipsam quaerit.

38, 4   IX, **20**. Ecce enim dicitur : « **Vbi eras quando ponebam fundamenta terrae ?** » Si peccatoris animus puluis est, quia in
superficie attolitur, et temptationis aura raptatur, unde
scriptum est : « *Non sic impii, non sic, sed tamquam puluis, quem*
5 *proicit uentus a facie terrae*[a] », nil obstat terram intellegi animam iusti, de qua scriptum est : « *Terra enim saepe uenientem
super se bibens imbrem et generans herbam opportunam illis a quibus colitur, accipit benedictionem*[b] ». Sed huius terrae
fundamentum fides est. Huius terrae fundamentum iacitur,
10 quando in occultis cordis prima soliditatis causa diuinus
timor inspiratur. Iste necdum credit aeterna quae audit ; huic
cum fides datur, ad aedificium subsequentis operis iam fundamentum ponitur. Ille aeterna iam credit, nec tamen metuit,
uenturi iudicii terrorem despicit, peccatis se carnis et spiritus
15 audenter inuoluit ; huic repente cum futurorum timor infun-
ditur, ut bonae uitae surgat aedificium, iam fundamenta
construuntur. Posito itaque prosperae formidinis fundamento, cum uirtutum fabrica in altum ducitur, necesse est ut
unusquisque proficiens uires suas caute metiatur, ut cum
20 diuina constructione magnus esse iam coeperit, semetipsum
respiciat sine cessatione quid fuit, quatenus attendens humi-

---

20. a. Ps 1, 4   b. He 6, 7

---

1. Commenté autrement dans *Mor.* 14, 42 et 31, 15, ce verset psalmique
est entendu comme ici dans *Mor.* 30, 22 (vent de la tentation). La citation
suivante (He 6, 7) est unique.

2. Après la foi, la crainte de Dieu : même séquence chez ÉVAGRE, *Pract.*,
Prol. 8 et 81 ; *Sent. Mon.* 3-4 et 69, etc.

Ceci dit sur le sens ecclésial de ce texte, il me paraît bon d'y ajouter un bref exposé du sens moral. Il convient que les paroles adressées à Job nous ramènent à notre propre cœur, car l'âme entre plus avant dans la vérité des paroles de Dieu quand elle cherche à se les appliquer.

Le fondement de la crainte salutaire   IX, **20.** Le texte dit en effet : « **Où** **38, 4** **étais-tu quand je posais les fonde-** **ments de la terre ?** » Si l'âme du pécheur n'est que poussière répandue à la surface et emportée par le souffle de la tentation, ainsi qu'il est écrit[1] : « *Il n'en est pas ainsi pour les impies, mais ils sont comme la poussière que le vent balaie sur la surface de la terre*[a] », rien n'empêche que l'âme du juste soit symbolisée par la terre, dont il est dit : « *Une terre abreuvée de pluies fréquentes et qui produit des récoltes convenables pour ceux qui la cultivent est une terre bénie*[b] ». Mais le fondement de cette terre, c'est la foi, et ce fondement est jeté quand Dieu inspire sa crainte au fond du cœur comme premier facteur de solidité. L'un ne croit pas encore aux biens éternels dont il entend l'annonce ; dès que la foi lui est donnée, le fondement est posé et le reste de l'œuvre peut s'édifier. L'autre croit aux biens éternels, mais il n'a pas la crainte[2] ; il méprise la terreur du jugement à venir et se roule hardiment dans les péchés de la chair et de l'esprit ; dès que survient en lui la crainte des fins dernières, une fois assurés les fondements, l'édifice d'une vie honnête pourra s'élever. Cependant, une fois posé le fondement[3] de cette crainte salutaire, quand commence à s'élever l'édifice des vertus, il est nécessaire pour chaque progressant de mesurer prudemment ses forces ; lorsqu'on se met à grandir sous l'action de Dieu, qu'on songe sans cesse à ce qu'on a été ; considérant

---

3. Le premier fondement, celui de la foi, ne suffit pas. Il en faut un second (noter le pluriel précédent : *fundamenta*), qui devient ici le fondement prochain (au singulier : *fundamento*) de tout l'édifice.

liter quod per meritum inuentus est, nequaquam sibi arroget
quod per gratiam factus est. Vnde et nunc beatus Iob per
supernam uocem ad semetipsum reducitur ; et ne de uirtuti-
25 bus gloriari audeat, de anteacta uita memoratur eique
dicitur : « *Vbi eras quando ponebam fundamenta terrae* ? » Ac si
iustificato peccatori aperte Veritas dicat : uirtutes a me
acceptas tibi non tribuas, noli contra me de meo munere
extolli. Recole ubi te inueni quando prima in te fundamenta
30 uirtutum posui. Recole ubi te inueni quando meo te timore
solidaui. Vt ergo ego in te non destruam quod construxi, ipse
non cesses considerare quod repperi. Quem enim Veritas
nisi aut in flagitiis aut in excessibus inuenit ? Sed post haec
bene possumus seruare quod sumus, si numquam neglegi-
35 mus pensare quod fuimus.

Nonnumquam tamen clandestina elatio etiam sollicitis
subrepere cordibus solet, ut bonorum cogitatio, licet subtilis
ac pressa, cum ualde in uirtutibus crescit, oblita infirmitatis
propriae, nequaquam ad memoriam reuocet quid in uitiis
40 fuerit. Vnde et omnipotens Deus, quia augeri infirmitatem
etiam de remediis salutis conspicit, mensuram ipsis nostris
profectibus imponit ; ut habeamus quaedam uirtutum bona
quae numquam quaesiuimus ; et quaeramus quaedam, nec
tamen habere ualeamus, quatenus mens nostra dum haec
45 non potest habere quae appetit ; et illa se intellegat de seme-
tipsa non habere quae habet ; et per ea quae sunt
considerentur illa quae desunt ; et per ea quae utiliter desunt
seruentur humiliter bona quae sunt.

---

1. Thèse reproduite dans *Mor.* 34, 44 et illustrée par le cas d'Isaac le
Syrien (*Dial*. III, 14 12-13), à propos duquel Grégoire cite Jg 3, 1 (cf. *Mor.* 4,
44). Voir aussi *Dial*. II 21, 4 (application au don de prophétie).

avec humilité l'état où l'on se trouvait par sa faute, qu'on ne s'attribue pas ce qu'on est devenu par grâce. Aussi le bien-heureux Job est-il ramené à lui-même par la voix de Dieu ; pour qu'il n'ait pas l'audace de se glorifier de ses vertus, il lui rappelle sa vie passée et il lui dit : « *Où étais-tu quand je posais les fondements de la terre ?* » C'est comme si la Vérité disait en termes clairs au pécheur justifié : ne t'attribue pas à toi-même les vertus que tu as reçues de moi ; ne t'élève pas en dressant contre moi le don que je t'ai fait. Rappelle-toi où je t'ai trouvé quand j'ai posé en toi les premiers fondements des vertus. Rappelle-toi où je t'ai trouvé quand par ma crainte je t'ai donné consistance. Pour que je ne détruise pas en toi ce que j'ai construit, n'oublie jamais l'état où je t'ai découvert. En qui, de fait, la Vérité n'a-t-elle pas trouvé une vie de turpitudes et de désordres ? Mais par la suite nous pourrons nous maintenir heureusement dans l'état où nous sommes parvenus, si nous ne négligeons jamais de penser à ce que nous avons été.

Il arrive pourtant qu'un secret mouvement d'orgueil se glisse même dans les cœurs attentifs : l'opinion que les hommes de bien ont d'eux-mêmes, si fine et retenue qu'elle soit, croissant fortement avec le progrès des vertus, ils en viennent à oublier leur propre faiblesse et à perdre le souvenir des vices d'autrefois. Si les remèdes du salut ajoutent ainsi à notre misère, que fera le Dieu tout-puissant ? Il imposera une limite à nos progrès eux-mêmes, si bien que possédant des vertus que nous n'avons jamais cherché à acquérir, nous n'arrivons pas à en acquérir d'autres que nous voudrions bien avoir. De la sorte, notre âme ne pouvant obtenir les vertus qu'elle désire, comprend que les vertus qu'elle possède ne viennent pas d'elle, discerne celles qui lui manquent d'après celles qu'elle possède, et grâce à celles dont elle est heureusement dépourvue, garde dans l'humilité celles qu'elle a[1].

X, **21**. Vnde et recte pro huius terrae, id est iustae animae
38, 4-5 dispensatione subiungitur : « **Indica mihi, si habes intellegentiam. Quis posuit mensuras eius, si nosti ; uel quis
tetendit super eam lineam ?** » Quis enim nisi conditor noster
5   huius terrae mensuras ponit ? Qui interni iudicii secreto
moderamine, alii sermonem sapientiae, alii sermonem scientiae, alii plenam fidem, alii gratiam sanitatum, alii
operationem uirtutum, alii prophetiam, alii discretionem spirituum, alii genera linguarum, alii interpretationem
10 sermonum tribuit[a], quatenus in uno eodemque spiritu iste
uerbo sapientiae polleat, nec tamen sermone scientiae, id est
doctrinae, fulciatur ; quia sentire atque inuenire sufficit
etiam quod per discendi studium non apprehendit ; ille sermone scientiae fulgeat, nec tamen in uerbo sapientiae
15 conualescat ; quia et sufficit explere quantum didicit, et
tamen ad sentiendum ex semetipso subtile aliquid non assur-
git. Iste per fidem et elementis imperat, nec tamen per
sanitatum gratiam infirmitates corporum curat ; ille orationis
ope morbos subtrahit, nec tamen arenti terrae uerbo pluuias
20 reddit. Iste operatione uirtutum ad praesentem uitam etiam
mortuos reuocat, et tamen prophetiae gratiam non habens,
quae sibi uentura sunt ignorat ; ille uentura quaeque uelut
praesentia attendit, et tamen in nulla signorum operatione se
exserit. Iste per discretionem spirituum in factis subtiliter
25 mentes conspicit, sed tamen diuersi generis linguas nescit ;
ille diuersi generis linguas examinat, sed tamen in rebus simi-

---

21. a. cf. 1 Co 12, 8-11

---

1. Souvent citée de façon fragmentaire (*Mor.* 2, 89 ; 24, 19 et 29, etc.), la
liste des neuf charismes pauliniens est ici reproduite complètement et commentée méthodiquement. Joignant les charismes deux à deux, le commentaire oppose le discernement des esprits au don des langues, de sorte que le
complément naturel de celui-ci – l'interprétation des langues – reste seul à
la fin et s'oppose non à un don particulier, mais à l'ensemble des huit précédents.

Dieu accorde des dons différents — X, **21.** Aussi, pour le profit spirituel de cette terre qu'est l'âme du juste, le texte poursuit-il opportunément : « Indique-le moi si tu es intelligent. Qui en fixa les 38, 4-5 dimensions ? Le sais-tu ? Qui tendit sur elle le cordeau ? » Hormis notre Créateur, qui peut fixer les dimensions de cette terre ? C'est lui qui, par la secrète disposition de ses jugements[1], accorde à l'un le discours de sagesse et à un autre le discours de science ; à celui-ci une foi pleine et entière[2], à cet autre le don de guérison ; à celui-là le don de faire des miracles, à un autre la prophétie, à un autre le discernement des esprits, à un autre le don des langues, à tel autre encore le don de les interpréter[a]. Mais Dieu accorde ses dons de telle sorte qu'en un seul et même Esprit, l'un possède la parole de sagesse, mais il ne possède pas le discours de science ou de doctrine[3], parce qu'il est capable de saisir et de trouver même ce qu'il n'a pas acquis par l'étude ; l'autre brille par le discours de science, mais il n'atteint pas à la parole de sagesse parce que, s'il est capable d'expliquer ce qu'il a appris, il n'arrive pas à saisir par lui-même des choses trop élevées. L'un, par sa foi commande aux éléments, mais n'a pas reçu la grâce de guérir les infirmités corporelles ; l'autre guérit les malades par sa prière, mais il n'a pas le pouvoir de donner de la pluie par la parole à une terre aride. L'un, par le don des miracles, rappelle des morts à la vie ; cependant, n'ayant pas la grâce de prophétie, il ignore ce qui va lui arriver ; l'autre lit l'avenir comme s'il était présent, mais il ne se signale par aucun miracle. L'un, par le don de discernement des esprits, rien qu'en voyant les actes, pénètre les âmes, mais il ne sait pas parler en diverses langues ; l'autre comprend diverses langues, mais il est incapable de voir que des actes semblables peuvent provenir de cœurs très

2. *Plenam fidem* : cette foi charismatique (cf. 1 Co 13, 2) se distingue de la foi salvifique, commune à tous les chrétiens.

3. Parfois, de fait, Grégoire remplace simplement *sermo scientiae* par *doctrina* (*Mor.* 24, 49 ; 27, 76).

libus dissimilia corda non pensat. Alius in una lingua quam
nouit sermonum pondera interpretando prudenter discutit,
et tamen reliquis bonis quae non habet patienter caret.

22. Sic itaque creator noster ac dispositor cuncta moderatur, ut qui extolli poterat ex dono quod habet humilietur ex
uirtute quam non habet. Sic cuncta moderatur, ut cum per
impensam gratiam unumquemque subleuat, etiam per dispa-
5 rem alteri alterum subdat ; et meliorem quisque dono alio
eum qui sibi subicitur attendat, ac licet se praeire ex aliis sen-
tiat, eidem tamen quem superat se in aliis postponat. Sic
cuncta moderatur, ut dum singula quaeque sunt omnium,
interposita quadam caritatis necessitudine, fiant omnia
10 singulorum ; et unusquisque sic quod non accepit in altero
possideat, ut ipse alteri possidendum quod accepit humiliter
impendat. Hinc enim per Petrum dicitur : « *Vnusquisque sicut
accepit gratiam, in alterutrum illam administrantes, sicut boni dis-
pensatores multiformis gratiae Dei*[b] ». Tunc namque bene
15 multiformis gratia dispensatur, quando acceptum donum et
eius qui hoc non habet creditur, quando propter eum cui
impenditur datum putatur. Hinc per Paulum dicitur : « *Per
caritatem seruite inuicem*[c] ». Tunc enim nos caritas a iugo culpae liberos reddit, cum uicissim nos nostro per amorem
20 seruitio subicit, cum et aliena bona nostra credimus, et nostra aliis quasi sua offerentes exhibemus. Hinc rursum per
Paulum dicitur : « *Nam et corpus non est unum membrum, sed
multa. Si dixerit pes : 'Quoniam non sum manus, non sum de cor-*

---

22. b. 1 P 4, 10   c. Ga 5, 13

1. *Creator noster ac dispositor* comme chez AUGUSTIN, *Ciu.* 14, 26. Cf. *Mor.*
28, 24 : *auctor ac dispositor noster*.

2. Cité comme ici dans *Hom. Ez.* I, 7, 21. En revanche, les trois citations
suivantes (Ga 5, 13 ; 1 Co 12, 14-17 et 19-20) sont uniques.

différents ; un autre, enfin, sait fort bien traduire des paroles obscures dans une langue qu'il connaît, mais il doit supporter avec patience d'être privé des autres dons.

La charité unit ce qui est divers   **22.** Celui qui nous a créés et qui prend soin de nous[1] règle toutes choses en sorte que, si le don reçu peut nous inspirer de l'orgueil, la vertu qui nous manque nous tienne dans l'humilité. Il règle toutes choses de manière que tous soient soulevés par la grâce qu'il leur accorde et qu'en même temps tous soient subordonnés les uns aux autres par la diversité de ses dons. Il veut que chacun remarque que celui qui lui est inférieur le dépasse par quelque autre don ; bien qu'il le précède en certains domaines, en d'autres il vient après lui.

Il règle toutes choses pour que, chaque don appartenant à tous, en vertu des liens de la charité tous les dons appartiennent à chacun ; pour que chacun possède en l'autre ce qu'il n'a pas reçu lui-même et partage humblement avec l'autre ce qu'il a lui-même reçu. C'est ce qui fait dire à Pierre[2] : « *Mettez-vous au service les uns des autres, chacun selon la grâce qu'il a reçue, comme de bons intendants de la grâce multiforme de Dieu[b]* ». Vous êtes de bons intendants de cette grâce multiforme quand vous croyez que le don reçu appartient aussi à celui qui ne l'a pas ; quand vous estimez que le don qui vous est fait, vous l'avez reçu à l'intention de celui à qui vous le communiquez. De là ce mot de Paul : « *Par la charité, mettez-vous au service les uns des autres[c]* ». La charité nous libère du joug du péché quand nous nous mettons par amour au service les uns des autres, quand nous considérons comme nôtre le bien qu'il y a en autrui et que nous offrons aux autres nos propres biens comme s'ils leur appartenaient. C'est ce qui fait encore dire à Paul : « *Le corps ne se compose pas d'un seul membre, mais de beaucoup. Si le pied disait : 'Parce que je ne suis pas la main, je*

pore', non ideo non est de corpore ? Et si dixerit auris : 'Quoniam
25 *non sum oculus, non sum de corpore', non ideo non est de corpore ?*
Si totum corpus oculus, ubi auditus ? Si totum auditus, ubi
odoratus^d *? »* Et paulo post : « *Quod si essent omnia unum mem-*
brum, ubi corpus ? Nunc autem multa quidem membra, unum uero
corpus^e ».

23. Quid enim sancta Ecclesia, nisi superni sui capitis corpus est ? In qua alius alta uidendo oculus, alius recta
operando manus, alius ad iniuncta discurrendo pes, alius
praeceptorum uocem intellegendo auris, alius malorum feto-
5 rem bonorumque fragrantiam discernendo naris est. Qui,
corporalium more membrorum, dum uicissim sibi accepta
officia impendunt, unum de semetipsis omnibus corpus
reddunt ; et cum diuersa in caritate peragunt, diuersum esse
prohibent ubi continentur. Si autem unum quid cuncti age-
10 rent, corpus utique quod ex multis continetur non essent,
quia uidelicet multipliciter compactum non exsisteret, si hoc
concors membrorum diuersitas non teneret. Quia ergo sanctis membris Ecclesiae uirtutum dona Dominus diuidit, terrae
mensuras ponit. Vnde iterum Paulus dicit : « *Vnicuique sicut*
15 *diuisit Deus mensuram fidei*^f ». Et rursum : « *Ex quo totum corpus*
compactum et conexum per omnem iuncturam subministrationis,
secundum operationem in mensuram uniuscuiusque membri, aug-
mentum corporis facit in aedificationem sui in caritate^g ».

24. Sed cum miro consilio auctor ac dispositor noster huic
illa largitur quae alii denegat, alii haec denegat quae isti largi-

22. d. 1 Co 12, 14-17   e. 1 Co 12, 19-20
23. f. Rm 12, 3   g. Ep 4, 16

---

1. *Concors membrorum diuersitas*. Cette description de l'Église rappelle celle
des élus au ciel, dans la maison du Père où il y a beaucoup de demeures
(Jn 14, 2) : *erit aliquo modo ipsa retributionum diuersitas concors* (*Mor.* 4, 70). - Les
deux citations qui suivent sont uniques.

ne fais pas partie du corps', ne ferait-il plus partie du corps pour autant ? Et si l'oreille disait : 'Parce que je ne suis pas l'œil, je ne fais pas partie du corps', ne ferait-il plus partie du corps pour autant ? Si le corps entier était œil, où serait l'ouïe ? S'il était entièrement ouïe, où serait l'odorat[d] *?* ». Et Paul ajoute un peu plus loin : « *Si tous n'étaient qu'un seul membre, où serait le corps ? Mais en réalité il y a plusieurs membres et un seul corps*[e] ».

Diversité des membres du Christ

23. Qu'est-ce donc que la sainte Église sinon le corps du Christ, son chef qui est aux cieux ? En elle, l'œil, c'est celui qui contemple les biens d'en haut ; la main, celui qui accomplit des bonnes œuvres ; le pied, celui qui obéit avec promptitude ; l'oreille, celui qui perçoit la voix des commandements ; le nez, celui qui sait distinguer la mauvaise odeur des méchants de la bonne odeur des bons. A la façon des membres du corps, chacun, en accomplissant son office propre, contribue, avec tous, à l'unité du corps ; tous exercent des activités diverses, mais la charité empêche qu'il y ait division de l'ensemble. Si tous faisaient la même chose, ils ne pourraient former un corps qui, lui, est composé de beaucoup de membres ; le corps ne serait pas une unité composée d'éléments multiples s'il n'était maintenu uni par l'harmonieuse diversité des membres[1]. Puisque le Seigneur a réparti ses dons entre les saints membres de l'Église, il est juste de dire qu'il a fixé les dimensions de la terre. Aussi Paul dit-il encore : « *A chacun, Dieu a donné la mesure de sa foi*[f] ». Et derechef : « *C'est du Christ que le corps tout entier, coordonné et bien uni par tous les échanges de services proportionnés aux possibilités de chaque membre, réalise sa propre croissance, se construisant lui-même dans la charité*[g] ».

Que chacun reste à sa place

24. Avec une admirable sagesse, celui qui nous a créés et qui dispose de nous, accorde à l'un ce qu'il refuse à l'autre, refuse

tur, mensuras sibi positas egredi nititur quisquis posse plus
quam acceperit conatur ; ut fortasse is cui tantummodo
5 datum est praeceptorum occulta disserere temptet etiam
miraculis coruscare, aut is quem supernae uirtutis donum ad
sola miracula roborat etiam diuinae legis pandere occulta
contendat. In praecipiti enim pedem porrigit qui mensurarum suarum limitem non attendit. Et plerumque amittit et
10 quod poterat qui audacter ea ad quae pertingere non ualet
arripere festinat. Nam et membrorum nostrorum tunc bene
ministeriis utimur cum sua eis officia distincte seruamus.
Lucem quippe oculis cernimus, uocem uero auribus audi-
mus. Si quis autem mutato ordine uoci oculos, luci aures
15 accommodet, huic utraque incassum patent. Si quis odores
uelit ore discernere, sapores nare gustare, utriusque sensus
sibi ministerium, quia peruertit, interimit. Dum enim propriis haec usibus non aptantur, et sua officia deserunt, et ad
extranea non assurgunt.

25. Bene itaque Dauid intra acceptas ex diuina largitate
mensuras pedem cordis presserat, cum dicebat : « *Neque
ambulaui in magnis, neque in mirabilibus super me*[h] ». Super se
quippe in mirabilibus ambularet, si apparere magnus ultra
5 quam poterat quaereret. Super se namque in mirabilibus
attollitur qui et in his ad quae non sufficit uideri idoneus
conatur. Bene intra has mensuras etiam in ipsa Paulus praedicationis suae se latitudine coartabat, cum diceret : « *Non
enim audeo aliquid loqui eorum quae per me non efficit Christus*[i] ».
10 Tunc autem recte accepta mensura seruatur, cum anteposita
oculis uirorum spiritalium uita respicitur.

25. h. Ps 130, 1   i. Rm 15, 18

---

1. *Pedem cordis.* On trouve déjà *gressum cordis* en *Mor.* 15, 68. Le mot de
David est cité plus complètement, avec un commentaire différent, dans
Mor. 26, 47.

à celui-là ce qu'il accorde à celui-ci, si bien que ce serait
essayer de sortir des mesures fixées que de vouloir plus
qu'on n'a reçu ; par exemple, si quelqu'un a reçu le don
d'expliquer les mystères des commandements et qu'il tente
aussi de briller par les miracles ; ou bien si celui qui n'a reçu
de la puissance d'en haut que le pouvoir de faire des miracles
prétend aussi pénétrer les secrets de la loi de Dieu. C'est
avoir un pied dans le précipice que de ne pas respecter ses
limites. Et il arrive souvent que l'on perde même ce dont on
était capable, pour s'être hâté avec trop de hardiesse vers un
but hors de sa portée. Nous utilisons raisonnablement les
services de nos membres quand nous demandons à chacun
d'exercer les fonctions qui lui sont propres. Ce sont nos yeux
qui voient la lumière et nos oreilles qui entendent les sons.
C'est perdre son temps que de chercher à changer cet ordre
de choses : d'ouvrir les yeux pour entendre les sons et de
tendre l'oreille pour voir la lumière. Si l'on voulait sentir les
odeurs avec la bouche et percevoir les saveurs avec le nez, on
se priverait de leur service en en faisant un usage contre
nature. Puisqu'ils ne sont pas aptes à de tels services, ils ne
rempliraient pas leur fonction propre et ne pourraient
accomplir ce qui leur est étranger.

25. Le prophète David maintenait donc avec raison les pas
de son cœur[1] dans les limites que lui avait tracées la grâce de
Dieu, quand il disait : « *Je n'ai pas pris un chemin de grandeurs,
ni de prodiges qui me dépassent*[h] ». Il aurait pris un chemin de
prodiges qui le dépassent, s'il avait cherché à paraître plus
grand qu'il n'était. C'est s'élever vers des prodiges qui nous
dépassent que de vouloir se montrer capables de choses auxquelles nous sommes inaptes. Paul, lui aussi, trouvait bon de
se cantonner dans les limites que Dieu avait assignées à sa
vaste prédication elle-même, quand il disait : « *Je n'oserais
parler de ce que le Christ n'a pas fait par moi*[i] ». On garde comme
il faut la mesure qu'on a reçue, quand on place devant ses
yeux la vie des hommes spirituels.

38, 5   XI, **26**. Vnde et sequitur : « **Vel quis tetendit super eam lineam ?** » Super hanc enim terram linea tenditur, quando electae unicuique animae ad sumendam uiuendi regulam patrum praecedentium exempla monstrantur, ut ex illorum
5 uita consideret quid in suis actibus seruet, quatenus respecto iusti limitis tramite, nec infra minima neglegens deficiat ; nec ultra maxima superbiens tendat ; nec minus conetur explere quam sufficit ; nec plus arripiat quam accepit, ne aut ad mensuram quam debet non perueniat, aut eamdem mensuram
10 deserens, extra limitem cadat. Angusta quippe porta est quae ducit ad uitam[a] ; et ille hanc ingreditur qui in cunctis quae agit discretionis subtilitate propter hanc sollicite coartatur. Nam qui per uoluntates proprias secura mente se dilatat, angustae sibi portae aditum damnat. Vt ergo huius terrae
15 mensura seruetur, super eam diuinitus linea tenditur ; quia ut nostra opera, uel minora proficiant, uel maiora moderentur, per sacra eloquia subtilis ante nos sanctorum uita expanditur ; et quid nobis quantumque agendum sit ostensa illorum discretione definitur.

27. Ecce aliquis uel damna rerum, uel afflictionem corporis metuens, minas terrenae potentiae pertimescit ; et contra uim resistentium ueritatem defendere non praesumit. Hunc Petrus, quia in timore angustum respicit, ostensa exemplo-
5 rum suorum linea, ad uirtutis latitudinem tendit. Ipse quippe flagellatus a principibus populi[b], cum idcirco se relaxari conspiceret, ut a praedicatione cessaret, cum prohiberetur

26. a. cf. Mt 7, 14
27. b. cf. Ac 5, 40-42

1. Grégoire a établi précédemment (*Mor.* 28, 20) que la terre représente l'âme des élus, et la poussière l'âme des pécheurs.

2. Déjà cité plus haut (28, 16), le *logion* de la porte étroite est ici compris,

Les exemples des Pères

XI, **26.** Aussi le texte poursuit-il : « **Qui tendit sur elle le cordeau ?** » Ten- **38, 5** dre le cordeau sur cette terre, c'est offrir à toute âme élue[64] une règle de vie, en lui présentant les exemples des anciens Pères ; qu'elle les contemple et elle saura ce qu'elle doit faire, c'est-à-dire respecter le juste milieu : ni transgresser les limites du bas par négligence, ni viser à aller trop haut par orgueil ; ne pas faire moins que son possible, ni prétendre à plus qu'elle n'a reçu ; elle évitera ainsi de ne pas atteindre la mesure qui lui est fixée ou au contraire d'excéder celle qui lui est départie. Étroite est la porte qui conduit à la vie[a] et pour la franchir, il faut savoir se conduire attentivement en toute action avec une délicate discrétion. Celui qui avec insouciance se donne du large en suivant ses propres volontés, s'interdit l'entrée de la porte étroite[65]. Afin que cette terre garde sa mesure, Dieu tend donc sur elle le cordeau ; car pour développer nos actions trop limitées ou modérer celles qui seraient trop ambitieuses, nous avons les saintes Écritures qui nous mettent devant les yeux la vie détaillée des saints ; en nous montrant leur discrétion, elles nous précisent ce qu'il faut faire et dans quelle mesure.

Pierre : l'autorité et l'humilité

27. Supposons quelqu'un qui craint les menaces des grands de ce monde et redoute soit de perdre ses biens, soit de subir des représailles corporelles, et qui n'a pas le courage de défendre la vérité contre leur violence. Cet homme, Pierre l'aperçoit enfermé dans sa crainte, il lui montre ses exemples, il l'attire au large pour pratiquer la vertu. Lui-même, fouetté sur l'ordre des chefs du peuple[b], se voit relâché à condition qu'il ne prêchât plus ; on lui avait interdit de parler à

à la manière de Benoît (*RB* 5, 11 ; cf. 5, 7), comme excluant les « volontés propres ».

loqui in posterum, nequaquam saltim in praesens cessit.
Nam respondit protinus, dicens : « *Oboedire oportet Deo magis*
10 *quam hominibus^c* ». Et rursum : « *Non enim possumus quae uidi-*
mus et audiuimus non loqui^d ». At ille dudum debilis, et
praesentia damna formidans, dum exempla tantae fortitudinis contemplatur, in auctoritate uerbi iam Petri lineam
sequitur ; iam nil aduersitatis metuit ; iam resistentes Deo
15 potestates saeculi etiam cum corporis laceratione contemnit.
Sed tamen quanto uires persequentium patiendo fortiter destruit, quanto inter aduersa nullis terroribus cedit, tanto
plerumque et in his etiam quae inter fideles positus senserit
se ceteris praeponit, sua magis consilia eligit, et sibi potius
20 quam aliis credit. Hic nimirum dum, iniustis obiectionibus
non cedens, in uirtute se exserit, etiam recta aliorum consilia
non recipiens, pedem extra limitem tendit. Hunc Petrus intra
mensurae lineam reuocat, qui postquam libertate uocis auc-
toritatem principum pressit^e, per humilitatem cordis de non
25 circumcidendis gentibus Pauli consilium audiuit^f. Sic enim
semetipsum contra aduersarios ex auctoritate curabat eri-
gere, ut tamen sibimetipsi non crederet in his quae non recte
sentiret, ut et libertate fortitudinis tumentes potestates
excederet ; et humilitate mansuetudinis oboedientiam in
30 recto consilio etiam minoribus fratribus exhiberet ; et modo
per semetipsum aliis, modo et sibimetipsi cum aliis obuiaret.
In factis igitur Petri quaedam ante oculos nostros auctoritatis
et humilitatis linea tenditur, ne mens nostra aut per timorem
ad mensuram non perueniat, aut per tumorem limitem
35 excedat.

---

27. c. Ac 5, 29   d. Ac 4, 20   e. cf. Ac 5, 29   f. cf. Ac 15, 7-11 ;
cf. Ga 2, 1-10

---

1. En réalité, cette réponse de Pierre et des apôtres a précédé leur flagella-
tion, à la suite de laquelle Luc ne rapporte pas ce qu'ils dirent, mais seulement la joie qu'ils éprouvèrent (Ac 5, 41). Même confusion dans *Mor.* 31,
67 ; *Hom. Ez.* I, 7, 13.

l'avenir ; il refusa d'obtempérer même un instant, et répondit aussitôt[1] : « *Il faut obéir à Dieu plutôt qu'aux hommes[c]* ». Et encore[2] : « *Nous ne pouvons pas taire ce que nous avons vu et entendu[d]* ». L'homme faible, qui jusque-là craignait les représailles, s'il vient à contempler de tels exemples de courage, suivra désormais par son franc parler la ligne tracée par Pierre ; il ne craindra plus les réactions hostiles, et même au risque de châtiments corporels, il bravera les puissances de ce monde qui résistent à Dieu. Cependant, du fait que, par ses souffrances, il a triomphé de ses persécuteurs et qu'au milieu des difficultés, il n'a cédé à aucune menace, il a souvent tendance à suivre son propre sentiment plutôt que celui des autres fidèles et à avoir davantage confiance en lui-même que dans les autres ; en ne cédant pas devant les injustices, il s'est élevé dans la vertu, mais en rejetant les judicieux conseils des autres, il transgresse ses limites. Pierre les lui rappelle[3], lui qui, après avoir rabaissé l'autorité des chefs par son franc parler[e], s'est, par l'humilité du cœur, soumis à Paul qui lui conseillait de ne pas faire circoncire les païens[f]. Il savait en effet s'imposer et tenir tête à ses adversaires et cependant ne pas se fier à lui-même quand il se trompait ; il était capable de contrer l'orgueil des puissants par la vigueur et la liberté de son langage et cependant se ranger avec humilité et douceur au sage conseil de frères plus petits que lui ; il savait tantôt s'opposer lui-même aux autres, tantôt se ranger à leur avis en s'opposant à lui-même. Dans les actes de Pierre, nous avons comme un cordeau tendu sous nos yeux, un modèle d'autorité et d'humilité, qui garde notre esprit tant de la crainte qui le retiendrait de donner sa mesure, que de l'enflure qui lui ferait excéder ses limites[4].

2. Grégoire régresse de nouveau : cette réponse a précédé celle qu'il vient de citer. Même inversion dans *Mor.* 31, 67 ; *Hom. Eu.* 30, 8.

3. Ces deux attitudes de Pierre sont déjà contrastées dans *Mor.* 10, 19.

4. Jeu de mots, en latin, entre « crainte » et « enflure » (*timorem... tumorem*).

28. Dictum est quomodo linea tenditur, ne per alterius
actionis fortitudinem ad alterius causae uitium transeatur ;
dicatur nunc quemadmodum in una eademque uirtute discretionis lineam deserimus, si hanc et aliquando agere et
5 aliquando postponere nesciamus. Non enim res eadem semper est uirtus, quia per momenta temporum saepe merita
mutantur actionum. Vnde fit ut cum quid bene agimus, plerumque melius ab eius actione cessemus, et laudabilius ad
tempus deserat quod in suo tempore laudabiliter mens tene-
10 bat. Nam si pro nostris bonis minimis, quibus actis
proficimus, nec tamen intermissis interimus, maiora laborum mala proximis imminent, necessario nos uirtutum
augmenta seponimus ne infirmioribus proximis fidei detri-
menta generemus, ne tanto iam quod agimus uirtus non sit,
15 quanto per occasionem sui in alienis cordibus fundamenta
uirtutum destruit.

29. Quam discretionis lineam bene ante intuentium oculos
Paulus tetendit, qui et gentiles ad libertatem fidei uenientes
circumcidi prohibuit[g] ; et tamen Lystris atque Iconium transiens, ipse Timotheum, qui gentili patre editus fuerat,
5 circumcidit[h]. Videns enim quod nisi se mandata litterae
seruare ostenderet, Iudaeorum rabiem etiam in his qui sibi
tunc comites aderant excitaret, assertionis suae uim postpo-
suit, et sine damno fidei se suosque a persecutionis
immanitate custodiuit. Fecit quod fieri fidei amore prohibuit,
10 sed ad fidei retorsit ministerium quod quasi non fideliter
fecit. Plerumque enim uirtus cum indiscrete tenetur
amittitur ; cumque discrete intermittitur, plus tenetur. Nec
mirum si in incorporeis intellegimus quod agi et in corporeis

29. g. cf. Ac 15, 1   h. cf. Ac 16, 3

---

1. Nouvelle paronomasie (*intermissis interimus*).
2. Le premier de ces actes de Paul est rappelé, de façon plus étendue,
dans *Hom. Ez.* II, 6, 9. Le second n'est mentionné qu'ici.

28. On vient de dire comment il faut tendre le cordeau, pour empêcher que la force déployée d'un côté ne se transforme en vice de l'autre. Disons maintenant comment, pour une seule et même vertu, on peut s'écarter du cordeau de la discrétion, si l'on ne sait pas en temps voulu la pratiquer ou ne pas la mettre en œuvre. Le même acte n'est pas toujours vertu, parce que son mérite varie souvent suivant les circonstances. Il est souvent meilleur d'interrompre une activité bonne en soi, et plus méritoire d'abandonner pour un temps ce qu'on faisait précédemment d'une manière tout à fait digne d'éloges. Il est en effet des actes de peu d'importance dont la pratique sans doute nous est utile, mais dont l'omission n'est pas mortelle[1]. Si, du fait de ces actes, une menace pèse sur notre prochain, nous devons renoncer à ces accroissements de vertus pour éviter de blesser la foi des faibles ; parce qu'alors nos actes ne seraient plus du tout vertueux dans la mesure où, dans le cœur des autres, ils saperaient le fondement des vertus.

Paul : modèle de discernement   **29.** Paul a fort bien tendu ce cordeau de la discrétion aux yeux de ses contemporains[2] : d'une part, il interdit de circoncire les païens qui accèdent à la liberté de la foi[g], et d'autre part, lui-même, en passant à Lystres et Iconium, circoncit Timothée dont le père était païen[h] : voyant que s'il ne manifestait pas son obéissance aux commandements de la lettre, il exciterait la rage des Juifs contre ses compagnons eux-mêmes, il mit en veilleuse ses convictions et, sans dommage pour sa foi, évita pour lui et ses compagnons une cruelle persécution. Il fit lui-même ce qu'il interdisait d'habitude par amour de la foi, mais il mit au service de la foi ce qu'il paraissait faire contre elle. Il arrive souvent qu'une vertu, gardée sans discrétion, se perde et qu'on la garde mieux en lui accordant, discrètement, quelque relâche. Qu'on ne s'étonne pas si les réalités matérielles nous aident

rebus uidemus. Ex studio namque arcus distenditur, ut in
15 suo tempore cum utilitate tendatur. Qui si otium relaxationis
non accipit, feriendi uirtutem ipso usu tensionis perdit. Sic
aliquando in exercitatione uirtus, cum per discretionem prae-
termittitur, reseruatur, ut tanto post uitia ualenter feriat,
quanto a percussione interim prudenter cessat. Subtilis igitur
20 discretionis super hanc terram linea tenditur, quando ostens-
sis unicuique animae exemplis praecedentium patrum, et
utiliter ad operationem uirtus accenditur, et nonnumquam
utilius temperatur.

30. Sed cum parumper ab opere zeli fortitudo seponitur,
alta consideratione opus est, ne fortasse nequaquam commu-
nis boni consilio, sed timore proprio uel cuiuslibet
ambitionis studio a uirtutis exercitatione cessetur. Quod
5 nimirum cum agitur, iam non dispensationi, sed culpae
seruitur. Vnde curandum sollicite est ut cum quis susceptum
negotium cum uirtutis cessatione dispensat, semetipsum
prius in radice cordis inspiciat, ne sibi per hoc aliquid auarus
appetat, sibi per hoc soli timidus parcat, et eo fiat prauum
10 quod in opere sequitur, quo non ex recta cogitationis intentione generatur. Vnde bene in euangelio Veritas dicit :
« *Lucerna corporis tui est oculus tuus. Si oculus tuus simplex fuerit,*
totum corpus tuum lucidum erit. Si autem oculus tuus nequam fue-
rit, totum corpus tuum tenebrosum erit[i] ». Quid enim per oculum

---

30. i. Mt 6, 22-23 ; Lc 11, 34

1. Observation analogue dans *Mor., Praef.* 9 : « Les guerres extérieures
nous apprennent ce qu'on doit penser des luttes intérieures. » Ensuite Grégoire peut se souvenir de CASSIEN, *Conl.* 24, 21, 2 (Jean et le chasseur). Voir
aussi *V. Patr.* 5, 10, 2 b = Apopht. *Antoine* 13 (Antoine et le chasseur), où
cependant l'arc n'est pas tendu continuellement mais trop, et ne perd pas sa
vigueur mais casse.

à saisir ce qui se passe dans le domaine spirituel[1] : on débande l'arc à dessein pour pouvoir le bander utilement quand on veut s'en servir. Si on ne lui donne pas le loisir de la détente, il perd de sa force de frappe pour avoir été tendu trop longtemps. Ainsi en est-il parfois de l'exercice des vertus. Quand, avec la discrétion requise, on leur donne quelque relâche, elles pourront frapper les vices avec d'autant plus de vigueur qu'elles auront cessé pour un temps de leur porter des coups. C'est donc un cordeau prudemment réglé que Dieu tend sur cette terre, quand, à la vue des exemples des anciens Pères, chaque âme apprend, tantôt à déployer avec profit l'ardeur de la vertu, tantôt, et de manière plus profitable encore, à la modérer.

Garder l'intention droite   **30.** Mais quand on renonce momentanément à l'effort courageux qu'exige une œuvre bonne, il faut se demander avec beaucoup d'attention si l'on ne cesse pas de pratiquer la vertu, non en vue du bien commun, mais par crainte personnelle ou quelque désir d'ambition. Ce ne serait plus alors s'adapter aux circonstances, mais se mettre au service du péché. Aussi, quand, s'adonnant à la tâche qu'on a reçue, on pense devoir se dispenser de la pratique de quelque vertu, il faut prendre grand soin d'examiner auparavant la racine de son cœur, pour éviter de chercher par là à camoufler son avarice ou sa timidité ; les actes qui suivraient seraient d'autant plus mauvais qu'ils ne procéderaient pas d'une intention droite[2]. C'est pourquoi, la Vérité dit très bien dans l'Évangile : « *La lampe de ton corps, c'est ton œil. Si ton œil est simple, ton corps tout entier sera dans la lumière. Si ton œil est mauvais, ton corps tout entier sera dans les ténèbres*[i] ». L'œil représente l'inten-

---

2. Grégoire prépare maintenant le commentaire de Jb 38, 6, où les « bases » signifient les « intentions de l'âme » (*Mor.* 28, 31). L'image de l'œil et du corps (Mt 6, 22-23) est entendue comme ici dans *Mor.* 10, 41 et 13, 29 ; *Hom. Ez.* I, 7, 2 (noter *in radice intentionis*) ; *Dial.* I, 10, 7.

15 exprimitur, nisi opus suum praeueniens cordis intentio ?
    Quae priusquam se in actione exerceat, hoc iam quod appetit
    contemplatur. Et quid appellatione corporis designatur, nisi
    unaquaeque actio, quae intentionem suam quasi intuentem
    oculum sequitur ? *Lucerna* itaque *corporis est oculus,* quia per-
20 bonae intentionis radium merita illustrantur actionis. « *Et si*
    oculus tuus simplex fuerit, totum corpus tuum lucidum erit[j] » ;
    quia si recte intendimus per simplicitatem cogitationis,
    bonum opus efficitur, etiam si minus bonum esse uideatur.
    « *Et si oculus tuus nequam fuerit, totum corpus tuum tenebrosum*
25 *erit*[k] » ; quia cum peruersa intentione quid uel rectum agitur,
    etsi splendore coram hominibus cernitur, apud examen
    tamen interni iudicis obscuratur. Vbi et recte subiungitur :
    « *Si lumen quod in te est tenebrae sunt, ipsae tenebrae quantae*
    erunt[l] ? » quia si hoc quod bene nos agere credimus, ex mala
30 intentione fuscamus, quanta ipsa mala sunt quae mala esse
    etiam cum agimus non ignoramus ? Et si ibi nil cernimus, ubi
    quasi discretionis lumen tenemus, qua caecitate in illa offen-
    dimus quae sine discretione perpetramus ? Vigilanti igitur
    cura per cuncta opera intentio nobis nostra pensanda est, ut
35 nil temporale in his quae agit appetat, totam se in soliditate
    aeternitatis figat, ne si extra fundamentum actionis nostrae
    fabrica ponitur, terra dehiscente soluatur.

38, 6   XII, **31.** Vnde hic quoque apte subiungitur : « **Super quo**
    bases illius solidatae sunt ? » Bases quippe uniuscuiusque
    sunt animae intentiones suae. Nam sicut fabrica columnis,
    columnae autem basibus innituntur, ita uita nostra in uirtuti-
5   bus, uirtutes uero in intima intentione subsistunt. Et quia
    scriptum est : « *Fundamentum aliud nemo potest ponere, praeter*
    id quod positum est, quod est Christus Iesus[a] », tunc bases in fun-
    damento sunt, cum intentiones nostrae in Christo roborantur.

30. j. Mt 6, 22 ; Lc 11, 34   k. Mt 6, 23 ; Lc 11, 34   l. Mt 6, 23 ; Lc 11, 35
31. a. 1 Co 3, 11

tion du cœur qui précède les actes et qui contemple ce qu'elle désire avant de passer à l'exécution. Le corps désigne l'action, celle-ci suit l'intention qui fait fonction d'œil. *La lampe du corps, c'est* donc *l'œil*, parce que les mérites d'une action sont illuminés par les rayons de l'intention droite. « *Et si ton œil est simple, ton corps tout entier sera dans la lumière*[j] », parce que si notre intention est droite du fait de la simplicité de notre cœur, notre action sera bonne même si elle n'en a pas tout à fait l'apparence. « *Si ton œil est mauvais, ton corps entier sera dans les ténèbres*[k] », parce que, quand l'intention est mauvaise, même ce qu'on fait de bien et qui brille au regard des hommes, est ténèbres à l'examen de celui qui juge les cœurs. Aussi le texte continue-t-il très justement : « *Si la lumière qui est en toi est ténèbres, que seront alors les ténèbres*[l] ? » Si nous ternissons déjà par une intention mauvaise ce que nous croyons faire de bien, quel mal commettrons-nous quand nous le ferons sciemment ! Et si déjà nous n'y voyons rien quand nous portons en main, pour ainsi dire, le flambeau de la discrétion, avec quel aveuglement n'achopperons-nous pas quand nous agirons sans son secours ! En toutes nos actions, il faut donc examiner notre intention avec un soin vigilant, pour ne rien désirer de temporel en ce que nous faisons, pour nous fixer tout entiers sur l'immuable éternité ; hors de ce fondement, en effet, l'édifice de nos actes risque de s'écrouler, parce que bâti sur un terrain mouvant.

Ne désirer que le Christ

XII, **31.** C'est pourquoi, le texte poursuit avec à propos : « **Sur quoi s'appuient ses bases ?** » Les bases de tout homme sont les intentions de son âme. De même qu'un édifice repose sur des colonnes et les colonnes sur leurs bases, de même notre vie est soutenue par les vertus et les vertus par l'intention profonde. Et comme il est écrit : « *De fondement, personne ne peut en poser d'autre que celui qui est en place : Jésus-Christ*[a] », nos bases sont bien sur leur fondement, quand nos intentions sont

38, 6

Incassum uero alta super se bases aedificia erigunt, si non
10 ipsae in fundamenti soliditate consistunt, quia nimirum
quamlibet summa opera inaniter faciunt, si intentiones cor-
dium extra aeternitatis certitudinem deflectuntur ; et uerae
uitae praemia non requirunt tantoque grauiora ruinae super
se damna aedificant, quanto altiora aedificia extra fundamen-
15 tum portant, quia cum aeternae uitae praemiis non intendunt,
quo plus se quasi in uirtutibus erigunt, eo in gloriae inanis
foueam profundius cadunt. Non ergo pensandum est bases
quid sustinent sed ubi sustinentur, quia profecto humana
corda diuinitus perscrutantur, non solum quae faciunt, sed
20 quid in operibus quaerunt. Vnde cum districtum iudicem
Paulus describeret, atque actionum bona narraret, dicens :
« *Qui reddet unicuique secundum opera eius, his quidem qui secundum patientiam boni operis, gloriam et incorruptionem*[b] » ; quia,
nominata boni operis patientia quasi totam electae actionis
25 fabricam dixerat, subtiliter ilico ubi bases eiusdem fabricae
consisterent exquisiuit dicens : « *Gloriam et honorem et incorruptionem, quaerentibus uitam aeternam*[c] ». Ac si aperte diceret :
et si quidam patientiam boni operis ostendunt, gloriam et
incorruptionem non recipiunt, si intentiones cordis, id est
30 bases fabricae, in fundamento non figunt, quia uidelicet Deus
uel honestae uitae aedificium non inhabitat quod extra se
positum non ipse sustentat.

32. Quia igitur intentiones electae uniuscuiusque animae
spei aeternitatis innituntur, recte uoce dominica de hac terra
dicitur : « *Super quo bases illius solidatae sunt ?* » Ac si aperte
diceret : nisi super me. Cui dum iusta quaeque anima inten-
5 dit, omne quod temporaliter facit, in me procul dubio non
temporaliter construit.

31. b. Rm 2, 6   c. Rm 2, 7

---

1. *Perscrutantur* : verbe déponent utilisé comme passif (sujet : *corda*). Le
mot de Paul qui suit (Rm 2, 6-7) n'est cité que partiellement (Rm 2, 6) dans
Mor. 16, 30. Ici *et honorem* est d'abord omis puis inséré.

ancrées dans le Christ. Il est vain d'élever l'édifice vers les
hauteurs sur des bases qui ne s'appuient pas elles-mêmes sur
un fondement solide ; les plus grandes œuvres sont vaines, si
l'intention du cœur s'écarte du terrain sûr de l'éternité. Si l'on
n'aspire pas aux récompenses de la vie véritable, on s'expose
à des chutes d'autant plus rudes que l'on construit, hors du
fondement, des édifices plus élevés. Si l'on ne vise pas les
récompenses de la vie éternelle, plus on semble s'élever en
vertu, plus profondément on s'enfonce dans l'abîme de la
vaine gloire. Ce qu'il faut donc considérer, ce n'est pas ce que
les bases soutiennent, mais ce qui les supporte elles-mêmes,
car ce que Dieu examine[1] dans les cœurs des hommes, ce
n'est pas seulement ce qu'ils font, mais ce qu'ils recherchent
en agissant. Aussi Paul dit-il en voulant décrire la sévérité de
notre juge et les récompenses des bonnes actions : « *Il rendra
à chacun selon ses œuvres ; à ceux qui ont eu de la persévérance
dans le bien : la gloire et l'incorruptibilité*[b] ». En nommant la
persévérance dans le bien, il décrit tout l'édifice d'une vie
sainte ; mais il indique aussitôt de façon expresse le lieu où
sont établies les bases de cet édifice : « *Gloire, honneur et
incorruptibilité à ceux qui recherchent la vie éternelle*[c] ». Autrement dit : ceux qui manifestent de la persévérance dans le
bien ne reçoivent pas la gloire et l'incorruptibilité, si les
intentions de leur cœur, c'est-à-dire les bases de l'édifice, ne
reposent pas sur le fondement, parce que Dieu n'habite pas
l'édifice d'une vie même honnête qui se situe hors de lui et
que lui-même ne soutient pas.

32. Parce que les intentions de l'âme élue ont pour appui
l'espérance de l'éternité, la voix du Seigneur parlant de cette
terre d'élection dit à juste titre : « *Sur quoi s'appuient ses
bases ?* », ce qui revient à dire : sur qui, sinon sur moi ?
Quand l'âme d'un juste a le regard fixé sur moi, tout ce
qu'elle fait dans le temps, elle le construit sans aucun doute
en moi au-delà du temps.

Quia uero tunc robustius in fundamento solidamur, cum uerba Dei et in exterioribus praeceptis sequimur, et in intimis sensibus subtilius intellegendo pensamus, recte
10 subiungitur :

38, 6 XIII, **33**. « **Vel quis dimisit lapidem angularem eius ?** » Lapis quippe angularis est ad sacra eloquia intellectus duplex. Qui tunc diuinitus dimittitur, quando nequaquam districto iudicio ignorantiae suae tenebris illigatur ; sed qua-
5 dam libertate perfruitur, dum in praeceptis Dei sufficit uel exsequendo exteriora agere, uel contemplando interna sentire. Ad quod numquam noster intellectus assurgeret, si ad suscipiendam naturam nostram ipse noster conditor non ueniret. Qui aliter angularis lapis dicitur, quia duos in se
10 populos iunxit ; atque aliter, quia coniunctae utriusque uitae, actiuae uidelicet et contemplatiuae, in se exempla monstrauit. Ab actiua enim uita longe contemplatiua distat, sed incarnatus Redemptor noster ueniens, dum utramque exhibuit, in se utramque sociauit. Nam cum in urbe miracula
15 faceret, in monte uero orando continue pernoctareta[a]. Exemplum suis fidelibus praebuit, ut nec contemplationis studio proximorum curam neglegant, nec rursum cura proximorum immoderatius obligati contemplationis studia derelinquant, sed sic in utrisque mentem partiendo coniungant, quatenus
20 nec amorem Dei praepediat amor proximi, nec amorem pro-

---

33. a. cf. Lc 6, 12

1. Ce « jugement sévère » (*districto iudicio*) par lequel Dieu abandonne l'âme à ses ténèbres est à rapprocher du « jugement caché » (*occulto iudicio*) qui lui fait laisser certaines régions sans la lumière de l'Évangile ou certains individus sans la grâce d'adhérer à lui : voir *Mor.* 28, 15-16 (p. 106, n. 1 ; p. 108, n. 1) et 39.

2. Cf. *Mor.* 28, 19, où Grégoire ajoute à l'union des deux peuples celle des anges et des hommes. Cette dernière va être évoquée plus loin (28, 34).

Et parce que nous sommes alors établis plus solidement sur ce fondement, quand nous accomplissons les préceptes extérieurs contenus dans la Parole de Dieu et qu'en même temps, dans les profondeurs du cœur, nous scrutons cette Parole avec toute notre intelligence, le texte ajoute fort à propos :

Le Christ contemple et agit   XIII, **33.** **« Qui laissa aller sa pierre**   38, 6
angulaire ? » La pierre angulaire est en effet la double intelligence de l'Écriture sainte, que Dieu laisse aller en nous quand son jugement sévère[1] ne retient pas notre intelligence captive des ténèbres de l'ignorance, mais qu'elle jouit d'assez de liberté pour suivre à l'extérieur les préceptes divins, tout en pénétrant par la contemplation l'intime de ses mystères. Notre intellect n'y serait jamais parvenu, si notre Créateur lui-même n'était venu assumer notre nature. Il est la pierre angulaire, d'une part, parce qu'il a uni en lui les deux peuples[2] et d'autre part, parce qu'il a montré en sa personne l'exemple de l'union des deux vies, active et contemplative. En effet, la vie contemplative est fort éloignée de la vie active, mais notre Rédempteur, venant à nous dans la chair, a montré par sa conduite, comment l'une et l'autre pouvaient s'allier. Il faisait ses miracles dans les villes et passait ses nuits sur la montagne dans une prière incessante[a], fournissant à ses fidèles un exemple[3], afin que leur amour de la contemplation ne leur fasse pas négliger le soin de leur prochain, et que d'autre part, un souci excessif de leur prochain ne les accapare pas au point de leur faire abandonner l'exercice de la contemplation. Qu'ils sachent plutôt y consacrer leur esprit tour à tour, faisant droit à l'un et à l'autre, car il ne faut pas que l'amour du prochain fasse obstacle à l'amour de Dieu, ni que l'amour de Dieu, parce qu'il

3. Même enseignement du Christ par l'exemple dans *Mor.* 6, 56, où il est proposé non aux « fidèles », mais aux « prédicateurs parfaits ».

ximi, quia transcendit, abiciat amor Dei. Quia igitur humano
cordi quid ageret ignoranti Dei atque hominis Mediator
apparuit[b], qui et agendo transitoria disponeret, et contemplando ostenderet unde cuncta penderent, recte dicitur :
25 « *Vel quis dimisit lapidem angularem eius ?* » Ac si aperte Dominus diceret : nisi ego, qui unicum quem sine tempore genui
seruandis hominibus cum tempore ostendi, in cuius uita discerent etiam diuersa uiuendi studia non discrepare. Et
notandum quod eum se non emisisse, sed dimisisse asserit,
30 quia profecto humanam naturam Filius suscipiens ad ima de
sublimibus uenit.

   XIV, **34**. Cuius incarnationis mysterium quia et electi
angeli mirati sunt, qui eodem mysterio redempti non sunt,
38, 7 recte subiungitur : **« Cum me laudarent simul astra
matutina »**. Quia enim prima in tempore condita natura
5 rationabilium spirituum creditur, non immerito matutina
astra angeli uocantur. Quod si ita est, dum terra esset inuisibilis et incomposita, dum tenebrae essent super abyssum[a],
uenturum diem subsequentis saeculi per lucem sapientiae
exsistendo praeuenerunt. Nec neglegenter audiendum est
10 quod additur « *simul* » ; quia nimirum matutina astra etiam
cum uespertinis Redemptoris potentiam laudant, dum electi
angeli etiam cum redemptis in mundi fine hominibus largita-
tem gratiae supernae glorificant. Ipsi quippe ut nos ad
laudem conditoris accenderent, hoc quod superius diximus,
15 orta per carnem luce, clamauerunt : « *Gloria in excelsis Deo et*

33. b. cf. 1 Tm 2, 5
34. a. cf. Gn 1, 2

1. Fin du commentaire moral de Jb 38, 4-6, commencé en *Mor.* 28, 20. Ce
qui suit (Jb 38, 7, etc.) n'a pas encore été commenté au sens typique.

2. *Electi angeli* : cf. 1 Tm 5, 21. Même expression en *Mor.* 2, 3.4.6, etc.

3. *Inuisibilis et incomposita* : traduction de Gn 1, 2 d'après les Septante
(Vulg. : *inanis et uacua*), utilisée aussi par AUGUSTIN, *Conf.* 12, 31.

est plus grand, fasse abandonner l'amour du prochain. Au
cœur humain qui ignorait la conduite à tenir est donc apparu
le Médiateur entre Dieu et les hommes[b] ; il a montré par ses
actes la manière d'agir dans les affaires passagères et, par sa
contemplation, de quoi tout dépendait. Aussi le texte dit-il
fort bien : « *Qui laissa aller sa pierre angulaire ?* » C'est comme
si le Seigneur disait : qui ? si ce n'est moi qui, ayant engendré mon Fils unique en dehors du temps, l'ai manifesté dans
le temps pour sauver les hommes : sa vie leur apprendrait
que même les différents genres de vie ne se contredisent pas.
De plus, il est à noter qu'il n'affirme pas l'avoir envoyé, mais
laissé aller, parce que de fait le Fils, en prenant la nature
humaine, est venu du haut du ciel jusqu'aux profondeurs de
la terre[1].

**Les anges louent
le Seigneur**
XIV, **34.** Parce que les bons anges[2]
ont vénéré avec admiration le mystère
de l'Incarnation, bien qu'ils n'aient pas
été rachetés par lui, le texte poursuit très justement :
« **Quand les astres du matin me louaient tous ensemble** ».   38, 7
Parce que, selon notre foi, les esprits raisonnables ont été
créés les premiers dans le temps, les anges sont appelés à
juste titre astres du matin. En conséquence, tandis que la
terre était encore invisible et informe[3] et que les ténèbres
couvraient l'abîme[a], leur existence prélude, par la lumière de
leur sagesse, au jour du monde qui allait naître. Il ne faut pas
négliger l'expression « *tous ensemble* » : elle signifie que les
astres du matin louent la puissance du Rédempteur avec
ceux du soir, autrement dit qu'à la fin du monde les anges
élus glorifieront avec les hommes rachetés la magnificence
de la grâce d'en haut. Pour nous inciter à louer le Créateur
quand la lumière naquit dans la chair en ce monde, eux-
mêmes, comme on l'a vu précédemment[4], ont proclamé :
« *Gloire à Dieu au plus haut des cieux et sur la terre paix aux hom-*

4. Renvoi à *Mor.* 27, 29 ; 28, 19 (voir p. 114, n. 1).

in terra pax hominibus bonae uoluntatis[b]». *Simul* ergo laudant,
quia redemptioni nostrae uoces suae exsultationis accommo-
dant. *Simul* laudant, quia dum nos conspiciunt recipi, suum
gaudent numerum repleri. Qui et fortasse ideo matutina
20 astra memorantur, quia saepe ad exhortandos homines missi
sunt ; et dum uenturum mane nuntiant, ab humanis cordibus
praesentis uitae tenebras fugant.

Sed ecce angeli diuinam potentiam laudant, quia ipsa eos
tantae claritatis uisio dilatat. Nos autem qui redimimur, sed
25 tamen corruptione adhuc carnis grauamur, donum quod per-
cipimus, qua uirtute laudamus ? Quomodo enim ualebit
lingua dicere, quod non sufficit mens nostra sentire ?

38, 7   XV, **35**. Sequitur : « **Et iubilarent omnes filii Dei** ». Iubilatio quippe dicitur cum cordis laetitia oris efficacia non
expletur, sed quibusdam modis gaudium prodit, quod ipse
qui gaudet, nec tegere praeualet, nec explere. Laudent itaque
5 angeli, qui iam tantae claritatis latitudinem in sublimibus
uident. Iubilent uero homines, qui adhuc in inferioribus oris
sui angustias sustinent. Quae quia certo futura Dominus
nouerat, non tam facienda insinuat, quam facta narrat.

Sed quid agimus, quod cum boni de redemptionis suae
10 mysterio iubilant, malos inuidia inflammat ; dum electi profi-
ciunt, reprobi ad rabiem furoris excitantur, et bona nascentia,

---

34. b. Lc 2, 14

1. *Voces suae exsultationis* : cf. Ps 41, 5 ; 46, 2 ; 117, 15, etc.

2. L'humanité, centième brebis (Lc 15, 4-6) et dixième drachme (Lc 15, 8-9), fait nombre avec les anges, qui se réjouissent de sa réintégration (Lc 15, 7 et 10) : voir *Hom. Eu.* 34, 3 et 6.

3. Cf. *Dial.* II, 35, 7 : « dilatée » par la lumière divine, l'âme du voyant regarde comme « étroit » tout ce qui est au-dessous de Dieu. Opposition analogue ici (*Mor.* 28, 35, l. 5-7) entre la « latitude » de la lumière divine, contemplée par les anges, et l'« étroitesse » de la bouche des hommes.

4. Réminiscence de Sg 9, 15 (*corpus enim quod corrumpitur aggrauat animam*)

mes de bonne volonté[b] ». Ils louent donc *tous ensemble*, parce qu'ils adaptent leurs chants d'allégresse[1] à notre Rédemption. Ils louent *tous ensemble*, parce que nous voyant accueillis par Dieu, ils se réjouissent que leur nombre soit complété[2]. Ils sont peut-être aussi appelés astres du matin parce qu'ils ont souvent été envoyés aux hommes pour les encourager ; en leur annonçant la venue du matin de l'éternité, ils chassent de leur cœur les ténèbres de la vie présente.

Mais si les anges louent la puissance de Dieu, c'est que la vision de son immense lumière les dilate de joie[3]. Nous qui sommes rachetés, nous n'en sommes pas moins encore alourdis par notre chair corruptible[4] ; quelle force avons-nous pour louer le don que nous avons reçu ? Comment notre langue pourrait-elle exprimer ce que notre esprit n'est même pas capable de saisir ?

XV, **35.** Le texte poursuit : « **Et quand jubilaient tous les enfants de Dieu** ». On jubile quand la bouche est incapable d'exprimer l'allégresse du cœur[5], quand celui qui est dans la joie ne peut ni la contenir, ni l'exprimer tout à fait, mais l'extériorise quand même d'une certaine manière. Que les anges louent donc Dieu, eux qui voient dans le ciel son immense clarté. Quant aux hommes, qu'ils jubilent, parce qu'étant encore sur la terre, ils ont encore à supporter les limites de leur langage. Mais le Seigneur, en s'adressant à Job, connaissait l'avenir avec certitude, aussi parle-t-il de ces choses non au futur, mais au passé.

Mais pour nous, que faire ? Quand les bons jubilent à cause du mystère de leur Rédemption, l'envie échauffe les méchants ; quand les élus font des progrès, une rage folle s'empare des réprouvés : parce qu'ils ne veulent pas imiter

38, 7

comme en *Mor.* 28, 9 (l. 12-13). Ici et là, le « corps » dont parle l'Écriture est remplacé par la « chair ».

5. Cette définition de la *iubilatio* reproduit presque littéralement celle du *iubilus* dans *Mor.* 8, 88. Voir aussi *Mor.* 23, 10.

quia nolunt imitari, persequuntur ? Sed tamen inter haec
etiam qui redemit, non relinquit. Scriptum quippe est :
« *Fidelis autem Deus, qui non patietur uos temptari supra quam*
15 *potestis, sed faciet cum temptatione etiam prouentum, ut possitis*
sustinere[a] ». Nouit enim conditor noster, quando exsurgere
persecutionis procellam sinat, quando exsurgentem reprimat. Nouit pro custodia nostra restringere quod contra nos
egredi pro nostra exercitatione permittit, ut saeuiens nos
20 diluat procella, et non mergat.

38, 8   XVI, **36**. Vnde et sequitur : « **Quis conclusit ostiis mare,**
quando erumpebat, quasi de uulua procedens ? » Quid enim
mare nisi saeculum, quid uuluam, nisi conceptum carnalis
cogitationis accipimus ? Hoc enim loco uuluae nomine
5 occulta et malitiosa carnalium cogitatio designatur. Quae
uulua non ad proferendam prolem concipit substantiam corporis, sed ad explendam nequitiam causam doloris. De hac
uulua cordis iniquorum alias dicitur : « *Concepit dolorem et*
peperit iniquitatem[a] ». Per hanc uuluam praui concipiunt, cum
10 mala cogitant. Per hanc uuluam pariunt, cum mala quae cogi-
tauerint operantur.

Erumpebat ergo mare quasi de uulua procedens, cum
minarum saecularium fluctus de carnalis cogitationis iniquitate concepti, in sanctae Ecclesiae interitum saeuirent. Sed
15 auctore Deo, ostiis hoc mare conclusum est, quia contra
tumores persequentium sancti uiri quasi quaedam ostia
oppositi sunt, ut eorum miraculis atque reuerentia irae persequentium frangerentur. Humiliatis quippe Dominus terrenis

35. a. 1 Co 10, 13
36. a. Ps 7, 15

1. Cité comme ici en *Mor.* 9, 71, un peu différemment en *Mor.* 2, 19 ; 24,
31 ; 29, 46, (voir la note). Cf. *Mor.* 3, 7.
2. Non cité ailleurs, si ce n'est dans *Hom. Ez.* I, 7, 11, où Grégoire prend
toute la péricope (Ps 7, 12-16) pour exemple de l'incohérence du discours
prophétique.

ceux qui commencent à faire le bien, ils les persécutent. Mais celui qui les a rachetés ne les abandonne pas, même en ces circonstances. Il est en effet écrit[1] : « *Dieu est fidèle ; il ne permettra pas que vous soyez tentés au-delà de vos forces ; mais avec la tentation il vous donnera le moyen de la supporter*[a] ». Notre Créateur sait bien en effet quand permettre à la tempête des persécutions de se lever et quand la maîtriser lorsqu'elle s'élève. Pour notre sauvegarde, il sait mettre un terme aux tempêtes qui, avec sa permission, ont pu s'élever pour nous exercer, de manière qu'elles nous purifient, mais sans nous submerger.

Les saints défendent l'Église

XVI, **36.** Aussi le texte poursuit-il : « **Qui a entouré la mer de portes,** **38, 8** **quand elle sortait comme en bondissant du sein maternel ?** » Que représente la mer, sinon le monde, et le sein maternel, si ce n'est la conception des pensées charnelles ? Dans ce passage, en effet, le sein maternel désigne les pensées secrètes et mauvaises des hommes charnels. Ce sein ne conçoit pas une substance corporelle pour mettre au monde des enfants, mais il conçoit la cause de la douleur pour accomplir ses méfaits. De ce sein maternel qu'est le cœur des impies, l'Écriture dit ailleurs[2] : « *Il a conçu la douleur et enfanté l'iniquité*[a] ». C'est dans ce sein maternel que les réprouvés conçoivent le mal qu'ils méditent de faire ; c'est de ce sein qu'ils enfantent, quand ils accomplissent le mal qu'ils ont médité.

La mer sortait donc comme en bondissant du sein maternel, quand les flots des menaces des hommes du siècle, conçus par leur pensée charnelle et malfaisante, se sont déchaînés pour faire périr la sainte Église. Mais Dieu a entouré cette mer de portes, parce qu'il a dressé les saints comme des portes pour contenir les emportements des persécuteurs, dont la furie se brise devant les miracles des saints et la crainte qu'ils inspirent. Les chefs terrestres une fois abais-

principibus, per eos sanctam Ecclesiam supra mundi culmen
20 euexit ; et saeuientis maris impetus, erecta eiusdem Ecclesiae
potestate, coercuit. Sed huic saeuienti mari quid Dominus
fecerit, audiamus.

38, 9   XVII, **37**. Sequitur : « **Cum ponerem nubem uestimentum
eius et caligine illud quasi pannis infantiae obuoluerem** ».
Mare saeuiens nube induitur, quia crudelitas persequentium
stultitiae suae uelamento uestitur. Interposita enim caligine
5 infidelitatis suae, perspicuam ueritatis lucem uidere non
sufficit ; et id quod agit per crudelitatis impulsum, per caeci-
tatis suae meritum non agnoscit. « *Nam si cognouissent* », ait
apostolus, « *numquam Dominum gloriae crucifixissent*[a] ». Haec
nubes non solum solet infideles extra positos premere, sed
10 quosdam etiam uiuentes carnaliter intra Ecclesiam tene-
brare. Vnde sancti uiri, qui alienae etiam neglegentiae
compatiuntur, et se pati aestimant quod perpeti alios sentiunt, Deo orantes dicunt : « *Opposuisti nubem ne transeat
oratio*[b] ». Ac si aperte dicant : menti nostrae terrenis uolupta-
15 tibus assuetae curarum suarum phantasmata iusto iudicio
obicis, quibus eam in ipsa orationis suae intentione
confundis ; et quam desideriis infimis deditam non ignoras,
recte caecatam ab intuenda lucis tuae perspicuitate reuerbe-
ras, ut cum in te intenditur, ipso a te cogitationum suarum
20 nubilo reflectatur, et quae terrena haec assidue cogitat quia
uult, haec etiam toleret in oratione cum non uult. Quia igitur
ipsa persecutorum nequitia superna dispensatione constringitur, ne contra sanctos uiros inquantum uoluerit effrenetur,

---

37. a. 1 Co 2, 8   b. Lm 3, 44

1. Interprété comme ici dans *Hom. Ez.* I, 2, 12. Voir aussi *Mor.* 9, 44 ; 22,
41.
2. Citation unique. Le « juste jugement » dont parle son commentaire
rappelle le « jugement caché » et le « jugement sévère » de *Mor.* 28, 15-16 et
33 (p. 106, n. 1, p. 108, n. 1, p. 140, n. 1). On trouvera aussi, à la fin de ce
chapitre, *iudiciorum suorum dispensatione*, ainsi que *occultae dispensationis.*

sés, le Seigneur s'est servi des saints pour élever la sainte Église au-dessus de toutes les hauteurs du monde, et une fois établie la puissance de l'Église, il a réprimé par elle les assauts de la mer. Mais écoutons maintenant ce que le Seigneur a fait à cette mer en furie :

L'aveuglement des persécuteurs   XVII, 37. « **Quand je la couvrais   38, 9 d'un nuage comme d'un vêtement et que je l'enveloppais d'obscurité, comme de langes on enveloppe un enfant** ». La mer en furie se revêt d'un nuage, quand la cruauté des persécuteurs est couverte du voile de la folie. L'obscurité de leur incroyance fait écran, aussi n'arrivent-ils pas à saisir la claire lumière de la vérité ; par suite de leur aveuglement, ils sont incapables de comprendre ce qu'ils font sous l'impulsion de leur méchanceté. Comme le dit l'Apôtre[1] : « *S'ils avaient connu le Seigneur de gloire, jamais ils ne l'auraient crucifié*[a] ». Ce nuage ne couvre pas seulement les infidèles qui ne font pas partie de l'Église ; il répand aussi son obscurité sur ceux qui, dans l'Église, vivent selon la chair. C'est pourquoi, les saints qui savent compatir aux négligences d'autrui et s'imaginent souffrir eux-mêmes ce qu'endurent les autres, disent à Dieu dans l'oraison[2] : « *Tu as interposé un nuage pour que la prière ne passe pas*[b] ». Ce qu'on peut traduire : c'est par un juste jugement que tu jettes devant notre esprit accoutumé aux jouissances de la terre, les images de ses soucis habituels qui troublent son attention dans la prière. Tu n'ignores pas qu'il est attaché en bas par ses désirs ; aussi, quand il veut voir la clarté de ta lumière, tu le repousses, justement aveuglé, et lorsqu'il veut te regarder, les nuées de ses pensées le rejettent loin de toi. Il pense sans arrêt aux choses de la terre parce qu'il le veut bien et, contre son gré, il doit les supporter dans la prière. Parce que Dieu, par sa Providence, contient la malice des persécuteurs pour qu'elle ne se déchaîne pas sans frein contre les saints, après avoir dit : « *Quand je la couvrais*

postquam dixit : « *Cum ponerem nubem uestimentum eius* »,
25 apte subdidit : « *Et caligine illud quasi pannis infantiae obuoluerem* ». Pannis quippe infantiae pedes ac brachia constringuntur, ne huc atque illuc dissoluta libertate iactentur. Quia ergo persecutores sanctae Ecclesiae instabilitate cordis inquieti, atque huic saeculo dediti, non grandaeua, sed pueri-
30 lia sapiunt ; qui quidem obscuritate atque caligine, non intellectu superni iudicii constringuntur, ne tantum persequi ualeant quantum uolunt, pannis infantiae referuntur obuoluti ; quia, sicut dictum est, puerilia quidem sapiunt, sed diuina dispensatione constricti, quo uolunt brachia non
35 extendunt ; et si cuncta mala perpetrare leuiter appetunt, nequaquam tamen implere cuncta quae appetunt permittuntur.

38, 10 Sequitur : « **Circumdedi illud terminis meis** ». Terminis suis Dominus mare circumdat, quia iras persequentium,
40 iudiciorum suorum dispensatione modificat, ut insani tumida unda feruoris plano frangatur litore occultae dispensationis.

38, 10-11 XVIII, **38**. Sequitur : « **Et posui uectem et ostia, et dixi : 'Hucusque uenies, et non procedes amplius, et hic confringes tumentes fluctus tuos'** ». Quid per ostia nisi praedicatores sancti ; quid per uectem nisi incarnatus Domi-
5 nus designatur ? Qui haec uidelicet ostia contra saeuientis maris impetum tanto ualentiora opposuit, quanto ea sua obseruatione roborauit. Quia enim ista sanctae Ecclesiae ostia uectis huius oppositione solidata sunt, potuerunt quidem tundi fluctibus, sed effringi nequiuerunt, ut ea exterius unda
10 persecutionis influeret, sed nequaquam cordis eorum interna penetraret. Et quia doctores sancti praedicatione quidem sequentibus aperti sunt, auctoritate autem sua resistentibus

1. A l'inverse, Benoît « encore enfant » avait un « cœur de vieillard » (*Dial.* II, *Prol.* 1).

d'un nuage comme d'un vêtement », le texte ajoute avec à propos : « *et que je l'enveloppais d'obscurité comme de langes on enveloppe un enfant* ». Les langes enserrent les pieds et les bras de l'enfant, pour qu'il n'ait pas la liberté de les agiter en tous sens. Les persécuteurs de la sainte Église, dont le cœur est agité et instable, tout donnés qu'ils sont à ce monde, n'ont pas un jugement de vieillard, mais d'enfant[1]. Ce n'est pas l'intelligence des jugements de Dieu qui les retient de persécuter les saints autant qu'ils le voudraient, mais l'obscurité et les ténèbres ; l'Écriture dit donc qu'ils sont enveloppés de langes, parce que, comme il vient d'être dit, ils ont un jugement d'enfant. La divine Providence les empêche d'étendre leur bras à leur guise ; bien que leur manque de réflexion les presse de perpétrer tout le mal possible, elle ne leur permet pas de contenter tous leurs désirs.

Le texte poursuit : « **Je l'ai entourée de mes bornes** ». Le   38, 10
Seigneur entoure la mer de ses bornes, parce que la sagesse de ses jugements impose une mesure à la colère des persécuteurs, de sorte que les vagues, gonflées d'une folle fureur, se brisent sur le rivage uni de ses secrets desseins.

Les apôtres, portes de l'Église   XVIII, **38.** Le texte poursuit : « **J'y ai**   38, 10-11 **mis un verrou et des portes, et je lui ai dit : 'Tu viendras jusqu'ici et tu n'iras pas plus loin ; ici se brisera l'orgueil de tes flots'** ». Que signifient ces portes, sinon les saints prédicateurs, et le verrou, si ce n'est le Seigneur incarné ? Ces portes qu'il a dressées contre les assauts de la mer en furie sont d'autant plus solides qu'il les a renforcées en les gardant lui-même. En effet, une fois consolidées par la pose d'un verrou, les portes de la sainte Église ont pu se laisser battre par les flots, mais les flots n'ont pu les briser ; les vagues des persécutions ont eu pouvoir de les assaillir au-dehors, non de pénétrer au-dedans de leurs cœurs. Les saints docteurs ouverts à leurs adeptes par leur prédication, fermés par leur autorité à ceux

clausi, non immerito ostia uocantur, id est aperta conuersa-
tioni humilium, et clausa terroribus superborum. Non
15 immerito ostia uocantur, quia et ingressum fidelibus aperiunt, et rursum sese perfidis ne ingrediantur opponunt.
Pensemus, quale Ecclesiae ostium exstitit Petrus, qui inuesti-
gantem fidem Cornelium recepit, pretio quaerentem
miracula Simonem reppulit. Illi dicens : « *In ueritate comperi*
20 *quoniam non est personarum acceptor Deus*[a] », secreta regni
benigne aperit. Huic inquiens : « *Pecunia tua tecum sit in*
perditione[b] », per districtae damnationis sententiam caelestis
aulae aditum claudit. Quid cuncti apostoli nisi sanctae Ecclesiae ostia exsistunt, cum uoce Redemptoris sui audiunt :
25 « *Accipite Spiritum sanctum ; quorum remiseritis peccata, remit-*
tuntur eis ; et quorum retinueritis, retenta sunt[c] ? » Ac si illis
aperte diceretur : per uos ingredientur ad me hi quibus uos-
metipsos panditis, et repellentur quibus obseratis. Igitur
dum mare saeuit, Dominus uectem et ostia opponit, quia ab
30 amaris et perfidis cordibus dum persecutionis procella se
dilatat in mundo, Deus unigeniti sui gloriam praedicatorum-
que eius reuerentiam exaltat, et dum innotescit mysteria
diuinae fortitudinis, frangit in impiis fluctus furoris.

39. Bene autem dicitur : « *Hucusque uenies et non procedes*
amplius ». Quia nimirum iudicii occulti mensura est, et
quando persecutionis procella prosiliat, et quando conquies-
cat, ne aut non exagitata electos non exerceat, aut non
5 moderata in profundum mergat. Cum uero notitia fidei
usque ad persequentes extenditur, turbati maris tumor seda-

---

38. a. Ac 10, 34   b. Ac 8, 20   c. Jn 20, 22-23

1. La conversion de Corneille est commentée plus amplement en *Mor.* 22,
72. Quant à la malédiction de Simon, voir *Mor.* 4, 2 ; *Dial.* IV, 57, 11 ; *Reg.*
Ep. 11, 28.
2. Cité en *Mor.* 26, 3-4 ; 27, 22 et 34.
3. *Iudicii occulti* comme en *Mor.* 28, 15-16 (p. 106, n. 1 et p. 108, n. 1).

qui leur résistent, méritent bien le nom de portes, lorsqu'ils s'ouvrent à la démarche des humbles et se ferment aux menaces des orgueilleux. Ils méritent bien le nom de portes, parce qu'ils ouvrent l'entrée aux fidèles et la refusent aux incroyants. Considérons quelle porte de l'Église a été saint Pierre : il accueillit Corneille qui était à la recherche de la foi, et repoussa Simon qui voulait acheter le pouvoir de faire des miracles. En disant à l'un[1] : « *Je me rends compte en vérité que Dieu ne fait pas acception de personnes[a]* », il lui ouvrit avec bonté les secrets du royaume ; en disant à l'autre : « *Que ton argent périsse avec toi[b]* », il lui ferma l'accès de la cour céleste par une sévère sentence de condamnation. Tous les apôtres aussi sont les portes de la sainte Église, puisqu'ils ont entendu leur Rédempteur leur dire[2] : « *Recevez l'Esprit saint. Ceux à qui vous remettrez les péchés, ils leur seront remis. Ceux à qui vous les retiendrez, ils leur seront retenus[c]* ». Autrement dit : c'est par vous qu'ont accès auprès de moi ceux à qui vous ouvrez, et c'est par vous que sont repoussés ceux à qui vous fermez. Quand donc la mer est en furie, le Seigneur lui oppose verrou et portes ; autrement dit, quand des cœurs amers et incroyants soulèvent dans le monde la tempête des persécutions, Dieu exalte la gloire de son Fils unique et le respect dû à ses prédicateurs ; en faisant connaître les mystères de sa puissance divine, il brise chez les impies la fureur des flots.

De la Loi à l'Évangile **39.** Le texte dit très justement : « *Tu viendras jusqu'ici et tu n'iras pas plus loin* », parce qu'il faut qu'un jugement secret[3] de Dieu assigne une mesure aux événements, pour que se lève à tel moment la tempête des persécutions et pour qu'à tel moment elle s'apaise ; car si elle ne sévit pas, les élus ne sont pas exercés, mais si elle n'est pas modérée, ils seront engloutis. Mais, quand les persécuteurs parviennent à la connaissance de la

tur ; ibique fluctus suos mare frangit, quia ad cognitionem
ueritatis ueniens[d], omne quod nequiter egit erubescit. Fracta
quippe unda in se reliditur, quia uicta nequitia etiam per
10 cogitationem sui cordis accusatur, et quasi ipsa uim quam
intulerat recipit, quia de prauitate quam gesserat reatus sui
stimulos sentit. Vnde quibusdam per Paulum dicitur :
« *Quem ergo fructum habuistis tunc in illis in quibus nunc
erubescitis[e] ?* » Ac si diceretur : quid se in altum fluctus ues-
15 trae prauitatis extulerunt, qui nunc in semetipsis fracti, unde
peruersos uos inflauerant, conuersos inde confundunt ?
Recte itaque dicitur : « *Et hic confringes tumentes fluctus tuos* ».

Quod uero in hac conclusione maris secundo de ostiis dicitur, more sacri eloquii, res semel dicta pro confirmatione
20 replicatur.

40. Si autem hoc in loco mare accipere non specialiter tur-
bam persequentium, sed generaliter saeculum debemus,
secundo contra hoc mare Dominus ostia opposuit, quia et
prius humano generi praecepta legis et postmodum nouae
5 gratiae testamentum dedit. Secundo obiectis ostiis huius
maris impetum clausit, quia eos quos ad obsequium sui cul-
tus assumpsit ; et prius ab idolis data lege coercuit, et post ab
intellectu carnali gratia reuelata correxit. Secundo mare ostia
accepit, quia humanum genus prius Deus ab operis iniqui-
10 tate prohibuit, postmodum uero etiam a cogitationis culpa
constrinxit. Videamus quemadmodum prima tumenti mari
Dominus ostia imponat. Ecce enim per legem dicitur : « *Non
occides, non moechaberis, non furtum facies, non falsum testimo-
nium dices[f]* ». Videamus quemadmodum secundis hoc mare

---

39. d. cf. 1 Tm 2, 4   e. Rm 6, 21
40. f. Ex 20, 13-16

---

1. Trois fois cette parole de Paul est appliquée par Grégoire à Rébecca,
image du pécheur converti (*Mor.* 1, 21 et 35, 38 ; *In Ez. fragm.* 2, 276). Voir
aussi *Mor.* 4, 32 ; *Hom. Ez.* I, 8, 32.

2. Voir Jb 38, 8 (*ostiis*) et 10 (*ostia*).

foi, l'agitation de la mer s'apaise ; ses flots se brisent sur la foi, car lorsqu'ils parviennent à la connaissance de la vérité[d], ils rougissent de tout le mal qu'ils ont fait. Quand une vague se brise, elle est rejetée sur elle-même, parce que, quand le péché a été vaincu, il reste un accusé pour la pensée du cœur ; la force qu'il employait à frapper les autres, il la subit à son tour en quelque sorte, parce qu'il éprouve du remords pour le mal qu'il a commis. Aussi Paul dit-il à certains[1] : « *Quel fruit portiez-vous donc alors ? Aujourd'hui vous en avez honte*[e] ». C'est comme s'il disait : pourquoi les flots de votre méchanceté se sont-ils élevés si haut, eux qui se brisent maintenant sur eux-mêmes ? ils vous avaient exaltés dans votre perversion, ils se retournent maintenant contre vous à votre honte dans votre conversion. Il est donc dit très justement : « *Ici se brisera l'orgueil de tes flots* ».

Au reste, le texte dit deux fois[2] que la mer est limitée par des portes, selon l'usage de l'Écriture qui répète deux fois la même chose, pour la confirmer.

40. Si en ce passage nous entendons la mer non de la foule des persécuteurs, mais du monde en général, le Seigneur a dressé deux fois des portes devant elle, parce qu'il a d'abord donné au genre humain les préceptes de la Loi et qu'ensuite il lui a donné le Testament de la grâce nouvelle. Deux fois il a dressé des portes contre l'assaut de cette mer et l'a enfermée : en effet, ceux qu'il avait choisis pour lui rendre un culte, il les a d'abord tenus éloignés des idoles en leur donnant la Loi et ensuite il les a guéris de leur intelligence charnelle en leur révélant la grâce. Deux fois la mer a reçu des portes : Dieu a d'abord interdit au genre humain les actions d'iniquité et ensuite il a refréné les péchés en pensée. Voyons comment le Seigneur a mis les premières portes devant la mer en furie. La Loi dit en effet : « *Tu ne tueras pas, tu ne commettras pas d'adultère, tu ne voleras pas, tu ne porteras pas de faux témoignage*[f] ». Et maintenant voyons comment il a

15 Dominus ostiis claudat. Ecce in euangelio dicit : « *Audistis
quia dictum est antiquis : Non moechaberis ; ego autem dico uobis,
quoniam omnis qui uiderit mulierem ad concupiscendum eam, iam
moechatus est eam in corde suo*ᵍ ». Rursumque dicitur :
« *Audistis quia dictum est : Diliges proximum tuum et odio habebis*
20 *inimicum tuum ; ego autem dico uobis : Diligite inimicos uestros,
benefacite his qui uos oderunt*ʰ ». Qui igitur prius nequitias operis prohibet, postmodum culpas cordis exhaurit, nimirum
tumenti mari, ne circumducta iustitiae litora transeat, bis
ostia imponit.

38, 8   **41.** Bene autem cum diceret : « **Quis conclusit ostiis
mare** », ilico et tempus adiunxit, dicens : « **Quando erumpebat, quasi de uulua procedens** ». Quia uidelicet tunc humano
generi praeceptis legis obuiauit, quando adhuc saeculum
5 suae origini uicinum, quasi ab ortu proprio ad profectum
uitae carnalis exiebat. De uulua quippe procedere est in luce
praesentis gloriae carnaliter apparere. Et recte subiungitur :
38, 9 « **Cum ponerem nubem uestimentum eius** ». Quia nimirum
Deus hominibus non tunc aperta ostensione se intulit, sed
10 dum eos ab errore perfidiae eripuit, nec tamen illis claritatem
sui luminis patefecit, quasi ex tenebris eos abstulit ; sed
adhuc nube uestiuit, ut et pristina prauitatis acta relinque-
rent, et tamen uentura bona adhuc certius non uiderent.
38, 9   Vbi et apte subditur : « **Et caligine illud quasi pannis infan-
15 tiae obuoluerem** ». Dum enim rudes populos non aperta
spiritus praedicatione edocuit, sed figurata locutione praeceptis litterae astrinxit, adhuc infirma sapientes uerborum
suorum caligine quasi pannis infantiae obuoluit ; ut mandatis

---

40. g. Mt 5, 27-28   h. Mt 5, 43-44

1. La première de ces péricopes évangéliques (Mt 5, 27-28) est citée par
Grégoire huit fois, la seconde (Mt 5, 43-44) une vingtaine de fois. Elles se
succèdent comme ici dans *Hom. Ez.* II, 3, 20.

dressé les secondes portes pour la tenir enfermée. Il dit dans l'Évangile[1] : « *Vous avez appris qu'il a été dit aux Anciens : Tu ne commettras pas d'adultère ; moi je vous dis : Quiconque regarde une femme avec convoitise a déjà commis l'adultère avec elle dans son cœur*[g] ». Il dit encore : « *Vous avez appris qu'il a été dit : Tu aimeras ton prochain et tu haïras ton ennemi. Moi je vous dis : Aimez vos ennemis et faites du bien à ceux gui vous haïssent*[h] ». Celui qui interdit d'abord les péchés d'action et qui, ensuite, extirpe les fautes du cœur, impose deux fois des portes aux fureurs de la mer, pour qu'elle ne franchisse pas les rives de la justice qui l'entourent.

La pédagogie divine   **41.** Après avoir dit : « **Qui a entouré la mer**   38, 8
de portes », le texte ajoute aussitôt, avec bonheur, une précision de temps : « **quand elle sortait comme en bondissant du sein maternel ?**». Car le Seigneur s'est opposé au genre humain par les préceptes de la Loi, quand le monde encore proche de ses origines sortait comme à sa naissance pour grandir dans une vie charnelle. Sortir du sein maternel signifie apparaître selon la chair à la glorieuse lumière de ce monde. Et le texte ajoute avec raison : « **Quand je la couvrais d'un nuage comme d'un vêtement** »,   38, 9
parce qu'en ce temps-là Dieu ne s'est pas manifesté clairement aux hommes : il les arrachait à l'erreur de l'incroyance, mais sans leur dévoiler la clarté de sa lumière ; il les retirait des ténèbres, mais il les laissait revêtus d'un nuage ; de sorte qu'ils abandonnaient leur mauvaise conduite d'autrefois, tout en ne voyant pas encore clairement les biens à venir.

Aussi le texte poursuit-il avec à propos : « **Et quand je**   38, 9
l'enveloppais d'obscurité, comme de langes on enveloppe un enfant ». A des peuples encore frustes, le Seigneur n'a pas révélé clairement les réalités de l'esprit, mais il les a assujettis à la lettre de la Loi en utilisant un langage symbolique ; ceux dont la sagesse était encore mal affermie, l'obscurité de ses paroles les a comme enveloppés de langes, pour qu'ils

grossioribus ligati crescerent, ne male liberi in suis uoluptati-
20 bus perirent. Quos ad uiam iustitiae dum non iam caritas,
sed adhuc timor astringeret, diuina dispensatio quasi pressit
ut nutriret. Infirmus namque populus cum praeceptorum
pannos nolens pertulit, ad firmiorem statum ex ipsa sua liga-
tione peruenit. Quia enim timor eum prius a culpa coercuit,
25 competenter postmodum in libertatem spiritus exiuit. Hos
pannos infantiae, quos incohantibus dedit, ipse per prophetam Dominus reprehendit, dicens : « *Ego dedi eis praecepta non
bona*[i] ». Mala enim quasi mala esse desinunt comparatione
peiorum, et bona quasi bona non sunt comparatione melio-
30 rum. Nam sicut peius delinquenti Iudaeae de Sodoma atque
Samaria dicitur : « *Iustificasti sorores tuas in omnibus abomina-
tionibus tuis, quas operata es*[j] », ita melioribus testamenti noui
praeceptis subsequentibus praecepta bona quae rudibus data
sunt non bona esse memorantur. Neque enim mentes usui
35 uitae carnalis inhaerentes euelli ab infimis possent, nisi gra-
datim ducta praedicatione proficerent. Hinc quippe est quod
in Aegypto positis pio iustoque moderamine latenti eorum
concupiscentiae condescenditur, et uicinorum suorum uasis
aureis argenteisque sublatis, discedere iubentur[k]. Qui ad
40 Sina montem ducti, accepta lege, mox audiunt : « *Non concu-
pisces rem proximi tui*[l] ». Hinc est quod in eadem lege oculum
pro oculo, dentem pro dente praecipiuntur exigere, et quando-

---

41. i. Ez 20, 25   j. Ez 16, 51   k. cf. Ex 3, 22 ; 11, 2   l. Ex 20, 17

1. Entendu comme ici (la Loi, comparée à l'Évangile) déjà chez CASSIEN,
Conl. 21, 33, 7 ; 23, 4, 3.

2. Citation unique.

3. Cet ordre divin n'est mentionné qu'ici et dans *In Ez. fragm.* 9, 64-66, où
Grégoire l'explique autrement, en le prenant au sens spirituel selon l'exégèse classique : emprunter aux arts séculiers pour défendre la vérité.

4. Cité comme ici (*rem* au lieu du *donum* de Vulg.) dans *Hom. Ez.* II, 30, 20.
Cf. *Hom. Eu.* 34, 16 (1256 C).

puissent grandir, liés par des commandements encore assez rudimentaires, sans risquer la mort en se livrant à leurs plaisirs avec une liberté mal employée. Comme c'était la crainte et non la charité qui les attachait encore à la voie de la justice, pendant le temps de leur éducation, le dessein divin les a pour ainsi dire serrés de près. En supportant contre son gré les langes des commandements qui le serraient étroitement, le peuple faible acquit par là-même un état plus solide. La crainte ayant commencé par le détourner du péché, il est parvenu par la suite, comme il se devait, à la liberté de l'esprit. Ces langes de l'enfance qu'il donna à des commençants, le Seigneur les a critiqués lui-même par la bouche de son prophète[1] : « *Je leur ai donné des préceptes qui n'étaient pas bons*[i] ». Ce qui est mauvais cesse pour ainsi dire d'être mauvais si on le compare à ce qui est pire, et ce qui est bon ne paraît plus bon si on le compare à ce qui est meilleur. Ainsi s'adressant à la Judée qui avait péché gravement, le prophète dit de Sodome et de Samarie[2] : « *Tu as justifié tes sœurs en commettant toutes tes abominations*[j] ». De même, en comparaison des préceptes meilleurs du Nouveau Testament qui les ont suivis, les bons préceptes donnés à des hommes encore frustes ne sont pas bons, au dire du prophète. Des esprits très attachés aux habitudes d'une vie charnelle ne peuvent être tirés des bas-fonds et progresser que par une prédication suffisamment graduée. Ainsi lorsque les Hébreux séjournent en Égypte, Dieu use à leur égard de bonté et de justice, et condescend à leur convoitise secrète en leur ordonnant[3] d'emporter avec eux les vases d'or et d'argent de leurs voisins[k]. Sitôt arrivés au mont Sinaï, ils entendent dire par la Loi qu'ils reçoivent[4] : « *Tu ne convoiteras pas le bien de ton prochain*[l] ». La même Loi leur ordonne d'exiger œil pour œil et dent pour dent[5], et pourtant lorsque

---

5. Selon *In Ez. fragm.* 9, 55, ce précepte de la Loi a déjà été corrigé par Lv 19, 18. Quant à Mt 5, 39, voir *Mor.* 10, 48 ; 27, 79.

que tamen, reuelata gratia, percussi maxillam alteram iubentur praebere[m]. Quia enim plus semper ira in uindictam exigit
45 quam iniuria accepit, dum discunt mala non multiplicius red-
dere, quandoque discerent ea et multiplicata sponte tolerare.
Hinc est quod eumdem rudem populum a quibusdam prohibuit, quaedam uero ei in usu pristino seruauit, sed haec ipsa
tamen in melioris uitae figura composuit. Bruta namque ani-
50 malia idolis in Aegypto mactabant, eique in usum
postmodum animalium mactationem retinuit ; sed idolorum
cultum uitauit, ut dum de usu suo aliquid amitteret, consola-
retur eius infirmitas per hoc quod de usu suo aliquid haberet.
Mira autem dispensatione consilii, quod ei Dominus de con-
55 suetudine carnali retinuit, hoc in figura spiritus potentius
uertit. Quid enim sacrificia illorum animalium nisi unigeniti
mortem designant ? Quid sacrificia illorum animalium nisi
exstinctionem carnalis nostrae uitae significant ? Vnde ergo
imbecillitati populi rudis condescenditur, inde ei per obum-
60 bratas allegoriarum species maior fortitudo spiritus
nuntiatur. Recte itaque dicitur : « *Et caligine illud quasi pannis
infantiae obuoluerem* », quia unde eius teneritudinis infirma
pertulit, inde altam significationum spiritalium nubem fecit.

42. Quem quia praeceptorum limite ab immoderatis animi
38, 10 euagationibus cinxit, recte subicit : « **Circumdedi illud terminis meis** ». Et quia huius humani generis motus misso
Mediatore coercuit, apte subiungit : « *Et posui uectem et ostia* ».
5 Vectem quippe et ostia posuit, quia Redemptore nostro contra culpas delinquentium misso, nouae uitae praedica menta
firmauit. Clausa namque ostia opposito uecte roborantur.

---

41. m. cf. Ex 21, 24 ; Mt 5, 39

la grâce leur sera révélée, il leur sera prescrit, au cas où ils seraient frappés sur une joue, de tendre l'autre [m]. La colère exige toujours que la vengeance dépasse l'offense subie ; en apprenant à ne pas rendre le mal avec usure, ils apprendraient à supporter un jour volontairement des maux plus graves. Pour la même raison, Dieu interdit à ce peuple fruste certains usages anciens et il lui en laissa d'autres, mais il fit de ces usages eux-mêmes la figure d'une vie meilleure. En Égypte, le peuple immolait des animaux aux idoles ; ensuite Dieu lui permit de continuer les sacrifices d'animaux, mais en lui interdisant le culte des idoles ; c'était une consolation pour sa faiblesse, puisque tout en perdant quelque chose de ses usages, il en garderait quand même une partie. Ces coutumes charnelles qu'il a tolérées, le Seigneur, par un dessein admirable de sa Providence, en a fait, et avec quelle puissance, une figure de l'esprit. Que signifient en effet ces sacrifices d'animaux, sinon la mort de son Fils unique ? Que représentent ces sacrifices d'animaux, sinon l'anéantissement de notre vie charnelle ? Là même où Dieu condescend à la faiblesse de ce peuple fruste, il annonce la force accrue de l'Esprit par le jeu voilé des allégories. Le texte dit donc très justement : « *Et quand je l'enveloppais d'obscurité, comme de langes on enveloppe un enfant* », parce qu'en supportant les faiblesses de sa tendre enfance, il a élevé plus haut ce nuage où nous avons reconnu des significations spirituelles.

42. Pour l'empêcher de s'égarer sans

**Le Christ,
vainqueur du mal**

fin, Dieu a entouré l'âme des bornes de ses préceptes : « **Je l'ai entourée de mes** **38, 10** **bornes** », dit-il très justement. Quant aux passions du genre humain, il les a réprimées par l'envoi du Médiateur : « *J'y ai mis* », ajoute-t-il, « *un verrou et des portes* ». Il a mis un verrou et des portes : ce verrou, c'est notre Rédempteur, envoyé pour détruire les fautes des pécheurs, et ces portes, ce sont les doctrines solides de la vie nouvelle. On renforce une porte

Vectem ergo Deus opposuit, quia contra lasciuos motus
humani generis unigenitum misit, qui praecepta spiritalia,
10 quae loquendo docuit, agendo solidauit. Bene autem
subditur : « *Et dixi : 'Hucusque uenies et non procedes amplius, et
hic confringes tumentes fluctus tuos'* ». Hoc quippe mare ostia
priora transcenderat, quia claustra legis oppositae humani
tumoris unda saliebat. At postquam mundus oppositum sibi
15 unigenitum repperit, elationis suae impetum fregit ; et transire non ualuit, quia eius fortitudine furoris sui terminum
clausum inuenit. Vnde recte per prophetam dicitur : « *Mare
uidit et fugit* [n] ». Possunt etiam per ostia apertae passiones
eius non inconuenienter intellegi. Quibus ex occulto uectem
20 posuit, quia eas ex inuisibili diuinitate roborauit. Contra quas
mundi fluctus ueniunt, sed fracti dissilescunt, quia superbi
eas uidendo despiciunt, sed earum uires experiendo perti-
mescunt. Nam dum passiones unigeniti humanum genus
prius irrisit, postmodum expauit, quasi contra opposita ostia
25 more elidendi maris, et tumore elatum uenit et fractum uirtute dissiluit.

Sed quia idcirco hoc ad beatum Iob dicitur, ut de tot uirtutibus cordis eius gloria premeretur, ne sibi fortasse tribuat
quod se stare sublimiter non ignorat, cum quanta eius aedifi-
30 catione sint dicta perpendimus, si haec etiam moraliter
disseramus.

38, 8   XIX, **43**. Dicat itaque : « **Quis conclusit ostiis mare ?** »
Quid est mare, nisi cor nostrum furore turbidum, rixis ama-

---

42. n. Ps 113, 3

---

1. Non cité ailleurs.

2. Reprise du commentaire moral (voir *Mor.* 28, 19), que Grégoire a inter-
rompu sans le dire (*Mor.* 28, 34) pour commenter une première fois, au sens
typique, Jb 38, 7-10. Démarche similaire en *Mor.* 29, 32 (p. 218, n. 3).

fermée par la pose de verrous. Le Seigneur a donc mis un verrou à ces portes, quand, pour lutter contre les passions
charnelles des hommes, il a envoyé son Fils unique confirmer par ses actes les préceptes spirituels qu'il avait d'abord
enseignés par sa parole. Et quand le texte poursuit avec à
propos : « *Et je lui ai dit : 'Tu viendras jusqu'ici et tu n'iras pas
plus loin : ici se brisera l'orgueil de tes flots'* », il faut
comprendre : la mer avait franchi ses premières portes,
quand les flots de l'orgueil humain étaient passés par-dessus
les barrières de la Loi. Mais quand le monde trouva devant
lui le Fils unique, l'impétuosité de son orgueil s'est brisée sur
lui ; il n'a pu passer, parce qu'il a trouvé devant lui, dans la
force de ce Fils, une limite qui barrait la route à sa violente
fureur. C'est ce qui fait dire au prophète très justement[1] : « *La
mer a vu et s'est enfui*[n] ». On ne se tromperait pas non plus en
voyant dans ces portes la Passion subie au grand jour par le
Fils unique. Il y a mis en secret un verrou par la force dont
son invisible divinité a revêtu ses souffrances. Contre elles,
les flots du monde se jettent ; brisés, ils reculent en
bondissant ; quand ils les voient, ils les méprisent avec
orgueil, mais après avoir expérimenté leur puissance, ils se
mettent à trembler. Le genre humain a commencé par se
moquer de la Passion du Fils unique ; ensuite il s'est mis à la
craindre ; comme la mer se brise contre ses digues, il arriva
soulevé d'orgueil, mais sa puissance brisée, il recula.

Dieu a adressé à Job toutes ces paroles pour l'empêcher de
se glorifier des grandes vertus de son cœur et de s'attribuer à
lui-même une belle conduite dont il était tout à fait
conscient ; nous apprécierons donc l'édification que Job dut
en retirer, en ajoutant maintenant un exposé du sens moral
de ce texte[2].

La grâce de la crainte

XIX, **43.** Qu'il dise donc : « **Qui a en-**
touré la mer de portes ? » Que représente ici
la mer, sinon notre cœur troublé par la colère,   38, 8

164   MORALES SUR JOB

rum, elatione superbiae tumidum, fraude malitiae
obscurum ? Quod mare quantum saeuiat, attendit quisquis
5 in se occultas cogitationum temptationes intellegit. Ecce
enim iam peruersa relinquimus, iam desideriis rectis inhae-
remus, iam praua opera foras abscindimus, sed tamen
latenter intus ea cum qua huc uenimus uitae ueteris procella
fatigamur, quam nisi respectu iudicii et aeterni pauore tor-
10 menti immensi timoris claustra constringerent, cuncta in
nobis penitus superaedificati operis fundamenta corruissent.
Si enim quod per suggestionem saeuit intrinsecus, per deli-
berationem foras erumperet, uitae nostrae fabrica funditus
euersa iacuisset. In iniquitate namque concepti[a], et in delicto
15 editi, per insitae corruptionis molestias pugnam nobiscum
huc deferimus, quam cum labore uincamus.

38, 8   Vnde recte de hoc mari dicitur : « **Quando erumpebat,
quasi de uulua procedens** ». Vulua enim prauae cogitationis
adolescentia est. De qua per Moysen Dominus dicit : « *Sensus
20 enim et cogitatio humani cordis prona est in malum ab adolescentia
sua*[b] ». Corruptionis namque malum, quod unusquisque nostrum ab ortu desideriorum carnalium sumpsit, in prouectu
aetatis exercet ; et nisi hoc citius diuinae formidinis manus
reprimat, omne conditae naturae bonum repente culpa in
25 profundum uorat. Nemo igitur sibi cogitationum suarum uic-
toriam tribuat, cum Veritas dicat : « *Quis conclusit ostiis mare,
quando erumpebat, quasi de uulua procedens ?* » Quia nisi ab ipso

---

43. a. cf. Ps 50, 7   b. Gn 8, 21

---

1. « Suggestion » et « consentement » (*deliberatio*) : entre ces deux étapes
de la faute, dont la seconde se nomme d'ordinaire *consensus*, Grégoire place
la *delectatio* dans *Mor.* 4, 49 et 28, 45 (voir p. 168, n. 1) ; *Hom. Eu.* 16, 1, etc.
Ici, le binôme rappelle *Mor.* 15, 31 : l'esprit malin « suggère » et la volonté
humaine « consent » ; voir aussi *Mor.* 32, 40. L'allusion scripturaire qui suit
(Ps 50, 7) se lisait déjà dans les mêmes termes, mais avec une double inversion, en *Mor.* 9, 7, 3 (*in delicto concepti, in iniquitatibus editi*). Ce verset psalmique est cité formellement dans *Mor.* 11, 70 ; 18, 84 ; *Hom. Eu.* 39, 8, où le
second verbe est *peperit*.

chargé d'amers conflits, gonflé d'orgueil, enténébré par la fausseté et la malice ? Chacun se rend compte de la violence de cette mer, s'il constate que les tentations assaillent ses pensées secrètes[b]. Voici que déjà nous abandonnons les voies du vice, nous nous attachons aux bons désirs, nous retranchons à l'extérieur toutes les œuvres mauvaises ; et cependant dans le secret, au-dedans de nous-mêmes, nous sommes agités par la tempête de notre vie d'autrefois avec laquelle nous sommes venus ici. Si les barrières d'une frayeur immense, la crainte du jugement et la peur des tourments éternels ne nous retenaient, tous les fondements sur lesquels nous avons bâti s'écrouleraient totalement. Si, grâce à notre consentement, tout ce que la suggestion fait bouillonner en notre intérieur éclatait au-dehors, l'édifice de notre vie tomberait à terre, détruit de fond en comble[1]. Conçus en effet dans l'iniquité et enfantés dans le péché[a], nous apportons ici avec nous le combat de cette pénible corruption qui nous habite et dont nous ne sortons victorieux que par notre labeur.

C'est pourquoi, l'Écriture ajoute en parlant de cette mer : « **Quand elle sortait comme en bondissant du sein maternel** ». Le sein maternel d'où sort la pensée perverse, c'est le temps de l'adolescence dont le Seigneur dit par la bouche de Moïse[2] : « *Les sentiments et les pensées du cœur de l'homme sont enclins au mal dès son adolescence[b]* ». Le mal de la corruption que nous portons tous en nous dès la naissance de nos désirs charnels se manifeste en avançant en âge ; et si la main de la crainte de Dieu ne le réprime au plus vite, la faute engloutit aussitôt tout le bien mis dans notre nature créée. Que personne ne s'attribue donc à lui-même la victoire qu'il peut remporter sur ses pensées, puisque la Vérité dit : « *Qui a entouré la mer de portes, quand elle sortait comme en bondissant du sein maternel ?* » Si la grâce de Dieu ne retenait nos

38, 8

2. Non cité ailleurs.

cogitationis primordio cordis fluctus gratia diuina retineret,
temptationum procellis mare saeuiens terram procul dubio
30 humanae mentis obruisset, ut salsis fluctibus perfusa aresce-
ret, id est perniciosis carnis uoluptatibus delectata deperiret.
Solus ergo Dominus ostiis mare concludit, qui prauis motibus cordis claustra inspiratae formidinis obicit. Quia uero ea
quae cernimus sequi prohibemur, quia a corporearum rerum
35 delectatione retundimur, libet iam ad inuisibilia oculos mentis attollere, atque haec ipsa quae sequi praecipimur uidere.
Sed quid agimus ? Infirmis illa obtutibus necdum patent.
Ecce ad eorum amorem uocamur, sed tamen a uisione res-
tringimur, quia et si quando aliquid furtim parumque
40 aspicimus, sub incerto nimis adhuc uisu caligamus.

38, 9   XX, **44**. Vnde apte subiungitur : « **Cum ponerem nubem
uestimentum eius et caligine illud quasi pannis infantiae
obuoluerem** ». Hoc mare tumultuosum, uidelicet cogitationibus cor nostrum nube uestitur, quia ne internam quietem
5 pure conspiciat, inquietudinis suae confusione tenebratur.
Hoc mare caligine quasi infantiae pannis obuoluitur, quia a
contemplandis sublimibus adhuc teneris sensibus suae infirmitatis ligatur. Videamus Paulum quadam caligine quasi
infantiae pannis obuolutum, dum ait : « *Videmus nunc per spe-*
10 *culum in aenigmate, tunc autem facie ad faciem. Nunc cognosco ex
parte, tunc cognoscam sicut et cognitus sum*[a] ». Qui si se ad com-
prehendenda caelestia infantem non cerneret, aetatis suae ad

---

44. a. 1 Co 13, 12

1. Cette « paix intérieure » sera appelée, à la fin du paragraphe, « lumière
intérieure ». Entre temps, Grégoire parlera deux fois de « biens célestes »
(*sublimia... caelestia*) : façons diverses, les unes subjectives, les autres objec-
tives, de désigner la même perception spirituelle.
2. Verset favori, cité par Grégoire près de 25 fois, tandis que la phrase
précédente de l'Apôtre (1 Co 13, 11), qu'il cite ensuite, ne reparaît pas dans
le reste de son œuvre.

pensées, ces flots du cœur, dès qu'elles commencent à se
lever, les tempêtes des tentations, telles une mer déchaînée,
inonderaient la terre de l'âme humaine, leurs eaux salées la
rendraient stérile ; autrement dit, notre âme se perdrait en
trouvant son plaisir dans les funestes voluptés de la chair. Le
Seigneur seul a donc mis des portes à la mer, en opposant
aux mouvements déréglés du cœur les limites de la crainte
qu'il lui inspire. Parce qu'il nous est interdit de vivre pour les
choses visibles, parce que la jouissance des plaisirs corporels
nous est refusée, il nous plairait d'élever les yeux de notre
esprit vers les biens invisibles et de contempler ce que le
commandement de Dieu nous ordonne de chercher. Mais
que faire ? Nos regards sont trop faibles encore pour percevoir ces biens. Nous sommes invités à les aimer et nous
sommes empêchés de les voir ; et s'il arrive parfois que nous
en apercevons à la dérobée quelque petite chose, notre vision
est encore incertaine et obscure.

L'homme encore enfant XX, **44.** C'est pourquoi, le texte ajoute
très justement : « **Quand je la couvrais** 38, 9
**d'un nuage comme d'un vêtement et que
je l'enveloppais d'obscurité, comme de langes on enveloppe
un enfant** ». Cette mer tumultueuse, c'est notre cœur qu'agi-
tent les pensées. Il est revêtu d'un nuage, parce que le trouble
et l'inquiétude l'enténèbrent, l'empêchent de percevoir clairement la paix intérieure[1]. Cette mer est enveloppée
d'obscurité comme des langes de l'enfance, parce que la faiblesse de son intelligence encore toute jeune l'entrave dans
la contemplation des biens célestes. Nous le voyons, Paul
était, dans une sorte d'obscurité, comme enveloppé de ces
langes de l'enfance, quand il disait[2] : « *Nous voyons maintenant dans un miroir et en énigme ; alors ce sera face à face.
Maintenant, je ne connais qu'en partie : alors je connaîtrai comme
je suis connu*[a] ». S'il ne s'était pas considéré comme un enfant
à l'égard de l'intelligence des biens célestes, il n'aurait pas fait,

haec comparationem nullo modo praemisisset, dicens :
« *Cum essem paruulus, loquebar ut paruulus, sapiebam ut paruu-*
15 *lus, cogitabam ut paruulus*[b] ». Tunc ergo ad robur iuuenile
conscendimus, cum forti sensu eam ad quam tendimus
uitam uidemus ; nunc autem quia intentionis nostrae acies
per infirmitatem suam ab interna luce retunditur, mens nostra ligata infantiae pannis tenetur.

38, 10   XXI, **45**. Vbi apte subiungitur : « **Circumdedi illud terminis
meis** ». Terminis enim suis Dominus hoc mare circumdat,
quia cor nostrum adhuc corruptionis suae molestia et cura
turbulentum sub mensura contemplationis humiliat, ut licet
5 plus appetat, ultra tamen quam sibi conceditur non ascendat.
Vel certe terminis suis Dominus hoc mare circumdat, quia
cor nostrum temptationibus tumidum occultis donorum dis-
tributionibus mitigat, modo agens ne praua suggestio ad
delectationem ueniat, modo ne praua delectatio usque ad
10 consensum prorumpat. Qui ergo illicitos motus cordis respicit et in quibusdam eos usque ad consensum uenire prohibet
in quibusdam uero illos etiam a delectatione restringit, nimirum furenti mari terminos imponit, ut nequequam in opere
exeat, sed intra sinum mentis temptationum submurmurans
15 se unda collidat.

Quae quia tunc ualenter restringitur, cum ei delectatione
Dei atque inspiratis uirtutibus obuiatur, recte subiungitur :

38, 10-11   XXII, **46**. « **Et posui uectem et ostia, et dixi : 'Hucusque
uenies et non procedes amplius ; et hic confringes tumentes
fluctus tuos'** ». Quid enim moraliter per ostia, nisi uirtutes,
per uectem, nisi robur caritatis accipimus ? Haec itaque ostia,

---

44. b. 1 Co 13, 11

1. Sur ces trois moments du péché, voir p. 164, n. 1. Dans *Mor.* 32, 33, le
troisième se dédouble : au *consensus* se joint la *consuetudo.*

juste avant, mention de son âge : « *Quand j'étais enfant, je parlais comme un enfant, je pensais comme un enfant, je raisonnais comme un enfant*[b] ». C'est alors que nous atteindrons la force de l'âge, quand notre vue pleinement développée nous fera apercevoir la vie vers laquelle nous tendons ; mais à présent la pénétration de notre regard est trop faible, il ne supporte pas l'éclat de la lumière intérieure, si bien que notre âme reste entravée par les langes de l'enfance.

XXI, **45.** Aussi le texte poursuit-il très justement : « **Je l'ai**   38, 10
entourée de mes bornes ». Cette mer que le Seigneur entoure de ses bornes, c'est notre cœur encore agité par les embarras et les tracasseries de ses tendances corrompues : la mesure imposée à sa contemplation l'humilie, car il ne peut monter au-delà de ce qui lui est accordé, bien qu'il désire davantage. On pourrait dire également : cette mer que le Seigneur entoure de ses bornes, c'est notre cœur soulevé par la houle des tentations, puis apaisé par les grâces qui lui sont secrètement octroyées, si bien que, selon les cas, la suggestion mauvaise n'aboutit pas à la délectation, ni la délectation mauvaise au consentement manifeste[1]. Le Seigneur regarde les mouvements illicites du cœur : tantôt il leur interdit d'aller jusqu'au consentement, tantôt il les empêche même de goûter la délectation ; de la sorte il impose des limites à la mer déchaînée pour qu'elle n'aille pas jusqu'aux actes, mais que les flots grondants des tentations se brisent au fond de l'âme.

La puissance capable de maîtriser ces flots, c'est la jouissance que l'on trouve en Dieu, ce sont les vertus qu'il inspire. Aussi le texte poursuit-il avec raison :

La force de la   XXII, **46.** « **J'y ai mis un verrou et des**   38, 10-11
charité   **portes, et je lui ai dit : 'Tu viendras**
                       jusqu'ici et tu n'iras pas plus loin ; ici se
brisera l'orgueil de tes flots' ». Au sens moral, les portes symbolisent les vertus, et le verrou, la force de la charité. Cette mer

5 quid scilicet uirtutes operationum, mare saeuiens dissipat,
nisi eas ex occulto mentis opposita caritas astringat. Facile
autem omne uirtutum bonum temptatione cordis irruente
destruitur, nisi ab intimis fixa caritate solidetur. Vnde et Paulus in suis praedicationibus dum quaedam uirtutum ostia
10 mari temptationis opponeret, ilico eisdem ostiis quasi robur
uectis adiunxit, dicens : « *Super omnia autem haec caritatem
habentes, quod est uinculum perfectionis*[a] ». Perfectionis enim
uinculum caritas dicitur, quia omne bonum quod agitur
nimirum per illam ne pereat ligatur. A temptatore namque
15 citius quodlibet opus euellitur, si solutum a uinculo caritatis
inuenitur ; si autem mens Dei ac proximi dilectione constringitur, cum temptationum motus quaelibet ei iniusta
suggesserint, obicem se illis ipsa dilectio opponit, et prauae
suasionis undam uirtutum ostiis ac uecte intimi amoris fran-
20 git. Quia ergo Dominus per inspiratae caritatis fortitudinem
nascentia in corde uitia reprimit, insurgentis maris impetum
per obserata claustra compescit. Ira fortasse in occulto exas-
perat, sed ne quies superna perdatur, perturbationi mentis
officium linguae subtrahitur, ne usque ad uocem exeat, quod
25 in sinu cordis tumultuosum sonat. Luxuria in occultis cogitationibus accendit, sed ne supernam munditiam mens
amittat, conceptae immunditiae ea quae famulari poterant
membra castigat, ne usque ad corruptionem exhalet corporis
fetor cordis. Auaritia stimulat, sed ne caelesti regno mens
30 careat, intra claustra se parsimoniae contenta propriis ligat,

46. a. Col 3, 14

1. Même interprétation de Col 3, 14 dans *Reg. Ep.* 5, 58. Autre utilisation
dans *Reg. Ep.* 8, 31.
2. Grégoire pense sans doute à Rm 5, 5 : « La charité est répandue dans
nos cœurs par l'Esprit saint. »
3. Écho probable de 1 Co 9, 27. Des quatre vices énumérés ici (colère,
luxure, avarice, orgueil), trois tentent successivement, en ordre inverse, le
jeune Benoît : orgueil (*Dial.* II, 1, 3), luxure (II, 2, 1-3) et colère (ou haine),
celle-ci à deux reprises (II, 3, 4 et 8, 2-4). Voir notre Introduction aux *Dia-*

en furie met en pièces ces portes que sont les vertus agissantes, si la charité ne s'y oppose de l'intérieur comme une barre qui les maintient serrées. Tout le bien des vertus est aisément détruit par les tentations quand elles envahissent le cœur, si une charité solide ne le renforce au-dedans. Aussi quand, dans sa prédication, Paul opposa les portes des vertus à la mer des tentations, il consolida aussitôt ces portes en leur ajoutant un verrou[1] : « *Par-dessus tout, ayez la charité, qui est le lien de la perfection*[a] ». La charité est le lien de la perfection, parce que c'est elle qui lie tout le bien qu'on fait, pour qu'il ne se perde pas. Le tentateur arrache aussitôt toute œuvre bonne de notre âme, si elle n'est pas attachée par le lien de la charité. Mais si l'amour de Dieu et du prochain enserre étroitement l'âme, il se dresse lui-même comme une barrière face au mouvement des tentations et au mal qu'elles suggèrent ; les flots de leurs mauvais conseils se brisent sur les portes des vertus et le verrou de l'amour intérieur. Parce que le Seigneur, par la force de la charité qu'il nous inspire[2], réprime les vices qui naissent dans notre cœur, il contient les assauts de la mer démontée avec ses digues bien verrouillées. Ainsi en est-il de la colère : elle bouillonne peut-être dans le secret ; mais pour que ne se perde pas la paix céleste, la langue refuse son concours à la perturbation de l'esprit, afin de ne pas exprimer ce qui fait grand tapage au fond du cœur. De même pour la luxure : ses feux couvent dans les pensées, mais pour que l'âme ne perde pas la pureté céleste, les membres susceptibles de se mettre au service de l'impureté se voient châtiés[3], afin que l'infection du cœur ne devienne aussi corruption du corps. L'avarice aiguillonne notre esprit, mais, craignant de perdre le royaume céleste, celui-ci s'impose les limites de la modicité et se contente du peu qu'il

logues (SC 251, p. 100-103). – A propos du dernier vice (orgueil), noter l'allusion à Gn 3, 19 d'après la Vulgate (*puluis*) : sur cette leçon exceptionnelle, voir p. 206, n. 3.

ne in prauo se opere dilatet, et usque ad exteriores actus
internae concupiscentiae aestus exsudet. Superbia inflat, sed
ne ueram celsitudinem amittat, considerando quisque quia
puluis est ab altitudine se conceptae elationis humiliat[b], cer-
35 tans nimirum ne quod in suggestione cogitationis tolerat in
exercitationem operis erumpat. Bene ergo dicitur : « *Posui
uectem et ostia, et dixi : 'Hucusque uenies, et non procedes amplius,
et hic confringes tumentes fluctus tuos'* », quia dum electus quisque et temptatur uitiis, et tamen facere male suggesta
40 renititur, quasi mare clausum tenetur. Quod etsi intus tumul-
tuosis cogitationum fluctibus mentem percutit, statuta
tamen bene uiuendi litora non excedit. Quod mare quidem in
tumore se erigit, sed dum fixa deliberatione cordis illiditur,
fractum redit.

45   Beatus igitur Iob ne sibi tribuat quod contra procellas cor-
38, 8 dis fortiter stat, uoce diuina audiat : « **Quis conclusit ostiis
mare, quando erumpebat, quasi de uulua procedens ?** », et
cetera. Ac si ei aperte diceretur : incassum te exterius in
bonis operibus pensas, si non me interius, qui in te tempta-
50 tionis undas compesco, consideras. Vt enim tu fluctus ferre
possis in opere, meae uirtutis est, qui fluctus frango temptationis in corde.

46. b. cf. Gn 3, 19

a ; il évite ainsi de se laisser entraîner à de mauvaises actions et de laisser transpirer dans des actes extérieurs le feu de ses désirs secrets. Sommes-nous enflés d'orgueil ? De crainte de perdre la vraie grandeur, notre esprit descend des hauteurs de ses pensées présomptueuses en considérant qu'il n'est que poussière[b], il lutte pour que les suggestions des pensées qu'il subit ne s'extériorisent pas dans des actes. Il est donc dit très justement : « *J'y ai mis un verrou et des portes, et je lui ai dit : 'Tu viendras jusqu'ici et tu n'iras pas plus loin ; ici se brisera l'orgueil de tes flots'* », parce que lorsqu'un élu est tenté par les vices et résiste au mal qu'ils lui suggèrent, il est comme la mer maintenue dans ses limites. Même si les flots tumultueux des pensées viennent battre intérieurement son esprit, il n'outrepasse pas cependant les bornes imposées à qui veut vivre honnêtement. La mer peut se dresser, menaçante, mais si elle se heurte à un cœur résolu, elle retombe brisée.

En conclusion : pour que le bienheureux Job ne s'attribue pas à lui-même la force de résister aux tempêtes du cœur, la voix de Dieu se fait entendre : « **Qui a entouré la mer de portes, quand elle sortait comme en bondissant du sein maternel** », etc. Autrement dit : tu te flattes en vain de tes bonnes œuvres au-dehors, si tu ne considères pas que c'est moi qui, à l'intérieur, réprime en toi les flots de la tentation ; car pour que tu puisses en soutenir le choc en ton agir, ma puissance doit briser, en ton cœur, l'assaut des tentations.

38, 8

LIBER VIGESIMVS NONVS

I, 1. Dominus Deus noster Iesus Christus in eo quod uirtus et sapientia Dei est[a], de Patre ante tempora natus est ; uel potius quia nec coepit nasci, nec desiit, dicamus uerius semper natus. Non autem possumus dicere semper nascitur,
5 ne imperfectus uideatur. At uero ut aeternus designari ualeat et perfectus semper dicamus et natus, quatenus et natus ad perfectionem pertineat, et semper ad aeternitatem, ut quocumque modo illa essentia sine tempore temporali ualeat designari sermone ; quamuis hoc ipsum quod perfectum
10 dicimus, multum ab illius ueritatis expressione deuiamus, quia quod factum non est non potest dici perfectum. Et tamen infirmitatis nostrae uerbis Dominus condescendens, ait : « *Estote perfecti, sicut et Pater uester caelestis perfectus est*[b] ».

In illa itaque natiuitate diuina ab humano genere cognosci
15 non poterat ; proinde in humanitatem uenit ut uideretur, uideri uoluit ut imitaretur. Quae carnis natiuitas despecta uisa est sapientibus mundi ; contempserunt namque infirma

---

1. a. cf. 1 Co 1, 24   b. Mt 5, 48

---

1. Comme « médiateur de Dieu et des hommes » (1 Tm 2, 5 ; voir p. 83, n. 3), encore qu'à un moindre degré, « puissance et sagesse de Dieu » (1 Co 1, 24) est une désignation fréquente du Christ chez Grégoire.

LIVRE 29

I, **1.** Notre Dieu et Seigneur Jésus-Christ[1], en tant que puissance et sagesse de Dieu[a], est né du Père avant tous les temps, ou plutôt, comme sa naissance n'a ni commencement ni fin, nous dirions plus justement qu'il est toujours né. Car nous ne pouvons pas dire qu'il naît sans cesse, cela semblerait lui attribuer une imperfection. Pour dire qu'il est à la fois éternel et parfait, employons donc deux mots : « toujours » et « né », le fait d'être né étant une perfection et le terme « toujours » marquant l'éternité. De la sorte nous exprimerons de quelque manière, avec notre langage temporel, cette essence qui ignore le temps ; encore que ce mot de « parfait » lui-même soit loin d'être exact, puisque ce qui n'a pas été fait ne peut être dit parfait. Et cependant, s'adaptant à notre faiblesse, le Seigneur dit[2] : « *Soyez parfaits comme votre Père céleste est parfait*[b] ».

Folie de l'Incarnation Les hommes ne pouvaient connaître la naissance divine du Verbe ; aussi est-il venu en notre humanité pour qu'on le vît, et a-t-il voulu se faire voir pour qu'on pût l'imiter[3]. Sa naissance en la chair a paru abjecte aux sages de ce monde ; ils ont méprisé

---

2. Chose curieuse, cette parole centrale du Sermon sur la montagne n'est pas citée ailleurs par Grégoire.

3. *Imitaretur* : déponent pris au sens passif.

humanitatis eius, Deo haec indigna iudicantes. Cui tanto
magis homo debitor fuit, quanto pro illo Deus etiam indigna
20 suscepit. « *Quia enim non cognouit mundus per sapientiam
Deum, placuit Deo per stultitiam praedicationis saluos facere
credentes*[c] ». Ac si diceret : cum deum, qui est sapientia,
nequaquam per sapientiam suam mundus inueniret, placuit
ut Deum hominem factum per humanitatis stulta cognosce-
25 ret, quatenus eius sapientia ad nostra stulta descenderet ; et
lucem supernae prudentiae luto suae carnis illuminata nostra
caecitas uideret[d]. Natus igitur ex Patre sine tempore, ex
matre nasci est dignatus in tempore, ut per hoc quod ortum
suum inter initium finemque concluderet, humanae mentis
30 oculis ortum, qui nec initio sumitur, nec fine angustatur,
aperiret.

38, 12 II, **2.** Vnde bene nunc ad beatum Iob dicitur : « **Numquid
post ortum tuum praecepisti diluculo, et ostendisti aurorae
locum suum ?** » Subaudis ut ego. Ortus quippe diuinitatis
eius ante et post non habet. Cui dum semper esse est per
5 aeternitatem, dum omne quod labitur circumscribit, intra
semetipsum temporum discursus claudit. Ortus uero humanitatis eius, quia et coepit, et desiit, et ante et post habere a
tempore accepit. Sed quia, dum ipse umbras nostrae tempo-
ralitatis suscepit, lumen nobis suae aeternitatis infudit, recte
10 per hunc ortum quem creator sibi in tempore condidit locum
suum sine tempore aurora cognouit.

Quia enim diluculum uel aurora a tenebris in lucem uertitur, non immerito diluculi uel aurorae nomine omnis electorum

---

1. c. 1 Co 1, 21   d. cf. Jn 9, 6-7

---

1. Ce mot de Paul n'est cité que dans *Mor.* 14, 54, où Grégoire se conforme
à la Vulgate (*Quia in Dei sapientia*...).

2. Le miracle de l'aveugle-né reçoit une interprétation différente, plus
morale que christologique, dans *Mor.* 8, 49, où il s'agit avant tout de la
« salive ».

la faiblesse de son humanité, la considérant comme indigne de Dieu. Pourtant, la dette de l'homme envers Dieu est d'autant plus grande que, pour l'homme, Dieu a pris sur lui des choses indignes de sa grandeur[1] : « *Car, puisque le monde n'a pas connu Dieu par le moyen de la sagesse, c'est par la folie de la prédication que Dieu a jugé bon de sauver les croyants*[c] ». Autrement dit : puisque le monde, par sa sagesse, n'a pas trouvé Dieu qui est sagesse, Dieu a jugé bon qu'il parvînt à la connaissance du Dieu fait homme par la folie de cette humanité ; il a voulu que sa sagesse s'abaissât jusqu'à notre folie, et que nos yeux aveugles, illuminés par la boue de sa chair[2], vissent la lumière de sa prudence céleste[d]. Né donc du Père en dehors du temps, il a daigné naître d'une mère dans le temps ; par cette naissance située entre un commencement et une fin, il voulait ouvrir les yeux des hommes à une naissance qui n'a ni commencement ni fin.

L'aube entre nuit et jour   II, **2.** Aussi Dieu dit maintenant très justement au bienheureux Job : « **Après ta naissance, as-tu donné des ordres à l'aube ? As-tu montré sa place à l'aurore ?** » Il faut sous-entendre : « ainsi que je l'ai fait ». Car la naissance du Verbe en Dieu n'a ni avant ni après : possédant toujours l'être de par son éternité, contenant tout ce qui s'écoule, il enferme en lui-même les successions des temps. Mais comme la naissance de son humanité a un commencement et une fin, elle tient aussi du temps un avant et un après. En revêtant les ombres de notre condition temporelle, il a répandu sur nous la lumière de son éternité ; il est donc dit fort justement qu'après cette naissance que le Créateur s'est donnée dans le temps, l'aurore qui était hors du temps a trouvé sa place.

38, 12

L'aube ou l'aurore bascule des ténèbres dans la lumière ; ce n'est donc pas sans raison que ces noms d'aube ou d'aurore

Ecclesia designatur. Ipsa namque dum ab infidelitatis nocte
15 ad lucem fidei ducitur, uelut aurorae more in diem post tenebras splendore supernae claritatis aperitur. Vnde et bene in
Canticis canticorum dicitur : « *Quae est ista quae progreditur
quasi aurora consurgens*ᵃ*?* » Sancta enim Ecclesia caelestis
uitae praemia appetens, aurora uocata est, quia dum peccato-
20 rum tenebras deserit, iustitiae luce fulgescit.

3. Habemus tamen subtilius aliquid quod considerata qua-
litate diluculi uel aurorae pensemus. Aurora namque uel
diluculum noctem quidem praeterisse nuntiant, nec tamen
diei claritatem integram ostentant, sed dum illam pellunt,
5 hanc suscipiunt, lucem tenebris permixtam tenent. Quid itaque in hac uita omnes qui ueritatem sequimur, nisi aurora
uel diluculum sumus ? Quia et quaedam iam quae lucis sunt
agimus, et tamen in quibusdam adhuc tenebrarum reliquiis
non caremus. Per prophetam quippe Deo dicitur : « *Non iusti-*
10 *ficabitur in conspectu tuo omnis uiuens*ᵇ ». Rursumque scriptum
est : « *In multis offendimus omnes*ᶜ ». Paulus quoque ait :
« *Video aliam legem in membris meis repugnantem legi mentis
meae, et captiuum me ducentem in lege peccati, quae est in membris
meis*ᵈ ». Vbi ergo lex peccati cum lege mentis intendit, pro-
15 fecto adhuc aurora est, quia lux quae iam emicuit, necdum
praetereuntes tenebras funditus pressit. Adhuc aurora est,
quia dum lex carnis legem mentis, et lex mentis legem carnis

2. a. Ct 6, 9
3. b. Ps 142, 2   c. Jc 3, 2   d. Rm 7, 23

1. Déjà cité trois fois (*Mor.* 4, 49 ; 16, 77 ; 18, 46), toujours à propos de
l'Église ; à celle-ci s'ajoute cependant, la seconde fois, l'âme du juste, selon
une exégèse morale dont on trouve ici l'analogue au paragraphe suivant.
2. Même analyse de l'aurore dans *Dial.* IV, 43, 2, où elle représente le
temps présent, dans lequel la fin de la nuit de ce monde s'accompagne des
premières lueurs du siècle futur.

désignent toute l'Église des élus. En effet, quand elle est passée de la nuit de l'incroyance à la lumière de la foi, elle fait
comme l'aurore : après les ténèbres, elle débouche sur le
jour, y recevant la splendeur de la clarté d'en haut. Aussi le
Cantique des Cantiques dit-il fort bien[1] : « *Quelle est celle-ci
qui surgit comme l'aurore naissante*[a] *?* » La sainte Église, qui
désire les récompenses éternelles de la vie céleste, est appelée aurore, parce que, délaissant les ténèbres du péché, elle
resplendit de la lumière de la justice.

**L'homme entre
chair et esprit**

3. Mais nous avons des considérations
plus précises à ajouter sur les particulari-
tés de l'aube ou de l'aurore. L'aurore
comme l'aube annonce que la nuit est finie, mais elle ne fait
pas encore paraître le jour dans tout l'éclat de sa lumière ;
chassant la nuit et accueillant le jour, elle n'est qu'une clarté
mêlée d'obscurité[2]. Nous tous qui en cette vie suivons la
vérité, ne sommes-nous pas aurore ou aube ? Déjà en effet
nous agissons selon la lumière, et cependant, des restes de
ténèbres marquent encore notre conduite. C'est pourquoi, le
prophète dit à Dieu[3] : « *Aucun vivant n'est justifié devant toi*[b] ».
Il est encore écrit : « *Nous péchons tous beaucoup*[c] ». Paul aussi
affirme[4] : « *Je vois dans mes membres une autre loi qui combat
contre la loi de mon esprit et me fait prisonnier de la loi du péché
qui est dans mes membres*[d] ». Quand la loi du péché lutte contre
la loi de l'esprit, c'est encore assurément l'aurore, parce que
la lumière qui point déjà n'a pas encore chassé complètement les ténèbres finissantes. C'est encore l'aurore, parce
que la loi de la chair lutte contre la loi de l'esprit et que la loi

3. Ces deux premières citations (Ps 142, 2 et Jc 3, 2) sont jumelées comme
ici dans *Mor.* 18, 71 (ordre inverse) et 24, 33 ; *Hom. Eu.* 39, 8, où Grégoire
leur associe chaque fois Jn 1, 8. Voir aussi p. 237, n. 3.
4. Verset favori de Grégoire : quelque 25 citations ou allusions.

percutit, inter se uicissim lux et umbra confligit. Vnde rursum Paulus cum diceret : « *Nox praecessit* », nequaquam
20 subdidit : Dies uenit ; sed : « *Dies autem appropinquauit*[e] ». Qui
enim post discessum noctis non iam uenisse sed appropin-
quasse diem insinuat, esse se procul dubio ante solem post
tenebras adhuc in aurora demonstrat.

4. Tunc autem plene sancta electorum Ecclesia dies erit,
cum ei admixta peccati umbra iam non erit. Tunc plene dies
erit, quando interni luminis perfecto feruore claruerit. Tunc
plene dies erit, quando nullam malorum suorum temptantem
5 memoriam tolerans, omnes a se tenebrarum etiam reliquias
abscondet. Vnde et bene haec aurora quasi adhuc in transitu
demonstratur, cum dicitur : « *Et ostendisti aurorae locum
suum* ». Cui enim locus suus ostenditur, profecto ex alio ad
aliud uocatur. Quid est enim locus aurorae, nisi perfecta cla-
10 ritas uisionis internae ? Ad quem cum perducta uenerit, iam
de transactae noctis tenebris nihil habebit.

Nunc autem adhuc temptationum molestias sustinens,
quia per intentionem cordis ad aliud festinat Ecclesia, ad
locum suum tendit aurora. Quem locum si mente non cerne-
15 ret, in huius uitae nocte remaneret. Sed dum cotidie
contendit perfici, et in lucem cotidie augeri, locum suum iam
conspicit ; et plene sibi clarescere solem quaerit. Locum
suum aurora considerat, quando sancta anima ad contemplandam conditoris sui speciem flagrat. Ad locum suum per-

---

3. e. Rm 13, 12

---

1. Cité en *Mor.* 8, 48 ; 18, 46 ; 30, 9.

2. De l'Église on passe à l'âme (sens moral). Aux mots *ad contemplandam
conditoris sui speciem* fait écho la collecte romaine de l'Épiphanie. Voir
H. ASHWORTH, « The Liturgical Prayers of St. Gregory the Great », dans *Tra-
ditio* 15 (1959), p. 107-161, spécialement p. 124, qui ne cite pas *Mor.* 29, 4,
mais plusieurs parallèles, en particulier *Mor.* 10, 13 (*quatenus usque ad contemplandam speciem quandoque mens inueniat*) et 16, 24 (*ad contemplandam eius*

de l'esprit lutte contre la loi de la chair, la lumière et l'ombre se livrent bataille. Aussi quand Paul dit[1] : « *La nuit est avancée* », il n'ajoute pas : « Le jour est arrivé », mais : « *Le jour est proche*[e] ». En notant qu'après la fin de la nuit, le jour n'est pas encore arrivé mais qu'il est proche, Paul indique sans aucun doute qu'il se trouve à l'aurore, avant l'arrivée du soleil et après le départ des ténèbres.

L'Église entre ici-bas et au-delà　　**4.** La sainte Église des élus sera pleinement jour quand aucune ombre de péché ne s'y trouvera plus mêlée. Elle sera pleinement jour quand elle brillera de la parfaite ferveur de la lumière intérieure. Elle sera pleinement jour quand, n'ayant plus à subir le souvenir tentateur de ses méfaits, elle refoulera loin d'elle tous les restes des ténèbres. Cette aurore ne fait donc jusque-là que passer, comme le montre notre texte quand il dit : « *As-tu montré sa place à l'aurore ?* » Montrer sa place à quelqu'un, c'est l'appeler d'un lieu à un autre. Quelle est la place de l'aurore, si ce n'est la parfaite clarté de la vision intérieure ? Quand l'Église y sera parvenue, plus rien alors ne subsistera en elle des ténèbres de la nuit passée.

Dès à présent, non sans avoir à supporter encore le tracas des tentations, l'Église se hâte vers un ailleurs par l'intention du cœur : elle est comme l'aurore qui va rejoindre sa place. Elle resterait dans la nuit de cette vie, si elle ne voyait pas cette place en esprit. En tendant chaque jour vers la perfection et en travaillant à croître chaque jour dans la lumière, elle voit déjà sa place et elle cherche à être pleinement illuminée par le soleil. L'aurore contemple sa place, quand l'âme sainte brûle de voir son Créateur face à face[2]. L'aurore cher-

---

speciem deficiendo suspirat). Le mot du Psalmiste cité ensuite revient dans *Mor.* 8, 13 et 18, 48 (*parebo*) ; 26, 70 ; *Hom. Eu.* 25, 2 ; *Hom. Ez.* I, 8, 27 (*parebo*) et II, 7, 10, toujours selon le Psautier Romain, avec omission de *fontem* (Vulg.) devant *uiuum*.

20 tingere aurora satagebat, cum Dauid diceret : « *Sitiuit anima
mea ad Deum uiuum, quando ueniam et apparebo ante faciem
Dei[f] ?* » Locum suum ueritas aurorae monstrabat, cum per
Salomonem diceret : « *Quid habet amplius sapiens ab stulto ; et
quid pauper, nisi ut pergat illuc ubi est uita[g] ?* » Quem profecto
25 locum etiam praecedentibus incarnationem suam patribus
post ortum suum Dominus ostendit, quia nisi per prophetiae
spiritum, incarnandum supernae patriae regem cognos-
cerent, bona eiusdem patriae quam essent desiderabilia non
uiderent. Locum suum ueritas aurorae patefecit, cum Patrem
30 coram discipulis petiit, dicens : « *Pater, quos dedisti mihi, uolo
ut ubi ego sum et illi sint mecum[h]* ». Locum suum aurorae
monstrauit, cum diceret : « *Vbicumque fuerit corpus, illic
congregabuntur et aquilae[i]* ». Ad hunc locum quem cognouerat
peruenire aurora festinabat, cum Paulus desiderium habere
35 se diceret dissolui, et cum Christo esse[j]. Et rursum : « *Mihi
uiuere Christus est, et mori lucrum[k]* ». Et rursum : « *Scimus
quoniam si terrestris domus nostra huius habitationis dissoluatur,
quod aedificationem ex Deo habemus, domum non manufactam,
aeternam in caelis[l]* ». Bene autem post ortum suum locum
40 proprium aurorae ostendisse se perhibet, quia futurae
retributionis beatitudinem, priusquam per corpus ipse
innotesceret, in paucorum intellectu continuit. Cum uero
humanae natiuitatis infirma suscepit, uenturae claritatis
notitiam in multitudinis innumerae amore dilatauit.
45   Sed cum diuini operis mysterium sic misericordia peragat,
ut tamen et ira comitetur, quatenus occultus arbiter alios res-

---

4. f. Ps 41, 3   g. Qo 6, 8   h. Jn 17, 24   i. Mt 24, 28 ; Lc 17, 37
j. cf. Ph 1, 23   k. Ph 1, 21   l. 2 Co 5, 1

---

1. Ne revient que dans *Dial.* IV, 7 (corriger la note de *SC* 265, p. 31), au
sein d'une ample discussion sur l'*Ecclésiaste*.

2. Cité seulement dans *Mor.* 27, 30. La citation qui suit (Mt 24, 28) reparaît
à propos des défunts en *Mor.* 27, 29, et plus précisément des âmes des
défunts en *Mor.* 31, 105 ; *Dial.* IV, 26, 1.

chait à rejoindre sa place quand David disait : « *Mon âme a soif du Dieu vivant. Quand viendrai-je et paraîtrai-je devant la face de Dieu[f] ?* ». La Vérité montrait sa place à l'aurore quand Salomon disait[1] : « *Le sage, qu'a-t-il de plus que le sot ? Et le pauvre, qu'a-t-il de plus, si ce n'est qu'il va là où se trouve la vie[g] ?* » Ce lieu, le Seigneur l'a montré également après sa naissance aux Pères qui vécurent avant son incarnation : si l'esprit de prophétie ne leur eût révélé que devait s'incarner le roi de la patrie céleste, ils n'auraient pas vu combien étaient désirables les biens de cette patrie. La Vérité a montré à l'aurore sa place quand, en présence de ses disciples, il pria ainsi son Père[2] : « *Père, ceux que tu m'as donnés, je veux que là où je suis, ils soient eux aussi avec moi[h]* ». Il a montré à l'aurore sa place quand il a dit : « *Là où se trouve le corps, se rassembleront les aigles[i]* ». L'aurore se hâtait vers ce lieu qu'elle connaissait, quand Paul disait[3] qu'il désirait mourir et être avec le Christ[j] ; et encore : « *Pour moi, vivre c'est le Christ et mourir m'est un gain[k]* ». Et encore : « *Nous savons que, si notre demeure terrestre où nous habitons ici-bas est détruite, nous avons une maison qui est l'œuvre de Dieu, une demeure éternelle qui n'est pas faite de main d'homme et qui est dans les cieux[l]* ». Notre texte le dit donc avec raison, c'est après sa naissance que le Seigneur a montré à l'aurore sa place propre, parce qu'avant qu'il ne se fasse connaître en la chair, il avait laissé peu d'hommes comprendre la béatitude de la récompense à venir. Mais quand, dans sa naissance humaine, il eut pris sur lui notre faiblesse, il répandit par l'amour en d'innombrables multitudes la connaissance de la gloire à venir.

Mais si le mystère de l'œuvre divine s'accomplit avec miséricorde, il est aussi accompagné de colère : celui qui juge les

---

3. Souvent invoquées par Grégoire, ces deux phrases voisines de l'Épître aux Philippiens figurent ensemble dans *Mor.* 8, 44 ; 18, 48 ; 31, 70 ; *Hom. Ez.* II, 3, 10 ; *Dial.* II, 3, 11. Comme ici, la seconde est suivie de 2 Co 5, 1 dans *Dial.* IV, 26, 2, où Mt 24, 28 vient d'être cité (p. 182, n. 2).

piciens redimat, alios deserens perdat, quia cognouimus quomodo per incarnationem suam electos illuminet, audiamus
nunc quomodo reprobos damnet.

38, 13   III, 5. Sequitur : « **Numquid tenuisti concutiens extrema
terrae, et excussisti impios ex ea ?** » Extrema terrae Dominus
tenuit, quia in fine saeculorum ad destitutam iam et alienige-
nis regibus subditam synagogam uenit ; atque ex illa impios
5 excussit, quia spiritalia fidei praedicamenta renuentes, etiam
a carnalis sacrificii gloria reppulit. Vel certe extrema terrae
tenuit, quia ex Iudaea paucos abiectos et humiles elegit.
Extrema terrae tenuit, quia legis doctores deserens, piscato-
10 res sumpsit[a]. Dumque eius extrema tenet, ex ea impios
excutit, quia dum infirmos fideles roborat, fortes in illa infideles damnat.

Recte uero etiam *concutiens* addidit, quia per aduentum
15 suum immensa formidine etiam reproborum corda com-
mouit. Concussi quippe fuerant qui dicebant : « *Nihil
proficimus, ecce totus mundus post eum uadit*[b] ». Res autem quae
concutitur huc illucque ducta fatigatur. Concussa ergo
20 Iudaea fuerat, quae de Christo per alios dicebat : « *Quia bonus
est* ». Et per alios resistebat, dicens : « *Non, sed seducit
turbas*[c] ». Per alios dicebat : « *Nisi esset hic a Deo, non poterat
facere quicquam*[d] ». Atque ad extremum per alios clamabat :
« *Si non esset hic malefactor, non tibi tradidissemus eum*[e] ». Con-

---

5. a. cf. Mt 4, 18 s. ; Mc 1, 16-18 ; Lc 5, 3-6   b. Jn 12, 19   c. Jn 7, 12
d. Jn 9, 33   e. Jn 18, 30

---

1. Ici, le regard de Dieu « rachète ». Plus loin (29, 30), il « détruit le péché »
(voir p. 226, n. 1).

2. Les « pêcheurs » de l'Évangile sont opposés ici aux « docteurs » juifs,
comme ils l'étaient traditionnellement aux « sophistes » (TERTULLIEN, *De
anima* 3, 3) ou aux « orateurs » païens (SULPICE SÉVÈRE, *V. Mart.*, *Ded.* 4).

3. Comme d'ordinaire (*Mor.* 18, 51 et 27, 52), le verbe final est *uadit*, celui
de la Vulgate (*abiit*) n'apparaissant qu'en *Mor.* 6, 32.

cœurs en secret rachète les uns par le regard qu'il pose sur eux[1] et perd les autres en les abandonnant. Nous savons déjà comment il illumine les élus par son incarnation ; écoutons maintenant comment il condamne les réprouvés.

Le Christ entre croyants et incroyants III, **5.** Le texte poursuit : « **As-tu** 38, 13 **tenu en main les extrémités de la terre pour la secouer ? En as-tu chasser les impies ?** » Le Seigneur a tenu en main les extrémités de la terre, parce qu'à la fin des siècles il est venu vers la synagogue désormais déchue et soumise à des rois étrangers. Il en a chassé les impies, parce que ceux qui ont refusé la doctrine spirituelle de la foi se sont vus privés de la gloire même des sacrifices charnels. Ou bien il a tenu en main les extrémités de la terre, parce qu'il a choisi parmi les Juifs un petit nombre d'hommes humbles et pauvres. Il a tenu en main les extrémités de la terre, parce qu'il a délaissé les docteurs de la Loi et qu'il a choisi des pêcheurs[a][2]. Tenant en main les extrémités de la terre, il en chasse les impies, parce que, tout en fortifiant les fidèles qui sont faibles, il condamne ceux qui sont forts mais infidèles.

Le texte ajoute très justement qu'il *secoue* la terre, parce que, par sa venue, il a aussi agité d'une immense crainte le cœur des réprouvés. Ils étaient bien secoués, en effet, ceux qui disaient[3] : « *Nous n'arrivons à rien ; voilà que tout le monde se met à sa suite[b]* ». Secouer quelque chose, c'est l'agiter dans un sens puis dans un autre. La Judée était secouée de la sorte quand les uns disaient du Christ[4] : « *C'est un homme de bien* », tandis que les autres soutenaient au contraire : « *Non, il séduit les foules[c]* ». Les uns disaient[5] : « *Si cet homme n'était pas de Dieu, il ne pourrait rien faire[d]* » ; les autres, pour finir, criaient : « *Si ce n'était pas un malfaiteur, nous ne te l'aurions pas livré[e]* ».

---

4. Cité en *Mor.* 2, 56, et plus brièvement en *Mor.* 14, 54.
5. Citation unique, ainsi que la suivante.

25 cussi quidem, sed non prostrati sunt reprobi, cum modo
miracula obstupescentes cernerent, modo infirmitatis oppro-
bria despicientes irriderent. An non concussi fuerant, qui
dicebant : « *Quousque animam nostram tollis ? Si tu es Christus,
indica nobis palam*[f] ».

30   Vel certe extrema terrae concussit et tenuit, quia cum
infirma corda humilium pio timore terruit, nequaquam ea
iudicio districto dereliquit. Inde enim multitudo credentium[g]
in Deum robustius stetit, unde in se humiliata trepidauit.

Nam quia eum Deus quem concutit tenet, insinuat per pro-
35 phetam, dicens : « *Super quem requiescit spiritus meus, nisi
super humilem et quietum, et trementem sermones meos*[h] ? » Quia
eum quem concutit tenet, Salomone attestante nos instruit
qui ait : « *Beatus uir qui semper est pauidus ; qui autem mentis est
durae, corruet in malum*[i] ». Igitur quia extrema Iudaeae Domi-
40 nus in apostolis tenuit, atque ex illa scribas et pharisaeos ac
pontifices impietatis suae merito exigente reprobauit, quid
adhuc de eorum damnatione subdatur audiamus.

38, 14   IV, **6.** Sequitur : « **Restituetur ut lutum signaculum et stabit sicut uestimentum** ». Quid aliud Dominus plebem israeli-
ticam nisi lutum repperit, quam obsequiis gentilium deditam
in Aegypto seruientem lateribus inuenit[a] ? Quam dum tot
5 miraculis ad terram repromissionis duxit, dum perductam
cognitionis suae scientia impleuit, dum tot arcana secretorum ei per prophetiam contulit ; quid eam aliud quam
seruandi mysterii signaculum fecit ? Ipsa quippe diuina pro-

---

5. f. Jn 10, 24   g. cf. Ac 4, 32   h. Is 66, 2   i. Pr 28, 14
6. a. cf. Ex. 1, 13-14 ; 5, 6-9

---

1. Cité de même en *Mor.* 6, 34.

2. Même début d'Is 66, 2 (*Super quem requiescit spiritus meus...*) dans
Mor. 5, 78 et 18, 68 ; *Hom. Ez.* II, 2, 8 ; *Reg. Ep.* 5, 44 (*MGH* p. 42, 28), tandis
que la version des Septante et de la Vulgate (*Ad quem respiciam...*) apparaissait dans *Mor.* 3, 34 et *Past.* III, 17.

Les réprouvés ont donc été secoués mais non terrassés, puisque d'un côté ils étaient stupéfaits à la vue de ses miracles, mais de l'autre ils se moquaient avec mépris des outrages que subissait sa faiblesse. N'étaient-ils pas secoués, ceux qui disaient[1] : « *Jusques à quand tiendras-tu notre âme en suspens ? Si tu es le Christ, dis-le nous clairement*[f] » ?

Il a secoué et tenu en main les extrémités de la terre, cela peut vouloir dire encore que, lorsqu'il inspira une crainte salutaire dans le faible cœur des humbles, il ne les abandonna pas à un jugement sévère. En effet, la multitude des croyants[g] se tint d'autant plus ferme dans sa foi en Dieu qu'elle avait su trembler dans son humiliation.

Que Dieu tienne en main celui qu'il secoue, le prophète le suggère quand il dit[2] : « *Sur qui reposera mon Esprit, si ce n'est sur l'homme humble et paisible qui tremble à mes paroles*[h] ? ». Qu'il tienne en main celui qu'il secoue, Salomon aussi l'atteste[3] : « *Heureux l'homme qui vit toujours dans la crainte ; qui a l'esprit dur tombera dans le mal*[i] ». En la personne de ses apôtres, le Seigneur a donc tenu en main les extrémités de la Judée, mais il en a rejeté scribes, pharisiens et grands-prêtres en punition de leur impiété. Écoutons ce qui suit au sujet de leur condamnation :

Le malheur des Juifs   IV, **6.** « **Le sceau redeviendra comme de l'argile et l'argile se tiendra raide comme un vêtement** ». Quand le Seigneur trouva le peuple   38, 14

d'Israël, qu'était-il sinon de l'argile ? Il l'a trouvé en Égypte, au service des païens, astreint aux corvées de briques[a]. Lorsqu'il le conduisit vers la Terre promise, à grand renfort de miracles, et qu'il se fit ensuite pleinement connaître de lui, lui révélant par ses prophètes tant de secrets cachés, qu'a-t-il fait de lui, sinon un sceau du mystère réservé pour l'avenir ? Car les divi-

---

3. Cité dans le même texte et le même sens en *Mor.* 20, 8, un peu autrement ailleurs (*Mor.* 16, 51 ; *Hom. Eu.* 39, 3 ; *Reg. Ep.* 7, 22).

phetia clausum continuit quicquid de se Veritas in fine reue-
10 lauit. Sed dum post tot diuina secreta, post tot percepta
miracula in Redemptoris sui aduentu, plus terram quam ueritatem dilexit, per sacerdotes dicens : « *Si dimittimus eum sic,*
omnes credent in eum ; et uenient Romani et tollent nostrum locum
et gentem[b] » ; quasi ad eos quos in Aegypto reliquerat lateres
15 rediit ; et quae facta iam Dei signaculum fuerat, ad hoc se iterum quod deseruerat inflexit ; lutumque se post signaculum
in oculis ueritatis exhibuit, cum per impietatis malitiam
accepti uerbi mysteria perdidit, et sola terrena sapere quae
inquinant elegit.

7. Vbi apte subiungitur : « *Et stabit sicut uestimentum* ».
Impolita namque et grossiora uestimenta etiam cum induta
fuerint, quia induentis membris bene applicata non inhae-
rent, stare referuntur. Iudaea igitur circa ueritatis notitiam
5 etiam cum seruire uideretur, sicut uestimentum stetit ; quia
per exteriora mandata seruire se Domino ostendit, sed
adhaerere ei per caritatis intellegentiam noluit. Dum solam
in praeceptis Dei litteram tenuit, et nequaquam se per spiritum sensibus intimis iunxit, quasi ei qui se induerat non
10 adhaesit.

38, 15   V, **8.** Vbi et apte subditur : « **Auferetur ab impiis lux sua** ».
Quia dum credere ueritati renuunt, cognitionem legis in per-
petuum amittunt ; et dum de accepta lege superbiunt,
nimirum de scientiae suae gloria caecantur. Scriptum quippe
est : « *Obscurentur oculi eorum, ne uideant*[a] ». Rursumque
5 scriptum est : « *Excaeca cor populi huius, et aures eius aggraua*[b] ».

---

6. b. Jn 11, 48
8. a. Ps 68, 24   b. Is 6, 10

---

1. Cité comme ici en *Mor.* 29, 52.

2. *Terrena sapere* reviendra plus loin (29, 12). Cf. *infima sapiens* (29, 20).

3. Cité plus complètement dans *Mor.* 25, 40, où Grégoire observe que ce n'est pas un souhait mais une prophétie ; *Past.* I, 1. La citation suivante (Is 6, 10)

nes prophéties tenaient caché tout ce que la Vérité a révélé d'elle-même à la fin des temps. Mais malgré la révélation de tant de secrets divins, malgré tant de miracles constatés à la venue de son Rédempteur, le peuple juif a préféré la terre à la vérité quand ses prêtres ont dit[1] : « *Si nous le laissons faire, tous croiront en lui ; les Romains viendront et détruiront notre lieu saint et notre nation*[b] ». C'était comme s'il retournait aux briques qu'il avait laissées en Égypte. Lui qui déjà était devenu sceau de Dieu, il est retourné à l'état qu'il avait quitté : aux yeux de la Vérité, il se montra argile après avoir été sceau, quand par sa funeste incrédulité il perdit le dépôt des mystères révélés et choisit de ne goûter que les réalités terrestres[2] avec leurs souillures.

7. Aussi le texte poursuit-il avec pertinence : « *Et elle se tiendra raide comme un vêtement* ». De vêtements rudes et grossiers qui ne s'adaptent pas aux membres qu'ils couvrent, on dit qu'ils sont raides. Ainsi de la nation juive pour ce qui est de la vérité et de sa connaissance : elle paraissait la servir, mais restait raide comme un vêtement, parce qu'elle n'exhibait au service du Seigneur qu'une pratique tout extérieure des commandements de Dieu, sans vouloir s'unir à lui par l'intelligence que donne l'amour. En ne gardant que la lettre des préceptes de Dieu, sans entrer en communion avec lui par l'esprit à l'intime du cœur, elle n'a pas collé au corps, pour ainsi dire, de celui qui l'avait revêtue.

V, 8. Aussi le texte poursuit-il fort bien : « **La lumière sera**   38, 15
enlevée aux impies ». Parce qu'ils refusent de croire à la Vérité, ils perdent pour toujours la connaissance de la Loi, et parce qu'ils s'enorgueillissent de la Loi qu'ils ont reçue, ils sont aveuglés par la gloire qu'ils tirent de leur savoir. Il est en effet écrit[3] : « *Que leurs yeux s'enténèbrent pour ne plus voir*[a] ». Et encore : « *Aveugle le cœur de ce peuple et bouche ses oreilles*[b] ».

est unique. Quant à Jn 9, 39, voir *Mor.* 2, 57 ; 27, 4.

Et rursum scriptum est : « *In iudicium ego in hunc mundum veni, ut qui non uident, uideant ; et qui uident, caeci fiant^c* ». Et quia semetipsos de legis operibus contra conditorem legis extulerunt, apte subditur :

38, 15   VI, **9.** « **Et brachium excelsum conteretur** ». Excelsum quippe brachium conteritur, quando praedicata fidei gratia, superba legis operatio reprobatur, cum dicitur : « *Ex operibus legis non iustificabitur omnis caro^a* ».

10. Cuncta tamen haec intellegi et aliter possunt. Terram quippe scriptura sacra uocare consueuit Ecclesiam. Extrema igitur terrae Dominus tenet et concutit, quia Ecclesiae suae ultima per aduentum antichristi persecutione immanissima
5 turbari permittit, nec tamen permittendo deserit. Hanc terram aliquando Dominus tenet et non concutit ; aliquando tenet et concutit, quia modo eam tranquilla pace fidei possidet, modo commoueri impetu persecutionis iubet.

38, 13   **11.** Bene autem cum diceret : « **Numquid tenuisti concutiens extrema terrae** », ilico adiunxit : « **Et excussisti impios ex ea ?** »   Attestante enim Paulo, plerique in ea sunt qui « *confitentur se nosse Deum, factis autem negant^b* ». Impios ergo
5 ex ea Dominus excutit, quia hi quos nunc intima uitia possident, tunc in uoragine apertae infidelitatis cadent ; atque in aceruum palearum transeunt, cum temptationis illius aura

8. c. Jn 9, 39
9. a. Rm 3, 20
11. b. Tt 1, 16

1. Citation unique. Après cette première interprétation de Jb 38, 13-15, Grégoire va en proposer une seconde, sans quitter le registre typologique, mais en passant aux derniers temps. Une troisième interprétation dégagera le sens moral (29, 19 ; voir p. 208, n. 2).

Et encore : « *C'est pour un jugement que je suis venu en ce monde ; pour que voient ceux qui ne voient pas et pour que ceux qui voient deviennent aveugles*[c] ». Et parce qu'en accomplissant les œuvres de la Loi, ils se sont insurgés contre celui qui la leur avait accordée, le texte ajoute avec pertinence :

VI, 9. « Et le bras élevé sera brisé ». Le bras élevé est brisé, 38, 15 parce que Dieu réprouve les œuvres orgueilleuses de la Loi une fois qu'a été prêchée la grâce de la foi, selon qu'il est dit[1] : « *Personne ne sera justifié par les œuvres de la Loi*[a] ».

L'épreuve de l'Église   **10.** Tout ce passage peut cependant encore être interprété d'une autre manière. Souvent, dans l'Écriture sainte, la terre désigne l'Église. Le Seigneur tient donc en main et secoue les extrémités de la terre, parce qu'il permet que, lors de la venue de l'Antichrist aux derniers temps, l'Église soit troublée par la plus cruelle des persécutions. Mais ce faisant, il n'abandonne pas l'Église. Le Seigneur tient parfois en main cette terre sans la secouer, et parfois il la tient en la secouant, parce que tantôt il se l'unit dans la paix tranquille de la foi, tantôt il ordonne aux assauts de la persécution de la troubler.

11. Aussi, après avoir dit : « **As-tu tenu en main les extré-** 38, 13 **mités de la terre pour la secouer ?** », a-t-il fort bien ajouté : « **En as-tu chassé les impies ?** » Paul affirme en effet[2] qu'il y en a beaucoup dans l'Église qui « *font profession de connaître Dieu, mais le nient par leurs actes*[b] ». Le Seigneur chasse les impies de l'Église, parce que ceux qui sont maintenant la proie de vices cachés tomberont alors dans le gouffre d'une incroyance manifeste ; emportés par le souffle de cette tenta-

2. Cité par Grégoire neuf autres fois. Les lignes suivantes font écho à Lc 3, 17 : *uentilabrum... aream... triticum... paleas.*

commouentur. Et quamuis se nunc sub specie fidei intra
areae sinum tegunt, tunc nimirum extra granorum cumulum
10 districti examinis uentilabro resiliunt.

38, 14   **12.** Vnde et apte subiungitur : « **Restituetur ut lutum
signaculum** ». Ac si aperte diceret : hi qui nunc uidentur in
Ecclesiae sinu signaculum, tunc ante oculos omnium resti-
tuentur ut lutum, id est, nequaquam iudicia hominum de
5 professione religionis fallunt, sed quam terrena sapiant,
demonstrantur. Solet enim scriptura sacra pro fide appellare
signaculum, pro iniquitate lutum. Nam filius iunior qui, con-
sumpta substantia, ad patrem rediit, in munere annulum
accepit[c]. Gentilis enim populus, qui immortalitate perdita,
10 ad Deum paenitendo reuertitur, per fidei signaculum munitur. Vnde et ab sponso suo Ecclesiae dicitur : « *Pone me ut
signaculum super cor tuum*[d] ». Idcirco namque signaculum
rebus ponitur, ne qua diripientium praesumptione temeren-
tur. Sponsus ergo in cor signaculum ponitur quando fidei
15 eius mysterium in custodia nostrae cogitationis imprimitur,
ut ille infidelis seruus, nimirum noster aduersarius, cum
signata fide corda considerat, temptando ea irrumpere non
praesumat.

Per lutum uero quia terrena contagia demonstrantur, attes-
20 tatur psalmista qui ait : « *Eduxisti me de lacu miseriae, et de luto
faecis*[e] ». Quia igitur multi in terrenis contagiis inuenti, per-
ducti uero ad Ecclesiam, caelestis fidei sacramento
signantur, et tamen ab iniquis operibus non recedunt, seque
nunc fidei uelamine conteguit, sed cum tempus inuenerint,

---

12. c. cf. Lc 15, 22   d. Ct 8, 6   e. Ps 39, 3

---

1. Cette interprétation de « l'anneau » (Lc 15, 22) est unique, ainsi que la
citation suivante (Ct 8, 6). La *stola prima* du même verset de Luc représente
l'innocence originelle selon *Mor.* 12, 9.
2. Cf. 1 Tm 3, 8.

tion, ils passeront dans le tas de paille. Bien qu'ils se cachent maintenant dans l'aire de l'Église sous l'apparence de la foi, ils seront écartés du tas de grains par le vannage d'un jugement sévère.

L'argile et la boue   **12.** Aussi le texte poursuit-il avec pertinence : « **Le sceau redeviendra comme de l'argile** ». Ce qui revient à dire : ceux qui paraissent maintenant être sceau dans le sein de l'Église, redeviendront alors de l'argile à la vue de tous ; leur profession de religion ne trompera plus personne, mais tout le monde verra qu'ils ne goûtent que les choses de la terre. L'Écriture sainte, en effet, appelle souvent la foi un sceau, et l'iniquité de l'argile. Ainsi le fils cadet, qui revint vers son père après avoir dépensé tout son avoir, reçut de lui un anneau[c]. Le peuple païen qui revient à Dieu par la pénitence après avoir perdu l'immortalité, est muni du sceau de la foi[1]. Aussi l'Époux dit-il à l'Église : « *Place-moi comme un sceau sur ton cœur*[d] ». On pose un sceau sur des objets pour qu'aucun voleur n'ait l'audace d'y toucher. L'Époux est placé comme un sceau sur notre cœur, quand le mystère de sa foi[2] est imprimé en nous pour garder nos pensées, afin que le serviteur infidèle, notre ennemi, voyant nos cœurs marqués du signe de la foi, n'ait pas l'audace d'y pénétrer par la tentation.

La boue[3] symbolise les souillures de cette terre, selon ces paroles du psalmiste : « *Tu m'as fait sortir du lac de misère et du fond de la boue*[e] ». Beaucoup de ceux qui sont conduits à l'Église, couverts des souillures de cette terre, pour y être marqués du sacrement de la foi céleste, n'abandonnent pas leurs œuvres mauvaises ; ils se couvrent à présent du voile de la foi, mais ils révéleront ce qu'ils sont vraiment quand l'occa-

38, 14

---

3. Traduit jusqu'à présent par « argile », *lutum* doit être rendu ici par « boue », en raison de la citation psalmique qui suit. Celle-ci reparaît, élargie, dans *Hom. Ez.* I, 9, 4.

25 quid sint ueraciter ostendunt, recte dicitur : « *Restituetur ut*
    lutum signaculum ». Quos enim nunc fideles credimus, ipsos
    tunc fidei hostes inueniemus, et quamuis appareant non
    temptati signaculum, erunt procul dubio temptati lutum. Vbi
30 et recte dicitur : « *Restituetur* », quia qualis eorum conscientia
    esse ante fidem potuit, tales eos et postmodum reproba uita
38, 14 conuincit. De quibus apte subiungitur : **« Et stabit sicut**
    uestimentum ».

      13. Tot nunc quasi uestibus sancta Ecclesia induitur, quot
    fidelium ueneratione decoratur. Vnde et ei ostensis gentibus,
    a Domino per prophetam dicitur : « *Viuo ego, dicit Dominus,*
    *quia omnibus his uelut ornamento uestieris*ᶠ ». Multis tamen
 5 quasi fidelibus nunc specie tenus induitur, sed pulsante per-
    secutionis impetu, tunc eis exuta nudabitur ; de quorum
    sorte hic dicitur : « *Et stabit sicut uestimentum* ». Stare uero hoc
    loco ponitur in peccato persistere. Vnde scriptum est : « *Et in*
    *uia peccatorum non stetit*ᵍ » : uel certe reprobus quisque sicut
10 uestimentum stare dicitur, ut non posse stare monstretur,
    quia sicut induta uestis in uisionis suae specie per corpus
    tenditur, exuta autem fracta complicatur, ita unusquisque
    qui a sanctae Ecclesiae tunc statu recesserit, tensus ac deco-
    rus quasi dum indueretur fuit, sed exutus postmodum,
15 confractus atque abiectus iacebit. Si uero stare intellegimus
    perdurare, sicut uestimentum stat quisque reprobus quia in
    hac uita quam diligit breuiter durat. Vnde et per prophetam
    dicitur : « *Omnia sicut uestimentum ueterascent, et sicut operto-*
    *rium mutabis ea, et mutabuntur*ʰ ».

---

13. f. Is 49, 18   g. Ps 1, 1   h. Ps 101, 27

1. Grégoire développe cette idée d'une foi feinte et tout extérieure dans *In
Cant.* 41-44.

2. Comme ici, la personne revêtue par Dieu dont parle ce texte est toujours
pour Grégoire l'Église (*Mor.* 3, 48 ; 20, 58 ; 27, 63 ; *In Ez. fragm.* 7, 17-18).

3. Citation unique.

4. Cité ailleurs plus brièvement (*Mor.* 17, 11) ou plus longuement (*Mor.* 18,
82).

sion s'en présentera. Aussi notre texte dit-il très justement :
« *Le sceau redeviendra comme de l'argile* ». Ceux que nous
tenons à présent pour des fidèles, nous les découvrirons
comme des ennemis de la foi[1] : en l'absence de tentations, ils
ont l'apparence d'un sceau, à l'heure de la tentation, ils se
révéleront argile. Aussi le texte dit-il bien : « *redeviendra* »,
parce que leur vie corrompue fera bien voir qu'ils sont
demeurés tels qu'ils étaient en leur conscience avant d'accé-
der à la foi. Et le texte ajoute fort justement à leur sujet : **« Et   38, 14
l'argile se tiendra raide comme un vêtement ».**

**L'image du
vêtement**   **13.** Les fidèles sont maintenant pour
l'Église comme autant de vêtements qui
l'ornent, par la vénération qu'ils lui témoignent. Aussi le Seigneur lui dit-il par la bouche du prophète
en lui montrant les païens[2] : « *Je suis vivant, dit le Seigneur ; tu
seras revêtue de tous ceux-ci comme d'une parure*[f] ». Mais l'Église
est maintenant revêtue de beaucoup de fidèles qui ne sont
chrétiens qu'en apparence ; que sévisse une persécution, elle
en sera dépouillée. C'est de cette sorte de fidèles qu'il est dit
ici : « *Et l'argile se tiendra raide comme un vêtement* ». Se tenir
raide veut dire ici persister dans le péché ; aussi est-il écrit[3] :
« *Il ne s'est pas maintenu dans la voie des pécheurs*[g] », ou bien on
pourrait dire encore que le réprouvé se tient raide comme un
vêtement pour indiquer qu'il ne peut tenir debout par lui-
même. Un vêtement que l'on porte ne montre sa beauté que
parce qu'il est soutenu par le corps ; quand il n'est plus porté,
il n'a aucune tenue et fait des plis. De même, celui qui, porté
en quelque sorte par la sainte Église, paraissait net et beau, se
retrouve, quand il s'en éloigne, froissé et négligé comme un
vêtement qui n'est plus porté. Si, au contraire, nous comprenons « demeurer » au sens de « persister », le réprouvé
persiste comme un vêtement, parce qu'il ne dure que peu de
temps en cette vie qu'il aime, selon ces paroles du prophète[4] :
« *Tous vieilliront comme un vêtement ; tu les changeras comme un
habit et ils seront changés*[h] ».

20   Haec itaque, quae allegoriarum nube tecta intulit, nunc
uerbis apertioribus innotescit, subdens :

38, 15   VII, **14.** « **Auferetur ab impiis lux sua** ». Neque enim eos
nunc Dei lumen illustrat, qui iniquitatis suae malitiam fidei
nomine palliant. Nam dum iuxta praedicationem fidei uiuere
neglegunt, et tamen eamdem fidem specie tenus uenerantur,
5 honorem uitae praesentis ex nomine religionis quaerunt,
hocque eis ex fide lucet, quod eos fides coram hominibus
refouet. Sunt uero nonnulli, qui aeterna quae audiunt ueraciter credunt, et tamen eidem quam tenent fidei male uiuendo
contradicunt. Habent hi quoque inter tenebras lucem suam,
10 qui dum peruersa agunt, et tamen de Deo recta sentiunt, ne
tenebrescant funditus, ex quadam parte fulgore luminis illustrantur. Qui dum plus terrena quam caelestia, plus quae
uident quam quae audiunt, diligunt, pulsante persecutionis
articulo, quod rectum credere uidebantur amittunt. Quod illo
15 maxime tempore multiplicius agitur, quando surgente ipso
iniquorum capite, in sancta Ecclesia persecutione ultima,
liberis suis uiribus eius fortitudo grassatur. Ibi tunc cor
uniuscuiusque ostenditur, ibi quidquid in occultis latebat
aperitur ; et qui nunc ore sunt pii, et corde sunt impii, publi-
20 cata malitia corruunt, et lucem fidei quam specie tenus
tenuerant perdunt. Sed inter haec necesse est ut unusquisque nostrum ad cordis sui secretum redeat, et actionis suae
damna pertimescat ; ne exigentibus meritis, per districtam
iustitiam iudiciorum Dei in talium hominum numerum
25 currat.

---

1. *Ad cordis sui secretum redeat* : écho d'Is 46, 8 (*Redite praeuaricatores ad cor*), texte que Grégoire s'applique à lui-même au milieu des soucis de son pontificat (*Reg. Ep.* 1, 5) ou à l'homme qui a de mauvaises pensées (*Mor.* 19, 21 ; 26, 61). Cf. *Hom. Ez.* II, 9, 19 (repentir des frères de Joseph).

Tout ce que l'Écriture vient de dire sous le voile des allégories, elle le fait connaître maintenant en termes plus clairs
quand elle ajoute :

**Le mal
dévoilé**   VII, **14.** « **La lumière sera enlevée aux** 38, 15
                  impies ». Dès à présent, pour ceux qui couvrent
                  leurs œuvres mauvaises du titre de la foi, la
lumière de Dieu ne brille pas. N'ayant nul souci de vivre
selon les enseignements de la foi, tout en faisant semblant de
l'honorer, ils recherchent les honneurs de la vie présente
sous couleur de religion, et la seule lumière qu'ils retirent de
la foi, c'est d'être mis en valeur aux yeux des hommes. Il en
est qui croient vraiment aux biens éternels dont ils ont été
instruits, et qui cependant contredisent par leur mauvaise
conduite la foi qu'ils professent. Ceux-là aussi ont quelque
lumière dans leurs ténèbres, parce que faisant le mal tout en
ayant une juste idée de Dieu, ils ne sont pas tout à fait
plongés dans les ténèbres, ils ont quelque lueur pour les
éclairer en partie. Comme ils préfèrent les biens de la terre
aux biens du ciel, les choses qu'ils voient à celles qu'ils
entendent prêcher, si survient le choc d'une persécution, ils
perdent cette foi juste qu'ils semblaient avoir. Malheur
surtout fréquent à l'époque où le chef des impies se lève et
déploie sa force en toute liberté contre la sainte Église pour
une ultime persécution. C'est alors que le cœur de chacun est
mis à nu. C'est alors que paraît à découvert tout ce qu'il
cachait en ses profondeurs. Des hommes aujourd'hui pieux
de bouche, impies de cœur, s'effondrent quand leur malice
devient publique, et ils perdent la lumière de la foi qu'ils
n'avaient qu'en apparence. Il faut donc que chacun d'entre
nous rentre en lui-même, dans le secret de son cœur[1], qu'il
craigne le châtiment de ses actes ; qu'il redoute les justes et
sévères jugements de Dieu qui lui feront rejoindre, si ses
mérites l'exigent, les hommes de cette espèce.

15. Nemo autem sibi incaute blandiatur, et idcirco se a tali casu extraneum credat, quia ad illius tempestatis procellam peruenire non existimat. O quanti illius temptationis tempora non uiderunt, et tamen in eius temptationis procella
5 uersantur. Cain tempus antichristi non uidit, et tamen membrum antichristi per meritum fuit[a]. Iudas saeuitiam persecutionis illius ignorauit, et tamen iuri crudelitatis eius, auaritia suadente, succubuit[b]. Simon diuisus longe ab antichristi temporibus exstitit, et tamen eius se superbiae,
10 miraculorum potentiam peruerse appetendo, coniunxit[c].

Sic iniquum corpus suo capiti, sic membris membra iunguntur, cum et cognitione se nesciunt et tamen praua sibi actione copulantur. Neque enim Pergamus Balaam libros aut uerba cognouerat et tamen eius nequitiam sequens, uoce
15 supernae increpationis audiebat : « *Habes illic tenentes doctrinam Balaam, qui docebat Balac mittere scandalum coram filiis Israel, edere et fornicari*[d] ». Thyatirae quoque ecclesiam ab Iezabel notitia et tempora et loca diuidebant, sed quia eam par uitae reatus astrinxerat, inesse ei Iezabel dicitur, atque operi-
20 bus peruersis insistere, angelo attestante, qui ait : « *Habeo aduersus te quia permittis mulierem Iezabel, quae se dicit propheten, docere et seducere seruos meos fornicari et manducare de idolothytis*[e] ». Ecce quia reperiri potuerunt, qui Iezabel uitam reproba actione secuti sunt, Iezabel illic inuenta memoratur,
25 quia uidelicet prauum corpus coniuncti mores unum faciunt, etiam si hoc loca uel tempora scindunt. Vnde fit ut in peruersis suis imitatoribus et iniquus quisque maneat qui iam prae-

---

15. a. Gn 4, 3-8   b. cf. Mt 26, 15 ; Mc 14, 11 ; Lc 22, 5-6   c. cf. Ac 8,
18-19   d. Ap 2, 14   e. Ap 2, 20

---

1. Même idée d'un corps mystique du diable, dont tous les méchants sont les membres, dans *Hom. Eu.* 16, 1, qui mentionne Pilate, les Juifs persécuteurs du Christ et les soldats qui le crucifièrent. Ici, la perspective historique – le corps du diable transcende le temps – est celle de *Mor.* 12, 48 ; 14, 25 ; 15, 19, où Grégoire fait aussi de l'Antichrist (1 Jn 2, 18) la tête du corps.

**Les membres
du diable**

15. Que nul ne se flatte dans sa présomption de se croire à l'abri d'une telle chute,
escomptant n'avoir pas à subir le déchaîne-
ment de cette tempête. Combien d'hommes n'ont pas connu
le temps de cette tentation et sont cependant emportés par
elle. Caïn n'a pas vu le temps de l'Antichrist, et cependant il
fut l'un de ses membres par sa conduite[a]. Judas n'a pas
connu la violence de cette grande persécution, et cependant,
poussé par l'avarice, il a succombé à sa cruelle domination[b].
Un temps très long séparait Simon de l'Antichrist et cependant il l'a rejoint, dans son orgueil, quand son mauvais désir
le poussa à rechercher le pouvoir de faire des miracles[c].

C'est ainsi que le corps impie est uni à sa tête, c'est ainsi
que les membres, bien que ne se connaissant pas, sont unis
les uns aux autres par leurs mauvaises actions[1] : Pergame
n'avait connu ni les livres ni les paroles de Balaam, et cependant, comme elle avait imité sa malice, Dieu lui fit entendre
ces reproches : « *Il y en a chez toi qui s'attachent à la doctrine de
Balaam, qui conseillait à Balak de tendre un piège aux fils d'Israël,
de manger et de se prostituer*[d] ». L'Église de Thyatire aussi était
très éloignée de Jézabel et par le temps et par le lieu, mais une
même vie coupable les enchaînait toutes deux ; l'ange
affirme donc que Jézabel y réside et s'y adonne à ses œuvres
perverses : « *J'ai contre toi que tu tolères Jézabel qui se dit prophé-
tesse et séduit mes serviteurs, leur enseignant à se prostituer et à
manger des viandes sacrifiées aux idoles*[e] ». Parce qu'il se trouvait à Thyatire des hommes qui imitaient Jézabel par leurs
mauvaises actions, il en est fait mention comme si elle s'y
trouvait[2]. En effet, ceux qui sont unis par leurs mauvaises
mœurs ne font qu'un seul corps pervers, même s'ils sont
séparés par le lieu et le temps. C'est pourquoi, l'impie, bien
que mort, survit en ceux qui imitent sa perversion, et l'insti-

---

2. Comme ici, mais à propos d'autre chose, Pergame et Thyatire sont évoquées tour à tour dans *Mor.* 21, 10.

teriit, et in suis operatoribus ipse iniquorum auctor iam appareat, qui necdum uenit. Hinc Ioannes ait : « *Nunc antichristi*
30 *multi facti sunt*[f] », quia iniqui omnes iam membra eius sunt,
quae scilicet peruerse edita caput suum male uiuendo
praeuenerunt. Hinc Paulus ait : « *Vt reueletur in suo tempore ;*
nam mysterium iam operatur iniquitatis[g] ». Ac si diceret : tunc
antichristus manifestus uidebitur ; nam in cordibus iniquo-
35 rum secreta sua iam nunc occultus operatur.

Vt enim de apertioribus criminibus taceam, ecce alius
fratri in corde suo tacitus inuidet, et si occasionem reperiat,
eum supplantare contendit ; cuius alterius membrum est,
nisi eius de quo scriptum est : « *Inuidia diaboli mors intrauit in*
40 *orbem terrarum*[h] ? » Alius magni meriti esse se aestimans, per
tumorem cordis cunctis se praeferens, omnes semetipso
inferiores credit, cuius alterius membrum est, nisi eius de
quo scriptum est : « *Omne sublime uidet et ipse est rex super*
uniuersos filios superbiae[i] ? » Alius mundi huius potentiam
45 quaerit, non quo aliis prosit, sed quo ipse alteri subditus non
sit ; cuius alterius membrum est, nisi eius de quo scriptum
est : « *Qui dixit : 'Sedebo in monte testamenti, in lateribus*
Aquilonis ; ascendam super altitudinem nubium ; similis ero
Altissimo[j] ? » Solus quippe Altissimus ita dominatur super
50 omnia, ut alteri subesse non possit. Quem diabolus imitari
peruerse uoluit, cum suum dominium quaerens, ei subesse
recusauit. Imitatur ergo diabolum quisquis idcirco
potestatem suam appetit, quia ei qui sibi est superna
ordinatione praepositus subesse fastidit.

15. f. 1 Jn 2, 18   g. 2 Th 2, 6-7   h. Sg 2, 24   i. Jb 41, 25   j. Is 14,
13-14

---

1. Citation unique. Voir cependant p. 198, n. 1.
2. Cf. *Mor.* 29, 17 (allusion) et 34, 28 (citation).
3. Cité en *Mor.* 5, 85 ; *Past.* 3, 10.

gateur des impies lui-même apparaît déjà en ses ouvriers, bien qu'il ne soit pas encore venu. Aussi Jean dit-il[1] : « *Dès maintenant, beaucoup d'antichrists sont là*[f] », parce que tous les impies sont déjà membres de l'Antichrist : nés à l'envers, ils devancent leur tête en faisant le mal. De même Paul[2] : « *Pour qu'il soit révélé en son temps ; car le mystère de l'impiété est déjà à l'œuvre*[g] ». C'est comme s'il disait : l'Antichrist paraîtra alors à visage découvert ; mais dès à présent il opère ses œuvres en secret dans le cœur des impies.

Pour ne rien dire de péchés plus manifestes, supposons un frère qui envie secrètement un frère dans son cœur ; si l'occasion se présente, il va chercher à le faire tomber. N'est-il pas un membre de celui dont il est écrit[3] : « *C'est par l'envie du diable que la mort est entrée dans le monde*[h] » ? Un autre, qui a grande opinion de ses mérites, se préfère à tous dans son cœur enflé d'orgueil et considère que tous les autres lui sont inférieurs. N'est-il pas un membre de celui dont il est écrit[4] : « *Il ne voit rien que de haut ; c'est lui le roi de tous les fils d'orgueil*[i] » ? Un autre cherche la puissance de ce monde non pour être utile aux autres, mais pour n'être soumis à personne. N'est-il pas un membre de celui dont il est écrit[5] : « *Lui qui dit : 'Je siégerai sur la montagne de l'Alliance, sur les flancs de l'Aquilon ; je monterai au sommet des nuages, je serai semblable au Très-Haut*[j]' » ? Seul, en effet, le Très-Haut exerce son pouvoir sur toutes choses sans être soumis à personne. Le diable a conçu le dessein pervers de l'imiter quand, cherchant à établir sa propre seigneurie, il refusé de lui être assujetti. C'est donc imiter le diable que de briguer le pouvoir, parce qu'on a le dégoût de la soumission à qui vous a été préposé par la Providence divine.

---

4. Voir *Mor.* 34, 42 et 47.

5. Ensemble ou séparément, ces deux versets de prédilection sont cités par Grégoire plus de trente fois (cf. p. 206, n. 2).

16. Sunt praeterea plurima quae quosdam in ipsa pace
Ecclesiae constitutos infideles esse renuntient. Video namque nonnullos ita personam potentis accipere, ut requisiti ab
eo, pro fauore eius non dubitent in causa proximi uerum
5 negare. Et quis est ueritas, nisi ille qui dixit : « *Ego sum uia,
ueritas et uita*ᵏ » ? Neque enim Baptista Ioannes de confessione Christi, sed de iustitiae ueritate requisitus occubuitˡ,
sed quia Christus est ueritas, ad mortem usque idcirco pro
Christo, quia uidelicet pro ueritate, peruenit. Ponamus ergo
10 ante oculos quod aliquis percunctatus personam potentis
accepit, et ne uerbi saltim iniuriam pateretur, ueritatem
negauit. Quid rogo iste faceret in dolore poenarum, qui
Christum erubuit inter flagella uerborum ? Ecce et post haec
ante oculos hominum adhuc Christianus est, et tamen si eum
15 Dominus districte disposuit iudicare, iam non est.

17. Video autem alios, quibus per locum magisterii exhor-
tandi sunt officia arguendique commissa, qui uident aliquid
illicitum admitti, et tamen dum quorumdam potentum offen-
dere gratiam metuunt, arguere non praesumunt. Quisquis
5 iste est, quid aliud fecit, nisi uidit lupum uenientem, et
fugitᵐ ? Fugit, quia tacuit ; tacuit, quia despecta aeterna gratia, temporalem gloriam plus amauit. Ecce ante potentis
faciem intra sui se latebras silentii abscondit, et sicut perse-
10 cutioni publicae, sic occulto locum dedit timori. Bene de tali-

16. k. Jn 14, 6   l. cf. Mc 6, 27 ; Mt 14, 10
17. m. cf. Jn 10, 12

1. En Jn 14, 6, le terme important pour Grégoire est habituellement *uia*
(*Mor.* 19, 27 et 29, 40 ; *Hom. Eu.* 2, 2 ; *Hom. Ez.* II, 3, 1 et 10, 11) ; rarement
ueritas (ici et *Reg. Ep.* 11, 64), jamais *uita*. Cependant l'appellation *ueritas,*
très souvent donnée au Christ (*Mor.* 5, 64, etc.), se réfère toujours implicitement à ce verset de Jean.
2. *In dolore poenarum... inter flagella uerborum* : cette antithèse rappelle *Mor.,
Praef.* 8 : *inter uerba et uulnera* (de même *Praef.* 10.11.20). On trouve aussi
uerba... uerbera (AUGUSTIN, *Serm.* 83, 8 et *Ep.* 153, 17 ; FERRAND, *V. Fulg.* 59 ;
RB 2, 27-28).

Les faux chrétiens   **16**. Beaucoup d'autres faits indiquent que, même en temps de paix pour l'Église, certains sont infidèles. J'en vois en effet qui ont tellement égard aux puissants de ce monde qu'ils n'hésitent pas, si on le leur demande, à nier la vérité en leur faveur, au préjudice de leur prochain. Or, qui est la Vérité si ce n'est celui qui a dit[1] : « *Je suis la voie, la vérité et la vie*[k] » ? Ce n'est pas en effet pour avoir confessé le Christ que Jean-Baptiste est mort, mais pour avoir proclamé la justice en toute vérité[l] ; parce que le Christ est la Vérité, en mourant pour la vérité, Jean-Baptiste est mort pour le Christ. Supposons donc quelqu'un qui, eu égard à un puissant de ce monde, nie la vérité quand on l'interroge pour s'éviter ne fût-ce qu'une parole de blâme. Que ferait cet homme, je vous le demande, s'il avait à subir des tortures, alors qu'il rougit du Christ quand de simples paroles le mettent à l'épreuve[2] ? Et voilà qu'après cela, il est encore chrétien aux yeux des hommes. Si Dieu ordonnait de le juger en stricte justice, il ne le serait plus.

L'Antichrist agit déjà   **17**. J'en vois d'autres qui ont reçu une mission d'enseignement et dont l'office est d'exhorter et de reprendre ; et cependant quand ils voient se commettre quelque chose d'illicite, craignant de perdre les bonnes grâces de tel ou tel homme influent, ils n'osent faire aucun reproche. Quel que soit celui qui agit ainsi, que fait-il d'autre que de s'enfuir en voyant le loup[m] ? Il s'est enfui parce qu'il s'est tu ; il s'est tu parce qu'il a préféré la gloire temporelle à la grâce éternelle[3]. Voici que, devant la face des puissants, il s'est caché dans le refuge de son silence ; il a été la proie d'une peur obscure comme s'il s'était agi d'une persécution publique. L'Écriture dit très bien

---

3. La parabole du mercenaire (Jn 10, 12) est commentée de façon toute semblable dans *Hom. Eu.* 14, 2.

bus dicitur : « *Dilexerunt gloriam hominum magis quam Dei*[n] ».
Quisquis igitur talis est, si haec districte iudicantur, et persecutio publica defuit, et tamen tacendo Christum negauit.

Non ergo desunt uel in pace Ecclesiae antichristi tempta-
15 menta. Nemo itaque illa persecutionis extremae tempora
quasi sola perhorrescat. Apud iniquos namque cotidie res
antichristi agitur, quia in eorum cordibus mysterium suum
iam nunc occultus operatur[o]. Et si multi nunc specie tenus
intra Ecclesiam constituti simulant se esse quod non sunt, in
20 aduentu tamen iudicis prodentur quod sunt, de quibus bene
Salomon ait : « *Vidi impios sepultos, qui etiam cum adhuc uiue-
rent, in loco sancto erant; et laudabantur in ciuitate, quasi
iustorum operum*[p] ».

Igitur postquam de iniquis dictum est : « *Restituetur ut
25 lutum signaculum et stabit sicut uestimentum ; et auferetur ab
impiis lux sua* », quod utique in illa est antichristi persecutione
faciendum, mox de eiusdem antichristi perditione nos conso-
lans, ait :

38, 15   VIII, **18**. « **Et brachium excelsum confringetur** ». Quid
namque aliud excelsum brachium accipitur, nisi superba
antichristi celsitudo, quae super reprobas mentes hominum
fastu gloriae saecularis erigitur, ita ut homo peccator ; et
5 tamen aestimari homo despiciens, Deum se super homines
mentiatur ? Vnde et Paulus apostolus dicit : « *Ita ut in templo
Dei sedeat, ostendens se tamquam sit Deus*[a] ». Cuius ut tumorem

---

17. n. Jn 12, 4   o. cf. 2 Th 2, 7   p. Qo 8, 10
18. a. 2 Th 2, 4

---

1. Citation unique.

2. Persécutions en pleine paix : voir *Hom. Eu.* 27, 3-4 ; *Dial.* III, 26, 7-9
(cf. *Hom. Eu.* 3, 4 ; 11, 3 ; 35, 7).

3. Cité et interprété de même dans *Mor.* 25, 25 et 32, 19.

à propos d'hommes de cette sorte[1] : « *Ils ont préféré la gloire qui vient des hommes à celle qui vient de Dieu*[n] ». A en juger strictement, quiconque agit ainsi, même en l'absence de persécution publique, a renié le Christ par son silence.

Les tentations de l'Antichrist ne manquent donc pas, même au temps de la paix de l'Église[2]. Aussi, que personne ne redoute les temps de la persécution finale, comme si elle était la seule redoutable. Chaque jour, en effet, chez les impies, c'est bien de l'Antichrist qu'il s'agit, parce que dès à présent il opère secrètement dans leurs cœurs son mystère[o]. Beaucoup qui sont apparemment dans l'Église feignent d'être ce qu'ils ne sont pas, ils apparaîtront tels qu'ils sont à la venue du Juge. Salomon dit fort bien à leur sujet[3] : « *J'ai vu les impies ensevelis ; quand ils étaient encore en vie, ils se tenaient dans le lieu saint ; on les louait dans la ville comme des justes*[p] ».

C'est pourquoi, après avoir dit au sujet des impies : « *Le sceau redeviendra comme de l'argile et l'argile se tiendra raide comme un vêtement* » et « *la lumière sera enlevée aux impies* » – ce qui arrivera surtout lors de la persécution de l'Antichrist –, l'Écriture nous console aussitôt en ajoutant à propos de la chute de l'Antichrist :

Orgueil et ruine de l'Antichrist VIII, **18.** « **Et le bras élevé sera brisé** ». 38, 15
Que représente ce bras élevé ? N'est-ce pas l'Antichrist qui, de sa hauteur orgueilleuse, se dresse au-dessus de tous les réprouvés par le faste qu'il tire, tel l'homme pécheur[4], de la gloire de ce monde ; et cependant il dédaigne de passer pour un homme et se fait appeler Dieu au-dessus de tous les hommes. D'où ce mot de l'Apôtre Paul[5] : « *Au point de s'asseoir dans le temple de Dieu et de se faire passer pour Dieu*[a] ». Pour montrer plus pleinement

---

4. *Homo peccator* : allusion à 2 Th 2, 3 (*homo peccati*).
5. Amplement commenté en *Mor.* 32, 27.

plenius ostenderet, praemisit : « *Qui aduersatur et extollitur*
super omne quod dicitur Deus, aut quod colitur[b] ». Deus enim dici
10 aliquando et homo potest, iuxta quod ad Moysen dicitur :
« *Ecce constitui te Deum Pharaonis*[c] ». Deus uero coli purus
homo non potest. Quia uero se antichristus et super sanctos
quosque homines, et super ipsius potentiam diuinitatis extol-
lit, per exactum sibi nomen gloriae et hoc quod Deus dicitur,
15 et hoc quod Deus colitur, transire conatur.

Notandum uero est in quantam superbiae foueam cecidit,
qui in mensura ruinae qua lapsus est non permansit. Diabolus quippe uel homo ab statu conditionis propriae elata
mente corruerunt, ut uel ille diceret : « *Ascendam super altitu-*
20 *dinem nubium, similis ero Altissimo*[d] » ; uel iste audiens
crederet : « *Aperientur oculi uestri et eritis sicut dii*[e] ». Idcirco
ergo uterque cecidit, quia esse Deo similis non per iustitiam,
sed per potentiam concupiuit. Sed homo per gratiam libera-
tus, qui Dei similitudinem peruerse appetendo ceciderat, in
25 reatu criminis sui longe Deo imparem se esse cognoscens
clamat : « *Domine, quis similis tibi*[f] *?* » Diabolus uero in lapsu
sui criminis iuste dimissus, in mensura ruinae suae minime
permansit ; sed quanto diu ab omnipotentis gratia defuit,
tanto magis reatum criminis cumulauit. Nam qui ideo ceci-
30 dit, quia peruerso ordine Deo esse similis uoluit, eo usque
perductus est, ut in antichristum ueniens, uideri Deo similis
dedignetur, atque eum quem habere non potuit superbus
aequalem, damnatus inferiorem putat. Nam cum de illo hoc
quod iam praemisimus dicitur : « *Extollens se supra omne quod*

---

18. b. 2 Th 2, 4   c. Ex 7, 1   d. Is 14, 14   e. Gn 3, 5   f. Ps 34, 10

1. Cité comme ici dans *Hom. Eu.* 34, 11 ; *Hom. Ez.* I, 8, 3, différemment
dans *Hom. Ez.* II, 3, 7.

2. Déjà cité plus haut (*Mor.* 29, 15) ; voir p. 201, n. 5.

3. Souvent cité. Voir notamment *Mor.* 34, 55, où Is 14, 14 précède comme
ici, bien qu'à plus de distance.

son orgueil, Paul avait écrit juste avant : « *Il se dresse et s'élève au-dessus de tout ce qui est appelé dieu ou reçoit un culte*[b] ». Il arrive parfois que l'Écriture appelle l'homme un dieu ; ainsi est-il dit à Moïse[1] : « *Je fais de toi un dieu pour Pharaon*[c] ». Mais un simple homme ne peut recevoir un culte dû à Dieu. Cependant, comme l'Antichrist s'élève au-dessus des saints et au-dessus même de la puissance de la divinité, il revendique pour lui ce nom glorieux, s'efforçant à la fois de dépasser ce qui est appelé Dieu et ce qui reçoit le culte dû à Dieu.

Il faut noter dans quel abîme d'orgueil est tombé celui qui n'est pas resté au stade de sa chute. Le diable comme l'homme ont été déchus de leur condition première à cause de l'orgueil de leur esprit ; l'un disait[2] : « *Je monterai au sommet des nuages ; je serai semblable au Très-Haut*[d] » ; et l'autre a ajouté foi à ces paroles qui lui furent dites[3] : « *Vos yeux s'ouvriront, et vous serez comme des dieux*[e] ». Les deux sont donc tombés, parce qu'ils ont désiré devenir semblables à Dieu, non par la justice, mais par la puissance. Cependant une fois libéré par la grâce, l'homme qui était tombé pour avoir désiré – par quelle perversion des choses – être semblable à Dieu, reconnaît que, dans son état de péché, il ne peut, de loin, s'égaler à Dieu et il s'écrie[4] : « *Seigneur, qui est semblable à toi*[f] ? » Le diable, lui, abandonné avec justice sur la pente de sa faute, n'est pas resté au stade de sa chute première ; il s'est chargé d'un chef d'accusation d'autant plus grave que plus longtemps il a perdu la grâce du Tout-puissant. Car celui qui est tombé pour avoir voulu, par perversion de l'ordre des choses, être semblable à Dieu, en est arrivé à un tel point que, venant dans l'Antichrist, il dédaignera même de paraître semblable à Dieu ; dans son orgueil, il n'avait pu avoir Dieu pour égal ; une fois condamné, il le croira inférieur à lui. En effet, et nous l'avons déjà indiqué, il est dit de lui : « *Il s'élève au-dessus de*

---

4. Cette citation reparaît, comme les deux précédentes, en *Mor.* 34, 55. Voir aussi *Mor.* 5, 56.

35 *dicitur Deus, aut quod colitur*[g]», aperte monstratur quia appe-
    tendo dudum Dei similitudinem, quasi iuxta Deum se erigere
    uoluit, sed in superbiae culpa crescendo, iam se supra omne
    quod Deus et dicitur et colitur extollit. Quia ergo haec eius
    superbia districti iudicis erit aduentu ferienda, sicut
40 scriptum est : « *Quem Dominus Iesus interficiet spiritu oris sui, et
    destruet illustratione aduentus sui*[h] » ; recte dicitur : « *Et bra-
    chium excelsum confringetur* ».

    19. Cuncta tamen haec, quae bis discussa sunt, adhuc
    intellegi et aliter possunt. Verba enim Dei quasi pigmenta
    quaedam nostri sunt adiutorii. Et sicut pigmentum quanto
    plus teritur, tanto in poculo eius uirtus augetur, ita diuina
5   eloquia quo magis exponendo conterimus, eo audientes
    amplius quasi bibentes iuuamus. Quia igitur misericors Deus
    diu peccata hominum tolerat, et cum iam uicinum finem res-
    picit plerumque mentes peccantium immutat, recte de se,
    uim tantae pietatis insinuans, ait :

38, 13   IX, **20.** « **Numquid tenuisti concutiens extrema terrae, et
    excussisti impios ex ea ?** ». Per terram quippe homo infima
    sapiens designatur, cui peccanti dictum est : « *Terra es et in
    terram ibis*[a] ». Sed quia pius conditor facturam suam non
5   deserit, mala hominum et per suam patientiam tolerat, et per
    eorum quandoque conuersionem relaxat.
        Cum duras atque insensibiles mentes respicit, modo eas
    minis, modo uerberibus, modo reuelationibus terret, ut quae

---

18. g. 2 Th 2, 4   h. 2 Th 2, 8
20. a. Gn 3, 19

---

1. Déjà cité deux fois (*Mor.* 14, 26 ; 15, 69), ce mot de l'Apôtre reviendra
dans *Mor.* 32, 27 ; 33, 42 ; 34, 10. Cf. *Mor.* 4, 14 et 30, 10 (allusions).

2. *Mor.* 29, 5-9 et 10-18. Voir p. 190, n. 1.

3. Dans ses quelque vingt recours à ce texte, Grégoire lit constamment
terra (VL), non *puluis* (Vulg.). Cependant il fait état de cette dernière leçon
dans *Mor.* 12, 6 et la reproduit dans *Mor.* 28, 46 (voir p. 170, n. 3).

tout ce qui est appelé dieu ou reçoit un culte[g] », ce qui montre clairement qu'autrefois, en désirant devenir semblable à Dieu, il a voulu s'élever en quelque sorte jusqu'à sa hauteur. Mais son orgueil ayant encore grandi, il s'élève au-dessus de tout ce qui est appelé dieu ou reçoit un culte. Cependant, son orgueil sera confondu lors de la venue du juge sévère, ainsi qu'il est écrit[1] : « *Le Seigneur le tuera du souffle de sa bouche et l'anéantira par l'éclat de sa venue*[h] ». Aussi l'Écriture dit-elle très justement : « *Et le bras élevé sera brisé* ».

19. Mais tout ce passage, expliqué par deux fois[2], peut encore s'entendre d'une autre manière. Les paroles de Dieu sont pour nous comme des plantes médicinales. Plus on broie ces herbes, plus s'accroît leur efficacité dans la coupe ; de même, plus nous broyons la parole de Dieu en la commentant, plus nous aidons les auditeurs qui boivent, pour ainsi dire, cette parole à en tirer profit. Comme le Dieu de miséricorde supporte longtemps les péchés des hommes et convertit souvent l'âme des pécheurs quand il voit leur fin toute proche, il dit très justement, en parlant de lui-même, pour nous faire comprendre combien forte est sa bonté puissante :

Dieu veille sur nos derniers jours

IX, **20.** « **As-tu tenu en main les extrémités de la terre pour la secouer ? En as-tu chassé les impies ?** ». La terre figure l'homme qui ne goûte que les choses d'en bas. Après son péché, il lui fut dit[3] : « *Tu es terre et tu retourneras à la terre*[a] ». Mais parce que le Créateur en sa bonté n'abandonne pas sa créature, il supporte en sa patience les péchés des hommes et leur pardonne quand ils se convertissent.

38, 13

Quand le Créateur regarde des âmes dures et insensibles, il les effraie tantôt par des menaces, tantôt par des épreuves, tantôt par des révélations, pour amollir par une crainte salu-

pessima securitate duruerant, salubri timore mollescant,
10 quatenus uel sero redeant, et hoc ipsum saltem, quod diu
exspectati sunt erubescant. Scit enim Dominus quia extrema
uitae nostrae plus iudicat, et idcirco electos suos in fine sollicitius purgat. Scriptum quippe est : « *Deus iudicabit fines
terrae*[b] ». Tanto ergo impensius ultimis nostris inuigilat,
15 quanto in ipsis pendere initia uitae sequentis pensat. Quod
quia misericorditer facit, pietate sua in medium deducta, qua
etiam sero conuersos peccatores recipit, beati Iob iustitiam
erudit dicens : « *Numquid tenuisti concutiens extrema terrae, et
excussisti impios ex ea ?* » Subaudis ut ego, qui in suis ultimis
20 saepe peccatores terrendo concutio, conuertendo teneo,
atque ab eorum cordibus impios cogitationum motus euello.
Et recte beato Iob Dominus quomodo iuxta finem peccatores
conuertat insinuat. Ac si aperte dicat : misericordiae meae
potentiam respice, et tuae iustitiae elationem preme.
25   Quae extrema hominis quia, etiam cum conuertitur per
carnis mortem, illa antiquae culpae uindicta comitatur, protinus insinuat, cum dicit :

38, 14   X, **21.** « **Restituetur ut lutum signaculum et stabit sicut
uestimentum** ». Hominem quippe Dominus, quem ad suam
similitudinem condidit[a], quasi quoddam suae potentiae
signaculum fecit. Quod tamen ut lutum restituetur, quia licet
5 aeterna supplicia per conuersionem fugiat, in ultione tamen
perpetratae superbiae carnis morte damnatur. Ex luto quippe
homo conditus[b], et mentis accepta ratione, similitudine diuinae imaginis decoratus, elatione cordis intumescens, quod de

20. b. 1 S 2, 10
21. a. cf. Gn 1, 26   b. cf. Gn 2, 7

1. On songe à AUGUSTIN, *Conf.* 10, 38 : *Sero te amaui...*
2. Interprété moralement, comme ici, dans *Mor.* 27, 38 (grâce de conversion *in extremis*).
3. Cf. G. PENCO, « San Gregorio e la teologia dell'imagine », dans *Benedictina*
18, 1971, p. 32-45.

taire ceux qui s'étaient endurcis dans une exécrable sécurité. Il veut qu'ils reviennent à lui, ne fût-ce que tardivement[1], et qu'ils rougissent au moins de ce que Dieu ait dû les attendre si longtemps. Le Seigneur sait qu'il juge avec plus d'attention les derniers temps de notre existence, il met alors tous ses soins à purifier ses élus, ainsi qu'il est écrit[2] : « *Le Seigneur jugera les confins de la terre*[b] ». Il se dépense d'autant plus à veiller sur la fin de notre vie qu'il sait que les débuts de notre vie future en dépendent. Il agit ainsi par miséricorde ; et pour faire connaître au bienheureux et juste Job la bonté avec laquelle il reçoit les pécheurs qui se convertissent même tardivement, il lui dit : « *As-tu tenu en main les extrémités de la terre pour la secouer ? Et en as-tu chassé les impies ?* » Il faut sous-entendre : comme moi qui secoue les pécheurs à la fin de leur vie en leur inspirant de la crainte ; je les tiens en main en les convertissant et chasse de leur cœur les agitations des pensées impies. Ainsi le Seigneur amène Job à comprendre comment il convertit les pécheurs qui approchent de leur fin. C'est comme s'il lui disait en termes clairs : considère la puissance de ma miséricorde et réprime l'orgueil que tu tires de ta justice.

Mais quand un homme est converti par le Seigneur sur la fin de ses jours, il n'échappe pas à la mort de la chair, rançon du premier péché ; l'Écriture le suggère en ajoutant :

Retour de l'homme à la terre X, **21.** « **Le sceau redeviendra comme de l'argile et l'argile se tiendra raide comme un vêtement** ». Le Seigneur, qui a créé l'homme à sa ressemblance[a], en a fait comme un sceau de sa puissance. Ce sceau cependant redeviendra de l'argile : autrement dit, bien qu'ayant échappé par sa conversion aux supplices éternels, il est condamné à mourir en sa chair en punition de son péché d'orgueil. Fait d'argile[b], l'homme avait reçu une âme raisonnable et il avait été orné de la similitude de l'image de Dieu[3]. Mais, dans son cœur enflé d'orgueil, il a 38, 14

infimis formatus esset oblitus est. Vnde mira conditoris iustitia
10 actum est ut quia per sensum intumuit, quem rationabilem
accepit, rursus terra per mortem fieret, quam esse se considerare humiliter noluit, et quia peccando Dei similitudinem
perdidit, moriendo uero ad limi sui materiam redit[c], recte
dicitur : « Restituetur ut lutum signaculum ». Et quia de corpore
15 cum spiritus uocatur, quodam quasi inuolucro suae carnis
exuitur, apte de eodem luto subiungitur : « Et stabit sicut
uestimentum ». Luto namque nostro sicut uestimentum stare
est usque ad resurrectionis tempus inane exutumque per-
durare. Sed quia hanc poenam superbiae nec illi transeunt,
20 qui et eamdem superbiam uiuendo humiliter uincunt, quae
sit superbientium specialis poena, subiungit dicens :

38, 15   XI, 22. « Auferetur ab impiis lux sua et brachium excelsum
confringetur ». Mors enim carnis, quae electos luci suae res-
tituit, lucem suam reprobis tollit. Lux namque superbientis
est gloria uitae praesentis. Quae ei lux tunc subtrahitur, cum
5 per carnis interitum ad rationum suarum tenebras uocatur.
Ibi tunc excelsum brachium confringetur, quia celsitudo cordis ultra naturae ordinem uiolenter arrepta opprimentis se
diuinae iustitiae mole dissipatur, ut quam se peruerse in
breui erexerat, per pondus iudicii in aeternum fracta
10 cognoscat.

    Nullus autem nostrum quid post mortem sequeretur
agnosceret, nisi uitae nostrae conditor ad poenam usque nos-

---

21. c. cf. Gn 3, 19

1. Nouvelle allusion à Gn 3, 19 (voir p. 208, n. 3), rapproché de Gn 2, 7, où l'on voit Dieu « former l'homme du limon de la terre ». De ce *limo terrae*, (Vulg.), Grégoire ne retient parfois que le second mot (*Mor.* 9, 75 ; 18, 81 ; 29, 67 : *ex terra*), plus rarement le premier (*Hom. Ez.* II, 8, 9 : *ex limo*). Ici, il assimile le « limon » de la Genèse, mentionné plus loin, à l'« argile » du *Livre de Job*.

oublié de quels pauvres éléments il a été formé. Aussi, avec une admirable justice, le Créateur a-t-il voulu que l'homme qui s'était enflé d'orgueil en usant des facultés raisonnables qu'il avait reçues, redevînt terre[1] pour n'avoir pas voulu se souvenir humblement qu'il l'était. Parce que, par son péché, l'homme a perdu la ressemblance avec Dieu et que, par la mort, il retourne à sa matière qui est le limon[c], il est dit très justement : « *Le sceau redeviendra comme de l'argile* ». Quand l'esprit est appelé hors du corps, il se dépouille pour ainsi dire de son enveloppe de chair, aussi le texte ajoute-t-il au sujet de cette argile : « *Et elle se tiendra raide comme un vêtement* ». Que notre argile se tienne raide comme un vêtement, cela veut dire que notre corps demeure vide et hors d'usage, comme un vêtement qui n'est pas porté, jusqu'au temps de la résurrection. Mais ceux-là même qui ont vaincu l'orgueil par une vie humble n'échappent pas à cette peine de l'orgueil[2]. Aussi l'Écriture ajoute-t-elle pour préciser quelle peine spéciale attend les orgueilleux :

Le Christ libère des enfers   **XI, 22.** « **La lumière sera enlevée aux**   38, 15
impies et le bras élevé sera brisé ». La mort de la chair, en effet, qui rend aux élus leur lumière, enlève la leur aux réprouvés. La lumière de l'orgueilleux, c'est assurément la gloire de la vie présente. Elle lui est retirée quand, à la mort de sa chair, il est appelé pour rendre compte de ses ténèbres. C'est là que le bras élevé est brisé : le cœur humain qui a voulu se hausser violemment au-dessus de l'ordre de sa nature est accablé par le poids écrasant de la justice divine, de sorte que celui qui s'était élevé pour peu de temps à l'encontre de sa nature se retrouve brisé pour l'éternité par le poids du jugement.

Aucun d'entre nous ne connaîtrait ce qui suit la mort, si le Créateur de notre vie n'était venu subir la peine de notre mort.

---

2. La ponctuation du *CCL*, qui met ici un point final et passe à la ligne, doit être corrigée.

trae mortis ueniret. Nisi enim ipse misericorditer infima
peteret, nequaquam nos post suam imaginem perditos iuste
15 ad summa reuocaret.

38, 16   XII, **23**. Vnde et recte subiungitur : « **Numquid ingressus
es profundum maris et in nouissimis abyssi deambulasti ?** »
Ac si dicat : ut ego, qui non solum mare, id est saeculum, per
assumptam humanam carnem atque animam petii, sed etiam
5 per eam sponte in morte positam, usque ad ultima inferni,
quasi ad maris profunda descendi. Si enim mare, more diuini
eloquii, saeculum debet intellegi, nihil prohibet profunda
maris inferni claustra sentiri. Quod profundum maris Dominus petiit, cum inferni nouissima, electorum suorum animas
10 erepturus, intrauit. Vnde et per prophetam dicitur : « *Posuisti
profundum maris uiam, ut transirent liberati*[a] ». Hoc namque profundum maris ante redemptoris aduentum non uia, sed
carcer fuit, quia in se etiam bonorum animas, quamuis non
in locis poenalibus, clausit. Quod tamen profundum Domi-
15 nus uiam posuit, quia illuc ueniens, electos suos a claustris
inferi ad caelestia transire concessit. Vnde et apte illic
dicitur : « *Vt transirent liberati*[b] ». Quod uero profundum maris
dixerat, hoc, aliis uerbis replicans, abyssi nouissimum uocat,
quia sicut aquarum abyssus nulla nostra uisione comprehen-
20 ditur, ita occulta inferi nullo a nobis cognitionis sensu
penetrantur. Qui enim hinc subtrahantur cernimus, sed quae
illos iuxta meritum retributio suppliciorum maneat, non
uidemus.

23. a. Is 51, 10   b. Is 51, 10

---

1. Cf. Jn 10, 18, cité en *Mor.* 24, 3 et 35, 8.

2. Non cité ailleurs, ce texte est interprété à la lumière de 1 P 3, 19, à quoi
font écho *carcer* et *ueniens*.

3. *In locis poenalibus* comme dans *Dial.* IV, 36, 14 et 43, 3 (au singulier :
Dial. IV, 42, 3 et 43, 3). Cf. AUGUSTIN, *Ep.* 187, 6 : *poenalia inferna et poenales
inferni partes.*

Si, dans sa miséricorde, il n'était pas descendu sur la terre, il ne nous aurait jamais rappelé avec justice dans les hauteurs du ciel, alors que, après avoir été à son image, nous nous étions perdus.

XII, 23. Aussi le texte poursuit-il avec raison : « **Es-tu entré** **dans les profondeurs de la mer ? As-tu marché au fond de** **l'abîme ?** » C'est comme s'il disait : as-tu fait comme moi ? Non seulement j'ai gagné la mer, c'est-à-dire, je suis entré en ce monde, prenant chair et âme humaine, mais, déposant volontairement mon âme dans la mort[1], je suis descendu jusqu'aux profondeurs des enfers comme au fond de la mer. Si en effet, ce qui est coutumier à la divine Écriture, la mer doit se comprendre de ce monde, rien n'empêche que les profondeurs de la mer s'entendent de la prison des enfers. Le Seigneur est descendu au fond de la mer, quand il est entré jusqu'aux confins des enfers pour en arracher les âmes de ses élus. Aussi le prophète dit-il[2] : « *Tu as fait une route du fond* *de la mer pour que passent les libérés[a]* ». Avant la venue du Rédempteur, en effet, ce fond de la mer n'était pas une route, mais une prison ; il tenait enfermées même les âmes des justes, bien qu'il ne fût pas pour elles un lieu de souffrances[3]. Le Seigneur a fait une route de ce fond de la mer, parce qu'en venant jusque-là, il a accordé à ses élus de passer de la prison de l'enfer au séjour céleste. Aussi est-il dit justement : « *Pour* *que passent les libérés[b]* ». Ce qu'il avait appelé les profondeurs de la mer, il y revient, le désignant comme le fond de l'abîme, parce que notre vue ne peut pas plus pénétrer l'abîme des eaux que notre connaissance ne peut atteindre les lieux secrets de l'enfer. Nous voyons bien que certains ont quitté ce monde, mais nous ne connaissons pas les supplices qui leur sont réservés en punition de leur conduite.

24. Vigilanti uero est cura pensandum quod in nouissima abyssi deambulasse se perhibet. Deambulare quippe non constricti, sed liberi est. Quem enim uincula adstringunt, eius nihilominus gressus impediunt. Quia igitur Dominus
5 nulla peccati uincula pertulit, in infernum deambulauit. Liber quippe ad ligatos uenit. Vnde scriptum est : « *Factus sum sicut homo sine adiutorio, inter mortuos liber*[c] ». In nouissimis ergo abyssi Domino deambulare est in loca damnationis nil suae retentionis inuenire, attestante Petro qui ait :
10 « *Solutis doloribus inferni, iuxta quod impossibile erat teneri illum ab eo*[d] ».

Vel certe quia deambulando nos cum de loco ad locum ducimur, hic illicque praesentes inuenimur, ambulasse in inferno Dominus dicitur, ut electis animabus in locis singulis
15 per diuinitatis potentiam praesens fuisse monstretur. Vnde et spiritus sapientiae mobilis describitur[e], ut per hoc quod nusquam deest, ubique nobis occurrere designetur.

Quam descensionem suam Dominus quanto mirabilem respicit, tanto eam redempto homini crebrius infundit.

38, 17   XIII, **25.** Eam namque adhuc replicans subdit : **« Numquid apertae sunt tibi portae mortis, et ostia tenebrosa uidisti ? »** Portae enim mortis sunt potestates aduersae. Quas descendens Dominus aperuit, quia earum fortitudinem moriendo
5 superauit. Quae appellatione quoque alia tenebrosa ostia uocantur ; quia dum per occultationis suae insidias non uidentur, deceptis mentibus uiam mortis aperiunt. Quae tene-

---

24. c. Ps 87, 5-6   d. Ac 2, 24   e. cf. Sg 7, 22

---

1. Seuls les derniers mots (*inter mortuos liber*) reviennent dans *Mor.* 30, 66 (voir n. 2) et *Hom. Eu.* 40, 9, où ils sont appliqués au Christ sur terre, « libre » du péché.

2. Cité en *Mor.* 30, 67 après Ps 87, 6 (*Mor.* 30, 66 ; cf. n. 1). Voir aussi *Past.* 3, 34 (118 A).

**Descente du
Christ aux enfers**

24. Il faut méditer avec grand soin ce que le Seigneur affirme ici : il a marché au fond de l'abîme. Pour marcher, il faut être libre de ses mouvements. Qui a les pieds liés est incapable de faire un pas. Le Seigneur a pu marcher dans les enfers, parce que nul lien de péché ne l'entravait. En homme libre, il est allé vers les prisonniers. Aussi est-il écrit[1] : « *J'ai été comme un homme sans secours, libre parmi les morts*[c] ». Que le Seigneur ait marché au fond de l'abîme, cela veut dire qu'en ce lieu de condamnation, on n'a trouvé en lui aucun motif de le retenir, selon ce témoignage de Pierre[2] : « *Il a échappé aux souffrances de l'enfer parce qu'il n'était pas possible qu'il fût retenu en son pouvoir*[d] ».

Ou bien encore : parce qu'en marchant nous allons d'un lieu à un autre et qu'ainsi nous sommes présents ici et là, il est dit que le Seigneur a marché dans les enfers pour se montrer présent en tout lieu aux âmes des élus par la puissance de sa divinité. De la même façon, l'Écriture attribue la mobilité à l'esprit de sagesse[e] ; puisque, de ce fait, il n'est absent d'aucun lieu, il est présenté comme nous étant partout présent[3].

Le Seigneur considère sa descente vers les profondeurs comme très digne d'admiration, aussi l'annonce-t-il fréquemment à l'homme racheté.

XIII, 25. Il y revient à nouveau quand il ajoute : « **Est-ce que les portes de la mort t'ont été ouvertes ? As-tu vu les entrées ténébreuses ?** » Les portes de la mort sont en effet les puissances ennemies. Le Seigneur les a ouvertes en y descendant, parce qu'il a vaincu leur force par sa mort. Elles sont aussi appelées entrées ténébreuses, parce qu'on ne les voit pas : elles cachent en effet leurs embûches et ouvrent la voie de la mort aux âmes ainsi trompées. Le Seigneur voit ces entrées

38, 17

---

3. Même commentaire de Sg 7, 22 dans *Hom. Ez.* I, 5, 9-10.

brosa ostia Dominus uidet, quia immundorum spirituum
fraudulentam malitiam et respicit et premit. Quos nisi ipse
10 nobis nescientibus uidendo prohiberet, et nil de insidiis mens
nostra cognosceret ; et eisdem insidiis capta deperiret. Quae
tenebrosa ostia nos etiam cernimus, quando supernae lucis
radiis illustramur. Vnde et per prophetam dicitur : « *Dominus
mihi adiutor est et ego uidebo inimicos meos*[a] ». Hostes igitur nos-
15 tros ipse uidet, qui suo eos munere nobis uisibiles facit.

Vel certe tenebrosa ostia tunc Dominus uidit, cum claustra
inferni penetrans, crudeles spiritus perculit, et mortis praepositos moriendo damnauit. Quod idcirco hic non adhuc de
futuro, sed iam de praeterito dicitur, quia hoc quod facturus
20 erat in opere, nimirum iam fecerat in praedestinatione.

Quia uero post mortem resurrectionemque eius creuit
Ecclesia, atque in cunctis est gentibus dilatata, apte
subiungitur :

38, 18   XIV, **26.** « **Numquid considerasti latitudinem terrae ?** »
Dum enim angustias mortis petiit, fidem suam in gentibus
dilatauit, atque in innumera corda credentium sanctam
Ecclesiam extendit. Cui per prophetam dicitur : « *Dilata*
5 *locum tentorii tui et pelles tabernaculorum tuorum extende ne par-*
cas, longos fac funiculos tuos et clauos tuos consolida ; ad dexteram
enim et ad laeuam penetrabis, et semen tuum gentes hereditabit[a] ».
Quae latitudo terrae profecto non fieret, nisi ipse prius et
uitam quam nouimus moriendo despiceret, et uitam quam
10 non nouimus resurgendo monstraret. In morte quippe sua nos-

25. a. Ps 117, 7
26. a. Is 54, 2-3

---

1. Citation unique chez Grégoire.

2. *Mortis praepositos* : expression déjà employée par AUGUSTIN, *Conf.* 7,
27. La phrase suivante répète presque mot à mot *Mor.* 28, 14 (p. 105, n. 2).

3. La seconde partie de cette citation (Is 54, 3) figure en *Mor.* 25, 21, où

ténébreuses, parce qu'il connaît la malignité pleine d'artifices des esprits impurs et qu'il la réprime. Si lui-même ne les empêchait de nous nuire en nous les faisant voir alors que nous les ignorons, notre esprit ne connaîtrait rien de leurs embûches, il s'y laisserait prendre et irait à sa perte. Mais nous voyons nous-mêmes ces entrées ténébreuses, quand les rayons de la lumière d'en haut nous illuminent. Aussi le prophète dit-il[1] : « *Le Seigneur est mon soutien et je verrai mes ennemis*[a] ». Le Seigneur voit donc nos ennemis et nous les rend visibles par sa grâce.

On pourrait dire aussi : le Seigneur a vu les entrées ténébreuses, quand, pénétrant dans les prisons des enfers, il a terrassé les esprits cruels et condamné par sa mort les princes de la mort[2]. Ceci est exprimé non au futur mais au passé, parce que le Seigneur a déjà opéré dans la prédestination ce qu'il va faire dans la suite.

La foi conquiert le monde   Comme, après la mort et la résurrection du Seigneur, l'Église s'est développée et répandue dans toutes les nations, le texte poursuit fort bien :

XIV, **26**. « **As-tu considéré l'étendue de la terre ?** » En passant par les défilés de la mort, le Seigneur a répandu la foi parmi les nations et gagné à la sainte Église le cœur d'innombrables croyants. C'est à l'Église que le prophète a dit[3] : « *Étends l'espace de ta tente et élargis les toiles de tes demeures ; n'épargne pas, allonge tes cordages et renforce tes pieux ; tu avanceras à droite et à gauche, et ta race aura les nations en héritage*[a] ». L'Église n'aurait pas conquis l'étendue de la terre, si le Seigneur n'avait lui-même, par sa mort, méprisé la vie que nous connaissons et n'avait en ressuscitant donné la preuve d'une vie que nous ne connaissons pas. Par sa mort, il a ouvert les

38, 18

« droite » et « gauche » représentent les justes et les damnés. « Toiles » (première partie) : littéralement « peaux ».

trae oculos mentis aperuit, et quae esset uita quae sequeretur
ostendit. Vnde et hunc in euangelio ordinem tenens, discipulis dicit : « *Sic oportebat Christum pati, et resurgere a mortuis
tertia die ; et praedicari in nomine eius paenitentiam et remissio-*
15 *nem peccatorum per omnes gentes*[b] ». Pauci enim ex plebe
israelitica ipso praedicante crediderunt ; innumeri uero gentium populi uiam uitae illo moriente secuti sunt. Superbos
namque dum adhuc passibilis uiueret pertulit, a passibili
uero uita mortuus strauit. Quod bene Samson in semetipso
20 dudum figuraliter expressit[c], qui paucos quidem dum uiueret
interemit ; destructo autem templo, hostes innumeros cum
moreretur occidit, quia nimirum Dominus ab elatione superbiae paucos cum uiueret, plures uero cum templum sui
corporis solueretur exstinxit[d], atque electos ex gentibus quos
25 uiuendo sustinuit, simul omnes moriendo prostrauit.

Recte itaque postquam inferna penetrasse se edocuit,
« *considerandam* » mox « *terrae latitudinem* » subiunxit. Ac si
flagellato homini diceret : perpende quid pertuli et pensa
quod emi, nec quereris ipse de uerbere, dum nescis quae te
30 praemia maneant in retributione.

Inter haec itaque uerba creatoris operae pretium puto, si a
bono communi ac publico parumper oculos flectimus, et
quid in singulis nobis latenter agat intuemur.

38, 16   **XV, 27.** Dicit enim : « **Numquid ingressus es profundum
maris ?** » Mare quippe est mens humana cuius profunda
Deus ingreditur quando per cognitionem suam ad lamenta

---

26. b. Lc 24, 46-47   c. cf. Jg 16, 30   d. cf. Jn 2, 19-21

1. Citation unique.

2. Cette allusion (Jg 16, 30) et la suivante (Jn 2, 19-21) ne reviennent pas
ailleurs.

3. Dans le prolongement de la troisième explication de Jb 38, 13-15, Grégoire a commenté une première fois Jb 38, 16 au sens typique (*Mor.* 29, 23-
25). A présent, il reprend le même verset au sens moral. Même processus en
Mor. 28, 42 (voir p. 162, n. 2).

yeux de notre esprit et il nous a montré ce que serait la vie future. Aussi, dans l'Évangile, a-t-il dit à ses disciples, en observant la même succession des événements[1] : « *Le Christ devait souffrir ainsi, puis ressusciter des morts le troisième jour ; et en son nom la pénitence et la rémission des péchés devaient être prêchées à toutes les nations[b]* ». Peu de membres du peuple juif crurent en lui quand il prêchait lui-même ; mais, après sa mort, d'innombrables païens suivirent la voie de la vie. Quand il vivait encore dans un corps passible, il a supporté les orgueilleux ; mais en mourant à cette vie passible, il les a terrassés. C'est ce que le personnage de Samson a bien figuré autrefois[c] ; de son vivant, il n'avait tué qu'un petit nombre d'ennemis ; emporté dans la mort par la destruction du temple, il en fit périr un très grand nombre[2]. Quand le Seigneur vivait sur cette terre, il n'a fait disparaître qu'en un petit nombre d'hommes l'esprit d'orgueil, mais il le fit disparaître chez beaucoup, quand fut détruit le temple de son corps[d] ; et les élus d'entre les païens qu'il avait supportés durant sa vie, il les a terrassés tous ensemble par sa mort.

Aussi, après nous avoir appris qu'il avait pénétré dans les enfers, ce n'est pas sans raison qu'il ajoute aussitôt : « *As-tu considéré l'étendue de la terre ?* » C'est comme s'il disait à l'homme éprouvé : soupèse ce que j'ai enduré et pèse ce que j'ai acheté ; ne te plains pas toi-même de tes épreuves, tant que tu ignores les récompenses qui te sont réservées dans la vie future.

Sens moral : la componction Après avoir examiné comment ces paroles du Créateur concernaient le bien commun et général, il vaut la peine, me semble-t-il, de porter ailleurs notre attention et de voir ce qu'elles recèlent d'important pour chacun d'entre nous[3].

XV, **27.** Le Seigneur dit en effet : « **Es-tu entré dans les pro-** **fondeurs de la mer ?** » La mer, c'est l'âme humaine ; Dieu en pénètre les profondeurs, quand, troublée dans ses pensées   38, 16

paenitentiae ab intimis cogitationibus perturbatur ; quando
5 prioris uitae nequitias ad memoriam reducit, et fluctuantem
in confusione sua animum concutit. Profundum maris Deus
penetrat, quando etiam desperata corda permutat. Si enim
mare intrat quando cor saeculare humiliat, profundum maris
ingreditur quando uisitare mentes etiam pressas sceleribus
10 non dedignatur. Vnde et recte percunctando subiungitur :
38, 16 « **Et in nouissimis abyssi deambulasti ?** » Quid enim est
abyssus, nisi mens humana, quae dum semetipsam comprehendere non ualet, sese in omne quod est, uelut obscura
abyssus, latet ? Vnde bene per prophetam dicitur : « *Dedit*
15 *abyssus uocem suam, ab altitudine phantasiae suae*[a] », quia dum
semetipsam mens humana non penetrat, ex comparatione
sui, diuinae naturae potentiam quam comprehendere non
sufficit humilius laudat.

28. In nouissimis ergo abyssi Deo deambulare est etiam
nequissimorum hominum corda conuertere, et desperatas
mentes uisitationis suae uestigiis tangendo mirabiliter refor-
mare. Cum enim post immensa scelera unusquisque
5 compungitur, quid aliud quam in nouissimis abyssi Deus
deambulans uidetur ? Quasi in abysso namque Deus deambulat, cum obscurum cor penetrans, fluctus inuisibiles
uitiorum calcat. Plerumque enim praeterita alia plangimus et
aliis praesentibus urgemur, ut modo superbia, modo ira,
10 modo luxuria, modo auaritia temptante fatigemur. Sed cum
cuncta haec in corde nostro Dominus occultae uisitationis
suae timore reprimit, quid aliud quam in abysso gressus ponit ?

27. a. Ha 3, 10

1. Cité comme ici en *Mor.* 9, 39 (même interprétation) et 17, 40.
2. Exégèse similaire des *uestigia* de Dieu et de sa « visite », en rapport avec
les degrés de la contemplation, dans *Mor.* 10, 13.
3. Ces quatre vices majeurs reparaîtront plus bas (voir p. 224, n. 2). Ici, la

intimes par la connaissance d'elle-même, elle s'abandonne aux larmes de la pénitence ; quand, au souvenir des désordres de sa vie passée, elle chancelle de confusion en examinant sa conscience. Dieu pénètre dans les profondeurs de la mer, quand il retourne les cœurs, ceux même dont on désespère le plus ; il entre dans la mer, quand il humilie un cœur attaché au monde ; mais il s'avance jusque dans ses profondeurs, quand il ne dédaigne pas de visiter les âmes chargées de forfaits. Aussi le Seigneur ajoute-t-il cette question : **« As-tu marché au fond de l'abîme ? »** Quel est cet   **38, 16** abîme si ce n'est l'âme humaine ? Ne pouvant se comprendre elle-même, elle reste totalement cachée à ses propres yeux comme un abîme obscur. Aussi le prophète dit-il fort bien[1] : « *L'abîme a élevé sa voix des profondeurs de sa pensée*[a] » ; autrement dit, comme l'âme humaine est incapable de se pénétrer elle-même, elle est portée, par comparaison, à louer avec d'autant plus d'humilité la puissance de la nature divine qu'elle arrive encore moins à la comprendre.

Le bien de la confession   **28.** Pour Dieu, marcher au fond de l'abîme, c'est convertir le cœur des hommes les plus misérables et renouveler merveilleusement les âmes dont on désespère par le toucher et l'empreinte de sa visite[2]. Dieu ne semble-t-il pas marcher au fond de l'abîme, quand quelqu'un est touché de componction après avoir perpétré d'énormes forfaits ? Dieu marche pour ainsi dire dans l'abîme, quand, pénétrant dans un cœur ténébreux, il foule aux pieds les flots invisibles des vices. Il nous arrive souvent de pleurer d'anciens vices, alors que nous harcèlent des tentations d'orgueil, de colère, de luxure ou d'avarice[3]. Mais le Seigneur les réprime en notre cœur, quand sa visite secrète nous remplit de crainte. Que fait-il d'autre alors que

superbia vient en tête comme dans *Mor.* 31, 87-88 (théorie des huit vices ; cf. Cassien, *Inst.* 5, 1).

Quos gressus mente conspicimus, quando contra insur-
gentia uitia quomodo timoris eius obuient dona pensamus.
15 Hos namque gressus propheta conspexerat, cum dicebat :
« *Visi sunt ingressus tui, Deus, ingressus Dei mei, regis qui est in
sancto ipsius*[b] ». Qui enim inordinatos motus animi diuinorum
iudiciorum memoria in se reprimi conspicit, quasi deambulantis in se Domini gressus uidet. Dicatur ergo beato Iob :
20 « *Numquid ingressus es profundum maris et in nouissimis abyssi
deambulasti ?* » Subaudis ut ego, qui mira misericordia in peccatorum cordibus modo iram, modo luxuriam, modo
auaritiam, modo surgentem superbiam calco. Ac si aperte
diceretur : si latentia cordis uitia me solum reprimere conspi-
25 cis, tu extolli de propria iustificatione cessabis. Et quia cum
diuinitus uisitamur etiam de occultis et illicitis motibus mentis ad confessionem ducimur, recte subiungitur :

38, 17   XVI, **29.** « **Numquid apertae sunt tibi portae mortis ?** » Portae enim mortis sunt cogitationes prauae quas Deo
pandimus, quando eas in paenitentiam flendo confitemur.
Quas etiam non confessas intuetur, sed confessas ingreditur.
5 Tunc quippe uiam sibi in portis mortis aperit, quando solutis
prauis cogitationibus, ad nos post confessionem uenit. Quae
portae mortis idcirco uocatae sunt, quia profecto uia ad interitum per iniquas semper cogitationes aperitur.

---

28. b. Ps 67, 25

1. Cité plus brièvement et un peu autrement (*gressus*) dans *Mor.* 16, 41
(œuvres de Dieu dans l'homme). Sur ce passage astronomique et celui de
Mor. 9, 12-15, voir P. MEYVAERT, « Gregory the Great and Astronomy »,
dans *Gregory the Great. A Symposium*, Notre Dame 1996, p. 137-145.

2. Liste des vices comme plus haut (voir p. 222, n. 3), mais l'orgueil vient
ici en queue comme dans *Mor.* 28, 46 (voir p. 170, n. 3) et 34, 48. Voir aussi
Mor. 29, 45 (p. 254, n. 1).

mettre le pied dans l'abîme ? Notre âme perçoit ces pas de Dieu, quand elle considère comment le don de sa crainte s'oppose en nous à la montée des vices. Le prophète avait contemplé ces pas de Dieu quand il disait[1] : « *Nous avons vu tes entrées, ô Dieu, les entrées de mon Dieu, de mon roi, qui est dans son sanctuaire*[b] ». Celui qui voit le souvenir des jugements de Dieu réprimer en lui les mouvements désordonnés de l'esprit, voit, pour ainsi dire les pas du Seigneur qui se promène en lui. Dieu dit donc à Job : **« Es-tu entré dans les profondeurs de la mer et as-tu marché au fond de l'abîme ? »** Il faut sous-entendre : es-tu entré comme moi qui, avec une étonnante miséricorde, foule aux pieds dans le cœur des pécheurs tantôt la colère, tantôt la luxure, tantôt l'avarice, tantôt les mouvements de l'orgueil[2]. C'est comme s'il lui disait en termes clairs : si tu considères que c'est moi seul qui chasse les vices secrets du cœur, tu ne te glorifieras plus de ta propre justice. Quand Dieu nous visite, nous sommes portés à nous accuser même des mouvements illicites qui sont cachés au fond de notre âme, aussi l'Écriture ajoute fort bien :

XVI, **29. « Est-ce que les portes de la mort t'ont été** 38, 17 **ouvertes ? »** Les portes de la mort sont les pensées mauvaises que nous découvrons à Dieu, quand nous les confessons avec larmes pour en faire pénitence. Le Seigneur les voit même si nous ne les confessons pas, mais quand nous les confessons, il y pénètre. Il se fraie donc une voie dans les portes de la mort, lorsque, grâce à la confession, il dissipe les pensées mauvaises et vient jusqu'à nous. Les pensées impies sont appelées portes de la mort, parce que ce sont toujours[3] elles qui nous mettent sur le chemin qui conduit à la perdition.

---

3. Sur ce *semper*, omis par certains témoins, voir *PL* 76, 492, note e.

38, 17   **30.** Quod adhuc replicatur, cum subditur : « **Et ostia tene-**
brosa uidisti ? » Tenebrosa namque ostia sunt latentia mentis
mala, quae et haberi intrinsecus possunt et tamen ab altero
uideri non possunt. Quae tamen Dominus cernit, quando ea
5 occulto respectu gratiae destruit. Scriptum quippe est : « *Rex*
qui sedet in solio iudicii, dissipat omne malum intuitu suo[a] ». Et
quia omne uitium angustat, omnis uero uirtus animum dila-
38, 18 tat, post destructa uitia recte subiungitur : « **Numquid**
considerasti latitudinem terrae ? » Nisi enim uirtus animum
10 dilataret, nequaquam Paulus Corinthiis diceret : « *Dilatamini*
et uos, et nolite iugum ducere cum infidelibus[b] ».

          XVII, **31.** Sollerter uero intuendum est quod dicitur :
38, 18 « **Considerasti latitudinem terrae ?** » Latitudo namque bonorum interior est et nequaquam comprehenditur, nisi caute
consideretur. Nam plerumque eos exterius inopia humiliat,
5 poenae cruciatus angustat, sed tamen inter haec semper interior fortitudo usque ad speranda caelestia dilatat. Angustati
apostoli exterius fuerant qui flagella sustinebant, sed in
magna stabant intus latitudine liberi, qui apud se haec eadem
flagella in gaudium uerterant. Scriptum namque est : « *Ibant*
10 *gaudentes a conspectu concilii, quoniam digni habiti sunt pro*
nomine Iesu contumeliam pati[a] ». Hanc latitudinem inter angustias Paulus inuenerat, qui dicebat : « *Scire autem uos uolo, fratres,*

---

30. a. Pr 20, 8   b. 2 Co 6, 13-14
31. a. Ac 5, 41

---

1. *Respectus gratiae,* comme dans *Hom. Eu.* 33, 7 ; cf. *Dial.* II, 2, 2 (*superna*
gratia respectus). Ce regard salvifique de Dieu était déjà mentionné plus haut
(29, 4 : *alios respiciens redimat* ; voir p. 184, n. 1).

2. Cité et entendu comme ici en *Mor.* 19, 7 ; 30, 78.

3. Citation unique. « Ne formez pas d'attelage » : littéralement, « ne por-
tez pas le joug ».

4. Cf. Ac 5, 40. Sur cette opposition *exterius-interius*, si familière à Grégoire, voir P. AUBIN, « Intériorité et extériorité dans les *Moralia in Iob* de
saint Grégoire le Grand », dans *RSR* 62, 1974, p. 117-166.

30. L'Écriture répète la même chose quand elle ajoute : « **As-tu vu les entrées ténébreuses ?** » Les entrées ténébreuses **38, 17** sont en effet ces péchés cachés de notre âme, qui peuvent s'y maintenir sans que personne ne les voie. Le Seigneur les discerne, lui qui les détruit par le regard secret de sa grâce[1], selon ces paroles de l'Écriture[2] : « *Le roi qui siège sur son trône de justice dissipe tout mal par son regard*[a] ». Et parce que le vice met l'âme à l'étroit, tandis que la vertu la met au large, après avoir mentionné la destruction des vices, l'Écriture ajoute très justement : « **As-tu considéré l'étendue de la terre ?** » Si **38, 18** en effet la vertu ne mettait pas l'âme au large, Paul n'aurait pas dit aux Corinthiens[3] : « *Ouvrez tout grand votre cœur et ne formez pas d'attelage avec les infidèles*[b] ».

L'espace intérieur   **XVII, 31.** C'est avec toute notre intelligence qu'il faut examiner ces paroles : « **As-tu consi-** **38, 18** **déré l'étendue de la terre ?** » L'étendue où les hommes de bien sont au large est intérieure, elle ne se laisse saisir qu'avec beaucoup d'attention. Car il arrive souvent que le dénuement des justes les humilie au dehors, que les peines qui les tourmentent les mettent à l'étroit, et cependant, au milieu de ces peines, une force intérieure les met toujours au large dans l'espérance des biens célestes. Extérieurement, les apôtres étaient à l'étroit quand on les fouettait[4] ; mais, intérieurement, ils jouissaient des larges espaces de la liberté, puisque les coups qu'ils recevaient devenaient pour eux un sujet de joie, selon ces paroles de l'Écriture[5] : « *Les apôtres quittèrent le Sanhédrin tout joyeux d'avoir été jugés dignes de subir des outrages pour le nom de Jésus*[a] ». Paul avait trouvé ces vastes espaces au milieu des angoisses, lui qui disait : « *Je veux que vous*

---

5. Comme ici, ce texte évoque la « largeur » (de la charité) dans *Hom. Ez.* II, 5, 13. Voir encore *Mor.* 6, 16 ; 17, 49 ; 31, 55, ainsi que *Hom. Eu.* 30, 8. Les deux citations suivantes (Ph 1, 12-13 et Ps 4, 2) sont uniques.

*quia quae circa me sunt magis ad profectum uenerunt euangelii, ita ut
uincula mea manifesta fierent in omni praetorio*[b] ». Hanc latitudi-
15 nem Dauid inter angustias obtinebat, dicens : « *In tribulatione
dilatasti me*[c] ». Tunc itaque haec terra, id est sanctorum conscientia, dilatatur, cum mundi huius aduersitatibus exterius
premitur. Nam cum a praesentis uitae securitate repellitur,
intus ad se impingitur, ut ad speranda superna tendatur.
20 Cumque euagari exterius non permittitur, quasi in sinum
suum reuocata dilatatur. Nos autem quae boni uiri aduersa
tolerent cernimus, sed intus quantum gaudeant non uidemus. Mentis eorum latitudinem modo in uerbis, modo in
operibus considerando cognoscimus, sed tamen quanta in
25 eis amplitudo sit eiusdem latitudinis ignoramus. Audiat ergo
humana sapientia, et se insipientem discat : « *Numquid considerasti latitudinem terrae ?* » Ac si dicat : ut ego, qui flagellis
cinctam, occultam iustorum laetitiam solus plene considero,
quia solus misericorditer formo.

30   Vel certe idcirco beatus Iob utrum terrae latitudinem con-
siderauerit inquiritur, ut exemplo alienae latitudinis
humilietur. Ac si ei aperte diceretur : eos quos innumera
mala praesentis uitae nequeunt angustare considera, et de
statu cordis tui inter uerbera gloriari cessa.

38, 18-20   XVIII, **32.** Sequitur : « **Indica mihi, si nosti omnia, in qua
uia habitet lux, et tenebrarum quis locus sit, ut ducas unumquodque ad terminos suos et intellegas semitas domus
eius** ». Beatus Iob graui quaestione discutitur, ut de uia lucis,
5 et tenebrarum loco requiratur et unumquodque ad suos ter-

---

31. b. Ph 1, 12-13   c. Ps 4, 2

1. De la « divagation » extérieure à la « dilatation » intérieure : voir le
commentaire de *Habitauit secum* dans *Dial.* II, 3, 5-10, et à l'autre bout de la
Vie de Benoît, celui de sa « vision dilatante » (*Dial.* II, 35, 5-7).

sachiez, frères, que mon affaire a tourné plutôt au progrès de l'Évangile ; en effet mes chaînes sont connues dans tout le prétoire[b] ». David aussi se gardait cet espace au milieu des angoisses, puisqu'il disait : « *Dans l'affliction tu m'as mis au large*[c] ». C'est ainsi que la terre, c'est-à-dire la conscience des saints, est mise au large, alors qu'au dehors les adversités de ce monde l'oppressent. Privée des sécurités de la vie présente, elle est obligée de rentrer en elle-même pour tendre par l'espérance vers les biens d'en haut. Quand elle n'a plus la liberté de se répandre au dehors, comme si elle était renvoyée à elle-même, elle se dilate[1]. Mais si nous discernons les adversités que supportent les justes, nous ne voyons pas la joie qui les remplit intérieurement. Nous pouvons connaître la dilatation de leur âme soit par leurs paroles, soit par leurs actes, mais nous en ignorons l'amplitude exacte. Que l'humaine sagesse se reconnaisse donc ignorante, quand elle entend ces paroles : « *As-tu considéré l'étendue de la terre ?* ». C'est comme s'il disait : l'as-tu considérée comme moi, qui suis seul à connaître pleinement la joie secrète des justes au sein même des épreuves, parce que c'est moi seul qui la leur donne avec miséricorde ?

Ou bien encore le Seigneur demande à Job s'il a considéré l'étendue de la terre, pour qu'il s'humilie par l'exemple d'autrui, le voyant au large. C'est comme s'il disait en termes clairs : considère ceux que les innombrables maux de la vie présente ne peuvent écraser, et ne te glorifie plus de l'état de ton cœur au milieu des épreuves.

Mystère des âmes et des destins   XVIII, **32.** Le texte poursuit : « **Indique-moi, si tu sais tout, quelle est la route où habite la lumière et quel est le lieu des ténèbres, afin que tu les conduises chacun en son lieu propre et que tu comprennes les chemins de leur maison** ». Le Seigneur pose au bienheureux Job une grave question, puisqu'il l'interroge sur la route de la lumière et sur le lieu des ténèbres,   38, 18-20

minos ducat, ac semitas domus eius intellegat. Quid enim
lucis nomine, nisi iustitia accipitur ? Et quid per tenebras,
nisi iniquitas designatur ? Vnde quibusdam conuersis a peccatorum nequitia dicitur : « *Eratis aliquando tenebrae, nunc*
10 *autem lux in Domino*ᵃ ». Et de quibusdam in peccato manenti-
bus memoratur : « *Qui dormiunt, nocte dormiunt*ᵇ ». Beato
itaque Iob dicitur : « *Indica mihi si nosti omnia, in qua uia habitet*
lux, et tenebrarum quis locus sit ? » Ac si dicatur ei : si plenam te
habere scientiam suspicaris, dic uel in cuius corde ea quae
15 nunc deest, innocentia ueniat, uel in cuius corde ea quae
nunc est malitia perseueret. « *In qua uia habitet lux* », id est
cuius mentem ueniens iustitia impleat : « *Et tenebrarum quis*
locus sit », id est, in quo iniquitas caeca perduret : « *Vt ducas*
unumquodque ad terminos suos », id est, ut diiudices si uel is
20 qui nunc iniquus cernitur, in iniquitate uitam finiat, uel is qui
iustus cernitur extremitatem uitae suae cum iustitiae perfectione concludat. « *Et intellegas semitas domus eius* », id est,
consideres atque discernas, uel cui bona actio perseuerans
aeternam mansionem praestet in regnum, uel quem usque ad
25 terminum suum actio praua constringens in aeternum damnet supplicium. Domus quippe pro mansione ponitur, semita
pro actione. Semita igitur ad domum ducit, quia actio ad
mansionem pertrahit.

Sed quis hominum ista discussus dicat ? Quis ista saltim
30 imperterritus audiat ? Multos enim uidemus cotidie, qui iustitiae luce resplendent, et tamen ad finem suum nequitiae
obscuritate tenebrantur ; et multos cernimus peccatorum tene-

---

32. a. Ep 5, 8   b. 1 Th 5, 7

1. *Eratis* (Vulg.) apparaissait dans *Mor.* 17, 41 et 18, 46, tandis que *fuistis*
se lit ailleurs (*Hom. Eu.* 21, 3 ; *In Cant.* 36). Le texte cité ensuite (1 Th 5, 7) ne
reparaît pas ailleurs.

2. « Demeure éternelle » : 2 Co 5, 1 (cf. Jn 14, 2) ; « supplice éternel » :
Mt 25, 46.

afin qu'il les mène chacun en son lieu propre et qu'il comprenne le chemin de leur maison. Comment interpréter le terme de lumière, sinon de la justice ? Et les ténèbres désignent-elles autre chose que l'iniquité ? Aussi Paul dit-il à certains pécheurs qui s'étaient convertis[1] : « *Vous étiez autrefois ténèbres ; maintenant vous êtes lumière dans le Seigneur*[a] ». Et de certains qui restaient dans leur péché, il dit : « *Ceux qui dorment, dorment la nuit*[b] ». Dieu dit donc au bienheureux Job : « *Indique-moi, si tu sais tout, quelles est la route où habite la lumière et quel est le lieu des ténèbres* ». C'est comme s'il lui disait : si tu estimes avoir une connaissance pleine et entière, dis-moi le cœur qui recouvrera l'innocence dont il est maintenant dépourvu, dis-moi quel est celui qui persévérera dans la malice. « *Quelle est la route où habite la lumière ?* », c'est-à-dire : quelle est l'âme que remplira la venue de la justice ? « *Et quel est le lieu des ténèbres ?* », c'est-à-dire : en qui persistera l'aveugle iniquité ? « *Afin que tu les conduises chacun en son lieu propre* », c'est-à-dire : décide si l'impie notoire finira sa vie dans l'iniquité, et si le juste, réputé tel, terminera la sienne dans la perfection de la justice. « *Et que tu comprennes les chemins de leur maison* », c'est à dire : regarde et discerne qui recevra dans le royaume une demeure éternelle pour avoir persévéré dans le bien et qui sera condamné aux supplices éternels pour avoir été assujetti au mal jusqu'à la fin de sa vie[2]. Le terme de « maison » est mis en effet pour celui de « demeure », et celui de « chemin » pour celui d'« acte ». Le chemin conduit à la maison, parce que l'acte mène à la demeure.

Mais qui peut répondre à pareille question ? Qui peut seulement l'entendre sans trembler ? Chaque jour, en effet, nous voyons beaucoup d'hommes, qui resplendissent aujourd'hui de la lumière de la justice, et qui pourtant vers la fin de leur vie sont couverts des ténèbres du mal ; et nous en voyons beaucoup d'autres enveloppés dans les ténèbres du péché et

bris obuolutos et tamen iuxta uitae suae terminum repente reddi luce iustitiae liberos. Multos etiam nouimus semel
35 inuentam uiam iustitiae illibate usque ad mortem tenuisse, et plerosque conspeximus usque ad exitum coepta semel crimina sine cessatione cumulasse.

33. Quis uero inter ista occultorum iudiciorum nubila mentis suae radium mittat, ut aliqua consideratione discernat, uel quis perduret in malo, uel quis perseueret in bono, uel quis ab infimis conuertatur ad summa, uel quis a summis
5 reuertatur ad infima ? Latent haec sensus hominum, nec quicquam de cuiuslibet fine cognoscitur, quia diuinorum iudiciorum abyssus humanae mentis oculo nullatenus penetratur. Videmus namque quod illa Deo aduersa gentilitas iustitiae luce perfusa est, et Iudaea dudum dilecta perfidiae
10 est nocte caecata. Scimus etiam quod latro de patibulo transiuit ad regnum[c], Iudas de apostolatus gloria est lapsus in tartarum[d]. Rursumque quia aliquando sortes quae coeperint non mutantur, et latronem nouimus alium peruenisse ad supplicium, et apostolos scimus percepisse propositum quod
15 desiderauerant regnum. Quis ergo discutiat in qua uia habitet lux et tenebrarum quis locus sit, ut ducat unumquodque ad terminos suos, et intellegat semitas domus eius ?

Video Paulum ex illa persecutionis saeuitia ad gratiam apostolatus uocatum[e], et tamen sic inter iudicia occulta for-
20 midat, ut reprobari se, etiam postquam uocatus est, timeat.

---

33. c. cf. Lc 23, 43   d. cf. Mt 27, 5 ; Ac 1, 18   e. cf. Ac 9, 1 s.

---

1. Sur ces surprises de la dernière heure, voir *Hom. Ez.* I, 8, 18 ; *In Cant.* 46, où elles sont mises en rapport avec le « jugement caché » de Dieu. Ici, de même, Grégoire les résumera en parlant d'*occulta iudicia* (33, l. 1), expression déjà rencontrée plus haut (*Mor.* 28, 15-16 et 39 ; voir p. 106, n. 1 ; p. 108, n. 1 ; p. 152, n. 3).

qui vers la fin de leurs jours se retrouvent subitement libérés par la lumière de la justice[1]. Nous en avons connu beaucoup aussi qui, une fois trouvée la voie de la justice, s'y sont maintenus d'une manière irréprochable jusqu'à leur mort, et nous en avons vu un grand nombre accumuler sans cesse forfaits sur forfaits du commencement à la fin de leur vie.

Trajectoires opposées   **33.** Tels sont les nuages qui dérobent les jugements de Dieu : qui y enverrait un rayon de son intelligence pour discerner avec quelque réflexion celui qui s'endurcira dans le mal et celui qui persévérera dans le bien, celui qui se convertira des choses d'en bas à celles d'en haut et celui qui retournera des choses d'en haut à celles d'en bas ? Tout cela est caché à l'intelligence de l'homme, il ne saurait connaître la fin de qui que ce soit, car l'œil de son esprit ne peut absolument pas pénétrer l'abîme des jugements de Dieu[2]. Nous voyons en effet que Dieu a répandu la lumière de la justice sur les païens qui lui étaient hostiles, et que le peuple juif autrefois aimé de Dieu s'est trouvé aveuglé par la nuit de l'incrédulité. Nous savons aussi que le larron est passé du gibet au royaume[c], et que Judas qui portait le titre glorieux d'apôtre est tombé dans les enfers[d]. Inversement, il arrive que les hommes ne se détournent pas de la voie où ils se sont engagés ; de fait, l'autre larron a abouti au lieu du supplice et les apôtres ont reçu le royaume à venir qu'ils avaient désiré. Qui donc discernera la route où habite la lumière et le lieu des ténèbres, afin de conduire chacun en son lieu propre et de comprendre les chemins de leur maison ?

Je vois Paul, persécuteur acharné, appelé par grâce à la dignité d'apôtre[e] ; et cependant, il redoute tellement les jugements secrets de Dieu qu'après son appel, il craint encore d'être

2. Cf. Rm 11, 33, où il s'agit justement des évolutions opposées du peuple juif et des païens.

Ait enim : « *Castigo corpus meum et seruituti subicio, ne forte aliis praedicans, ipse reprobus efficiar*[f] ». Et rursum : « *Ego me non arbitror comprehendisse ; unum autem, quae retro oblitus, ad ea quae sunt in priora extendens me, ad destinatum sequor ; ad pal-*
25 *mam supernae uocationis Dei, in Christo Iesu. Sequor autem si comprehendam, in quo et comprehensus sum*[g] ». Et certe iam de illo uoce dominica dictum fuerat : « *Vas electionis mihi est*[h] » ; et tamen adhuc castigans corpus suum metuit ne reprobetur.

34. Vae miseris nobis, qui de electione nostra nullam adhuc Dei uocem cognouimus, et iam in otio quasi de securitate torpemus. Debet profecto, debet in spe esse securitas, sed etiam timor in conuersatione, ut et illa certantes foueat,
5 et iste torpentes pungat. Vnde recte per prophetam dicitur : « *Qui timent Dominum, sperent in Domino*[i] ». Ac si aperte diceret : de spe incassum praesumit, qui timere Deum in suis operibus renuit.

Sed cur beatus Iob de tam ualida quaestione requiritur,
10 quae omnino ab hominibus ignoratur, ut iustorum iniquorumque terminum comprehendat, nisi ut aliorum finem cognoscere non ualens, ad suum recurrat ; quia sicut aliorum, sic etiam suum nesciat, et nesciens timeat, timens humilietur, humiliatus iam de operibus suis extolli non debeat,

---

33. f. 1 Co 9, 27   g. Ph 3, 13.14.12   h. Ac 9, 15
34. i. Ps 113, 11

---

1. Cité parfois d'après la Vulgate (*in seruitutem redigo* : *Mor.* 20, 9 ; *Hom, Eu.* 32, 3), ce mot de Paul l'est habituellement comme ici (*seruituti subicio* : *Mor.* 23, 41, etc. ; *Hom. Ez.* I, 4, 6 ; *Reg. Ep.* 7, 22). Ph 3, 13 est cité ailleurs, plus ou moins complètement, une dizaine de fois ; en revanche, Ph 3, 12, cité pour finir après sa suite normale, ne revient pas ailleurs dans les écrits grégoriens.

2. Contrasté, comme ici, avec 1 Co 9, 27 dans *Mor.* 20, 9, où Grégoire opposait l'espérance et la sécurité, deux sentiments qu'il réunit à présent (*Mor.* 29, 34).

réprouvé. Il dit, en effet[1] : « *Je châtie mon corps et je le réduis en servitude, de peur qu'après avoir prêché aux autres je ne sois moi-même réprouvé*[f] ». Et encore : « *Je n'estime pas avoir atteint le but ; je dis seulement ceci : oubliant ce qui est en arrière, tendu tout entier vers ce qui est en avant, je cours vers le but, vers le prix réservé à l'appel céleste de Dieu dans le Christ Jésus. Je cours pour tâcher de saisir, ayant été moi-même saisi*[g] ». Le Seigneur avait déjà dit de Paul[2] : « *Il est pour moi un vase d'élection*[h] » ; et cependant, il châtie encore son corps, craignant d'être réprouvé.

Crainte et humilité   **34.** Malheur à nous, misérables que nous sommes, qui n'avons pas encore entendu la voix de Dieu nous avertir de notre élection et qui nous engourdissons dans l'oisiveté, comme si nous étions en sécurité. Il nous faut assurément trouver sécurité dans l'espérance, mais aussi mener notre existence dans la crainte : la sécurité doit nous réconforter dans notre combat, et la crainte nous stimuler quand nous nous engourdissons. Aussi le prophète dit-il très justement[3] : « *Ceux qui craignent le Seigneur, qu'ils espèrent en lui*[i] ». C'est comme s'il disait en termes clairs : c'est se faire illusion sur son espérance que de se refuser à craindre Dieu dans l'action.

Mais pourquoi Dieu pose-t-il à Job une question aussi difficile et qui n'est pas à la portée de l'homme, à savoir de comprendre quelle sera la fin des justes et des impies ? N'est-ce pas pour que Job, se trouvant incapable de connaître la fin des autres, pense à la sienne ? Il est dans l'ignorance de l'une comme de l'autre. Connaissant son ignorance, qu'il se mette à craindre ; de la crainte qu'il passe à l'humilité ; humilié, qu'il ne s'élève plus à cause de ses actions, et évitant l'élève-

---

3. Citation unique, selon le Psautier Romain (*sperent*).

15 et non elatus in gratiae arce persistat ? Dicatur ergo ei :
« *Indica mihi, si habes intellegentiam, in qua uia habitet lux et tene-*
brarum quis locus sit ; ut ducas unumquodque ad terminos suos ».
Ac si diceretur : sicut qui de malis conuertantur ad bona, uel
qui de bonis ad mala redeant, nescis, ita etiam nec de te, quid
20 de tuis meritis exigentibus agatur intellegis. Et sicut alienum
nullatenus comprehendis, ita etiam tuum terminum praenos-
cere non uales. Iam enim quantum ipse profeceris scis, sed
quid adhuc de te ego in occultis sentiam nescis. Iam iustitiae
tuae acta consideras, sed quam districte apud me pensentur
25 ignoras. Vae etiam laudabili uitae hominum, si remota pietate iudicetur, quia districte discussa inde ante oculos iudicis
unde se placere suspicatur obruitur. Vnde recte Deo per prophetam dicitur : « *Non intres in iudicio cum seruo tuo, quia non*
*iustificabitur in conspectu tuo omnis uiuens*ʲ ». Vnde bene per
30 Salomonem dicitur : « *Sunt iusti atque sapientes, et opera eorum*
in manu Dei ; et tamen nescit homo utrum amore, an odio dignus
*sit, sed omnia in futuro seruantur incerta*ᵏ ». Hinc rursum per
eumdem Salomonem dicitur : « *Quis hominum intellegere pote-*
*rit uiam suam*ˡ ? » Et nimirum bona malaue quis faciens
35 conscientia attestante cognoscit. Sed idcirco dicitur quod uia
sua ab hominibus nesciatur, quia etiam si recta se quisque
opera agere intellegat, sub districto tamen examine quo tendat, ignorat. Igitur postquam illum de ista finis sui
consideratione perterruit, ad examinandum eius exordium
40 redit ; ac ne conqueratur cur finem suum nesciat, commemo-
retur etiam quia nec quo huc initio accessit intellegat.

34. j. Ps 142, 2   k. Qo 9, 1-2   l. Pr 20, 24

1. *Arce*, terme qui figure dans une variante de *Mor.* 28, 11 (voir p. 93, n. 3).
2. Phrase empruntée à AUGUSTIN, *Conf.* 9, 34 : *Vae etiam laudabili uitae*
hominum, si remota misericordia discutias eam, dont le dernier verbe trouve ici
son écho dans le mot qui suit (*discussa*, « examinée »).

ment, il persistera dans la citadelle[1] de la grâce. Aussi Dieu lui dit-il : « *Indique-moi, si tu as de l'intelligence, quelle est la route où habite la lumière et quel est le lieu des ténèbres, afin que tu les conduises chacun en son lieu propre* ». C'est comme s'il disait : de même que tu ignores quels méchants se convertiront au bien et quels justes retourneront au mal, de même tu ne sais pas ce que méritera ta conduite. Tu n'es pas plus capable de connaître d'avance ta propre fin que celle des autres. Tu sais déjà les progrès que tu as faits, mais tu ne sais pas encore ce que je pense de toi en secret. Tu considères déjà tes actes vertueux, mais tu ignores la rigueur avec laquelle je les pèse. Malheur aux hommes dont la vie paraît digne d'éloges, si Dieu la juge en faisant abstraction de sa bénignité[2] ; examinée avec rigueur, elle s'affaissera sous les yeux de son juge pour cela même qu'elle pensait devoir lui plaire. Aussi le prophète dit-il très justement à Dieu[3] : « *N'entre pas en jugement avec ton serviteur, parce que nul vivant n'est justifié devant toi*[j] ». Salomon dit fort bien : « *Il y a des justes et des sages ; leurs œuvres sont dans la main de Dieu ; et cependant l'homme ne sait pas s'il est digne d'amour ou de haine, mais tout reste dans l'incertitude pour l'avenir*[k] ». Le même Salomon dit encore ailleurs : « *Quel est l'homme qui peut comprendre son chemin*[l] *?* » Le témoignage de la conscience fait cependant savoir si on a fait le bien ou le mal. Mais il est dit que l'homme ne connaît pas son chemin, parce que, même s'il estime avoir fait le bien, il ignore cependant où cela le conduit d'après l'examen rigoureux de Dieu. C'est pourquoi, après avoir inspiré de la crainte à Job par la considération de sa fin, le Seigneur revient en arrière pour examiner ses débuts ; et afin qu'il ne se plaigne pas d'ignorer sa fin, le Seigneur lui fait savoir aussi qu'il ne comprend pas non plus ses débuts en ce monde.

3. Partiellement cité plus haut (*Mor.* 29, 3 ; voir p. 179, n. 3). On retrouve Qo 9, 1-2 dans *Hom. Ez.* I, 8, 18. La citation suivante (Pr 20, 24) est unique.

38, 21   XIX, **35.** Nam sequitur : « **Sciebas tunc quod nasciturus esses aut numerum dierum tuorum noueras ?** » Ac si illi aperte diceret : quid mirum si terminum tuum non intellegis, qui nec initium comprehendis ? Et qui ignoras quo huc initio
5 ueneris, quid mirum si nescias quo fine subtraharis ? Si ergo meum fuit te per initium ex occultis ad prompta producere, meum quoque erit etiam te ex promptis ad occulta reuocare. Cur de uitae tuae dispensatione aliquid quereris, qui in manu artificis temetipsum nesciens teneris ? Extolli itaque tanto
10 magis non debes in eo quod agis, quanto intra sinum aeternitatis clausus, nec quo huc ordine ueneris, nec quando uel quomodo hinc educaris agnoscis.

36. Haec tamen intellegi et aliter possunt : « *Sciebas tunc quod nasciturus esses et numerum dierum tuorum noueras ?* » Subaudis ut ego, qui me nasciturum noui, quia et ante humanitatis ortum in diuinitate semper substantialiter uixi.
5 Homines quippe tunc esse incipiunt, cum in matrum suarum uentre nascuntur. Nam ipsa quoque conceptio natiuitas dicitur, iuxta hoc quod scriptum est : « *Quod in ea natum est, de Spiritu sancto est*[a] ». Et idcirco se nascituros nesciunt, quia nec priusquam creentur exsistunt. Deus uero qui sine initio sem-
10 per exstitit praesciuit de se hoc quod in utero uirginis per initium sumpsit ; et quia praesciuit, disposuit ; quia disposuit, nihil profecto in humana forma sine sua uoluntate tolerauit. Conuincatur ergo cur de flagellis suis homo queritur, qui ortum suum praescire non potuit, si ipse etiam qui
15 ortum suum praesciendo disposuit se inter homines ad flagella praeparauit.

36. a. Mt 1, 20

───────────

1. Sans quitter le sens moral, qu'il scrute depuis *Mor.* 29, 27 (voir p. 220, n. 3), Grégoire entend ce verset comme une parole du Christ, faisant allusion à sa propre personne.

2. Donné comme exemple de prophétie en *Hom. Ez.* I, 1, 8.

3. Cette série de trois verbes commençant par *praesciuit* ressemble à celle

XIX, **35.** Le texte poursuit en effet : « **Savais-tu que tu allais**   38, 21
naître ? Connaissais-tu le nombre de tes jours ? » C'est
comme s'il lui disait en termes clairs : quoi d'étonnant que tu
ne comprennes pas ta fin ? Tu ne saisis pas non plus tes
débuts. Et si tu ne connais pas tes débuts en ce monde, quoi
d'étonnant si tu ignores comment tu en sortiras ? Si donc il
m'a appartenu au commencement de te tirer des lieux secrets
pour te mettre au grand jour, il m'appartiendra aussi de te
faire passer du grand jour aux lieux secrets. Pourquoi te
plains-tu de la manière dont je dispose de ta vie, toi qui sans
le savoir te trouves entre les mains de ton Créateur ? Tu dois
d'autant moins te glorifier de ce que tu fais, qu'enfermé dans
le sein de l'éternité, tu ne sais ni comment tu es venu en cette
vie, ni quand ni comment tu en seras retiré.

**Le cas singulier
du Christ**

36. On peut cependant comprendre
d'une autre manière[1] ces paroles : « *Savais-
tu que tu allais naître ? Connaissais-tu le nombre
de tes jours ?* ». Il faut sous-entendre : es-tu comme moi, qui
savais que j'allais naître, puisque, avant qu'apparût mon
humanité, j'existais depuis toujours en la divinité. Les
hommes commencent à exister dès leur naissance dans le
sein maternel. La conception elle-même en effet est appelée
une naissance selon ce qui est écrit[2] : « *Ce qui est né en elle est
de l'Esprit saint[a]* ». Les hommes ne savent pas qu'ils vont
naître, parce qu'ils n'existent pas avant d'être créés. Mais
Dieu, qui existe depuis toujours sans commencement, a su
d'avance qu'il aurait un commencement dans le sein de la
Vierge ; et parce qu'il l'a su d'avance, il en a ainsi disposé, et
parce qu'il en a ainsi disposé, il n'a rien souffert en sa
condition humaine qu'il ne l'ait voulu[3]. Que l'homme soit
donc convaincu qu'il a tort de se plaindre de ses épreuves, lui
qui n'a pu connaître d'avance sa naissance, tandis que celui-
là même qui, dans sa prescience, disposa de sa naissance,
s'est préparé à subir des épreuves au milieu des hommes.

de cinq verbes, commençant de même, en Rm 8, 29-30. « Condition (*forma*)
humaine » : cf. Ph 2, 7.

38, 22-23 XX, **37.** Sequitur : « **Numquid ingressus es thesauros niuis, aut thesauros grandinis aspexisti, quae praeparaui in tempus hostis, in diem pugnae et belli ?** » Quid aliud in niue uel grandine, nisi frigida ac dura intellegenda sunt corda
5 prauorum ? Sicut enim feruore caritas, sic solet in sacro elo- quio frigore malitia designari. Scriptum namque est : « *Sicut frigidam facit cisterna aquam, sic frigidam fecit malitiam suam*[a] ». Et rursum : « *Abundauit iniquitas et refrigescet caritas multo- rum*[b] ». In frigore ergo niuis, uel in duritia grandinis, quid
10 accipi aptius potest quam uita prauorum, quae et torpore fri- gescit, et per duritiae malitiam percutit ? Quorum tamen uitam Dominus tolerat, quia eos ad iustorum suorum proba- tionem seruat. Vnde et apte subiunxit : « *Quae praeparaui in*
15 *tempus hostis, in diem pugnae et belli* ». Vt cum aduersarius nos- ter diabolus[c] temptare nos nititur, eorum moribus quasi suis contra nos armis utatur. Per ipsos quippe nos saeuiens cru- ciat, sed nesciens purgat. Peccatis namque nostris ipsi flagellum fiunt, de quorum tali uita dum percutimur, ab
20 aeterna morte liberamur. Vnde agitur ut electorum uitae pro- ficiat etiam perdita uita reproborum, et utilitati nostrae dum illorum perditio militat mira dispensatione fiat quatenus electis Dei non pereat etiam omne quod perit.

38. Intellegi hoc quoque aliter potest, ut quia uerbis prae- cedentibus uidetur annexum, a superioris uersus expositione non discrepet. Nam quia indicauerat uel bonos ad malum, uel

---

37. a. Jr 6, 7   b. Mt 24, 12   c. cf. 1 P 5, 8

1. Sur la symbolique grégorienne du froid et du chaud, voir P. CATRY, « Désir et amour de Dieu... », dans *RecAug* 10, Paris 1975, p. 280-281. Les deux citations qui suivent sont pareillement associées dans *Mor.* 16, 81 (même ordre qu'ici) et *Hom. Ez.* II, 1, 6 (ordre inverse). La seconde (Mt 24, 12) revient en *Mor.* 11, 68 et 33, 5 (cf. *Mor.* 30, 70).

2. Pensée chère à AUGUSTIN (*En. Ps.* 54, 4, etc.).

Quand le mal sert le bien XX, **37.** Le texte poursuit : « **Es-tu entré** 38, 22-23
**dans les trésors de la neige ? As-tu vu les
trésors de la grêle que j'ai préparés pour le
temps de l'ennemi, pour le jour du combat et de la guerre ? »**
Que désignent la neige et la grêle, sinon les cœurs froids et
durs des méchants ? Dans l'Écriture, en effet, la chaleur désigne habituellement la charité, et le froid la méchanceté[1],
ainsi qu'il est écrit : « *La citerne rafraîchit l'eau qu'elle contient ;
de même la méchanceté refroidit l'âme*[a] ». Et encore : « *L'iniquité
abondera et la charité de beaucoup se refroidira*[b] ». Le froid de la
neige et la dureté de la grêle ne symbolisent-ils pas très exactement la vie des méchants, qui se refroidit à cause de leur
torpeur et frappe à cause de la dureté de leur malignité ? Et
cependant le Seigneur les tolère, parce qu'il les utilise pour
éprouver ses fidèles[2]. C'est pourquoi, le texte ajoute très
justement : « *Que j'ai préparés pour le temps de l'ennemi, pour le
jour du combat et de la guerre* ». Quand notre adversaire, le
diable[c], cherche à nous tenter, il se sert des mœurs des
méchants comme d'armes contre nous. C'est par leur intermédiaire qu'il nous tourmente avec fureur ; mais à son insu,
il nous purifie[3]. Les méchants deviennent donc les fouets
que nous méritent nos péchés ; mais tandis que leur vie nous
fustige, ils nous font échapper à la mort éternelle. C'est ainsi
que même la vie perdue des réprouvés est profitable aux
élus. Par un effet admirable de la Providence, la perte des
méchants contribue à notre avantage : ainsi ce qui court à sa
perdition n'est pas perdu pour les élus de Dieu.

Quand les méchants deviennent bienfaisants **38.** On peut aussi comprendre
ce texte d'une autre manière.
Comme il semble se rattacher à ce
qui précède, il doit pouvoir s'accorder avec le commentaire
du verset précédent. L'Écriture avait indiqué que les bons pou-

3. *Nesciens purgat* (le diable). Cf. *Mor.* 14, 59 : *nescientes purgant* (les méchants).

malos ad bonum posse conuerti, ilico secutus adiunxit :
5 « *Numquid ingressus es thesauros niuis, aut thesauros grandinis*
aspexisti, quae praeparaui in tempus hostis, in diem pugnae et
belli ? » In niue uel grandine frigida, uel dura, ut dictum est,
accipimus corda prauorum. Sed quia omnipotens Deus sanctos suos de talibus elegit, et quam multos electos adhuc inter
10 prauorum uitam repositos habeat nouit, apte in niue, uel
grandine thesauros habere se perhibet. Thesauri quippe ἀπὸ
τῆς θέσεως, id est a positione nominantur. Et plerosque in
uita frigida diu latentes respicit, quos ad medium cum iubet
producit, et iustitiae nitore candidos per supernam gratiam
15 ostendit. Scriptum quippe est : « *Lauabis me et super niuem*
dealbabor[d] ».

Quos ad diem belli pugnaeque praeparatos diu intra suae
praescientiae sinum tegit, sed cum repente eos eduxerit,
resistentia aduersariorum pectora illorum uerbis ac redargu-
20 tionibus quasi quibusdam grandinibus percutit. Vnde alias
dictum est : « *Prae fulgore in conspectu eius nubes transierunt,*
grando et carbones ignis[e] ». Prae fulgore enim nubes transeunt,
quia praedicatores sancti uniuersa mundi spatia miraculorum claritate percurrunt. Qui etiam grando et carbones ignis
25 uocati sunt, quia et per correptionem feriunt, et per flammam caritatis accendunt. Ipsa quoque libera sanctorum
increpatio natura grandinis conuenienter exprimitur.
Grando enim ueniens percutit, liquata rigat. Sancti autem
uiri corda audientium et terrentes feriunt, et blandientes
30 infundunt. Nam quemadmodum feriunt propheta testatur,

---

38. d. Ps 50, 9   e. Ps 17, 13

---

1. Voir Jb 38, 18-20 (*Mor.* 29, 32-33).

2. A la différence de mainte étymologie antique, celle-ci n'est pas sans
valeur. Cf. P. Chantraine, *Dictionnaire étymologique de la langue grecque*,
Paris 1968, p. 436.

3 Cité en *Mor.* 27, 44, où la neige représente les prédicateurs qui « irriguent », comme il est dit ici de la grêle.

vaient retourner au mal, ainsi que les méchants revenir au
bien[1], et elle ajoutait aussitôt : « *Es-tu entré dans les trésors de
la neige ? As-tu vu les trésors de la grêle que j'ai préparés pour le
temps de l'ennemi, pour le jour du combat et de la guerre ?* »
Comme nous l'avons dit, la neige et la grêle symbolisent les
cœurs froids et durs des méchants. Mais parce que Dieu le
Tout-puissant choisit ses saints parmi de tels hommes, et
qu'il sait qu'il a encore beaucoup d'élus en réserve au milieu
d'hommes à la vie dépravée, il affirme très justement qu'il a
des trésors dans la neige et la grêle. Car le mot « trésor » vient
du grec « thesis[2] », c'est-à-dire « dépôt ». Dieu regarde ceux
qui sont cachés depuis longtemps dans la froidure du péché ;
à son commandement, il les en fait sortir et il les montre, par
sa divine grâce, éblouissants de l'éclat de la justice, selon ces
paroles de l'Écriture[3] : « *Tu me laveras, et je serai plus blanc que
neige[d]* ».

Longtemps Dieu tient cachés dans les replis de sa prescience ceux qu'il a préparés pour le jour de la guerre et du
combat. Quand subitement il les en fait sortir, leurs reproches frappent comme de la grêle les cœurs rebelles de leurs
adversaires. Aussi est-il écrit ailleurs[4] : « *Au milieu des éclairs
sont passés en sa présence nuages, grêle et charbons de feu[e]* ». Les
nuages qui passent au milieu des éclairs sont les saints prédicateurs qui traversent de l'éclat de leurs miracles les espaces
du monde entier. Les prédicateurs sont aussi appelés grêle et
charbons de feu, parce qu'ils fustigent par leurs corrections
et qu'ils embrasent de la flamme de la charité. La liberté
même avec laquelle les saints reprennent les pécheurs est
justement exprimée par la nature de la grêle. Celle-ci en effet
fustige quand elle arrive ; mais une fois fondue, elle irrigue.
Les saints frappent le cœur dur de leurs auditeurs en leur inspirant de la crainte, puis ils les irriguent en se faisant
caressants. Le prophète montre comment ils frappent quand

4. Citation unique. Sur le symbolisme des nuages, voir *Mor.* 27, 15.

dicens : « *Virtutem terribiliorum tuorum dicent, et magnitudinem tuam narrabunt*[f] ». Et quemadmodum blandientes rigent secutus adiunxit : « *Memoriam abundantiae suauitatis tuae eructabunt, et iustitia tua exsultabunt*[g] ». In niue ergo uel gran-
35 dine habentur thesauri, quia plerique iniquitatis torpore frigidi, a superna gratia assumpti, in sancta ecclesia iustitiae luce fulgescunt, et prauam aduersariorum scientiam doctrinae suae ictibus tundunt.

Vnde apte est subditum : « *Quae praeparaui in tempus hostis,*
40 *in diem pugnae et belli* ». Nix quippe uel grando fuerat Saulus per frigidam insensibilitatem ; sed nix et grando contra aduersariorum pectora factus est, uel candore iustitiae, uel districti eloquii correptione. O qualem hunc thesaurum in niue et grandine habuit, quando illum inter prauorum uitam
45 positum iam tunc electum suum Dominus latenter uidit. O ad quanta aduersariorum pectora ferienda hanc in manu sua grandinem sumpsit, per quam tot sibi resistentia corda prostrauit.

39. Nemo itaque de suis operibus extollatur, nemo desperet eos quos adhuc frigidos uidet, quia thesauros Dei in niue et grandine non uidet. Quis enim crederet quod per apostolatus gratiam lapidatum Stephanum ille praecederet qui in
5 morte eius omnium lapidantium[h] uestimenta seruaret ? Si ergo ad ista dona uel iudicia occulta recurrimus, nullos omnino desperantes, nec illis nos in corde nostro praeferimus, quibus pro tempore praelati sumus, quia etsi iam uidemus quantum praecessimus, nescimus quantum dum cur-

38. f. Ps 144, 6   g. Ps 144, 7
39. h. cf. Ac 7, 57-59 ; 22, 20

1. Ces deux versets successifs sont expliqués comme ici dans *In Ez. fragm.* 9, 49-50. Le second reparaît dans *Hom. Ez.* I, 5, 12 (autre explication).
2. Ga 2, 8-9. Cette phrase se lit déjà presque mot pour mot (*meritum* au lieu

il dit[1] : « *Ils diront ta force terrible et ils raconteront ta grandeur*[f] ». Et il ajoute, montrant comment ils irriguent en se faisant caressants : « *Ils célébreront la mémoire de ton immense bonté et ils acclameront ta justice*[g] ». Il y a donc des trésors dans la neige et dans la grêle, parce que beaucoup d'hommes qui étaient engourdis dans le froid de l'iniquité en ont été tirés par la grâce d'en haut ; ils brillent dans la sainte Église de la lumière de la justice et frappent comme par les coups de leur doctrine la science erronée de leurs adversaires.

Aussi l'Écriture ajoute-t-elle fort bien : « *Que j'ai préparés pour le temps de l'ennemi, pour le jour du combat et de la guerre* ». Saul était neige et grêle quand il était froid et insensible ; il est devenu neige et grêle contre le cœur de ses adversaires par l'éclat de sa justice et par les sévères reproches qu'il leur adressa. Oh ! Le grand trésor que le Seigneur avait dans la neige et dans la grêle, quand déjà il pouvait voir son élu caché au sein d'une vie dépravée ! Quand il eut pris en main cette grêle, que de cœurs ennemis il put frapper, que d'âmes rebelles il put terrasser !

Les surprises de la grâce **39.** Que personne donc ne s'enorgueillisse de ses œuvres, que personne ne désespère de ceux qui, à ses yeux, se montrent encore froids, car il ne voit pas les trésors que Dieu tient en réserve dans la neige et la grêle. Qui aurait pu croire, en effet, que celui qui, lors de la mort d'Étienne, gardait les vêtements de tous ceux qui le lapidaient[h], le précéderait par la grâce de l'apostolat[2] ? Si donc nous réfléchissons au secret des dons et des jugements de Dieu, nous ne désespérerons jamais de personne, ni ne nous placerons, en pensée, au-dessus de ceux qui nous sont pour le moment inférieurs. Même si nous voyons à quel point nous les précédons maintenant, nous ne

de *gratiam*) en *Mor.* 23, 15, où Grégoire parle comme ici des « jugements cachés » de Dieu.

10 rere coeperint praecedamur, bene ergo ad beatum Iob
dicitur : « *Numquid ingressus es thesauros niuis, aut thesauros
grandinis aspexisti, quae praeparaui in tempus hostis, in diem
pugnae et belli ?* » Ac si aperte diceretur : nulli te de operibus
tuis praeferas, quia de his quos intueris adhuc per culpam fri-
15 gidos, quantos operatores iustitiae et defensores rectae fidei
sim facturus, ignoras. Quod quia per aduentum Mediatoris
agitur, recte subiungitur :

38, 24   XXI, **40.** « **Per quam uiam spargitur lux ?** » Ipse quippe uia
est, qui ait : « *Ego sum uia, ueritas et uita*[a] ». Per hanc ergo uiam
lux spargitur, quia per eius praesentiam cuncta gentilitas
illustratur. *Spargitur* autem conuenienter dixit, quia per apos-
5 tolorum uoces non angustata atque coartata, sed late fulgens
lux praedicationis emicuit.

Quia uero, accepta luce conuersionis, inardescit intrinsecus uis amoris, ut uel transacta mala anxie lugeantur, uel
uentura bona flagrantissime requirantur,

38, 24   XXII, **41.** competenter adiungitur : « **Diuiditur aestus
super terram** ». Sparsa enim luce aestus super terram diuiditur, quia per apertum praedicata iustitia, ad requirendum
Deum cordis anxietas in uirtutum exercitatione dilatatur, ut
5 iste in sermone sapientiae, ille in sermone scientiae fulgeat ;
hic in curationum gratia, ille in uirtutum operatione
conualescat[a] ; et dona sancti Spiritus dum dispariliter singuli
accipiunt, necessario sibimet iuncti omnes unanimiter
accendantur.

40. a. Jn 14, 6
41. a. cf. 1 Co 12, 8-11 ; 12, 28

1. Déjà cité en *Mor.* 29, 16 (voir p. 202, n. 1).
2. Liste partielle des charismes, énumérés complètement dans *Mor.* 28, 21
(voir p. 120, n. 1). *Vnanimiter* : cf. 1 Co 12, 12-13.

savons pas de combien ils nous dépasseront quand ils se mettront à courir. Ce n'est donc pas sans raison que Dieu dit au bienheureux Job : « *Es-tu entré dans les trésors de la neige ? As-tu vu les trésors de la grêle que j'ai préparés pour le temps de l'ennemi, pour le jour du combat et de la guerre ?* » C'est comme s'il disait en termes clairs : ne te préfère à personne pour tes œuvres, parce que tu ignores le nombre de ceux dont je ferai des ouvriers de la justice et des défenseurs de la vraie foi parmi ceux que tu vois encore dans le froid du péché. Comme ceci s'opère par la venue du Médiateur, le texte poursuit fort bien :

Chaleurs de la grâce ou de la persécution   XXI, **40.** « **Par quelle voie la lumière se dissémine-t-elle ?** » La voie, c'est celui qui a dit[1] : « *Je suis la voie, la vérité et la vie*[a] ». C'est par cette voie que se dissémine la lumière, parce que tous les païens ont été illuminés par sa présence. Notre texte dit avec pertinence de cette lumière qu'*elle se dissémine*, parce que la lumière de la prédication n'est pas restée limitée à un cercle restreint et resserré, mais elle a rayonné en tous sens quand elle a brillé par la voix des apôtres.   38, 24

Quand on a reçu la lumière de la conversion, le feu de l'amour brûle vivement à l'intérieur : il fait pleurer intensément les péchés passés et désirer très ardemment les biens à venir.

XXII, **41.** Aussi le texte ajoute-t-il fort bien : « **Par quelle voie la chaleur se diffuse-t-elle sur la terre ?** » En effet, quand la lumière s'est disséminée, la chaleur se diffuse sur la terre, parce que, quand la justice a été prêchée au grand jour, le cœur qui était oppressé se dilate pour chercher Dieu par l'exercice des charismes, de sorte que l'un brille d'une parole de sagesse, un autre d'une parole de science ; celui-ci jouit du don de guérison et celui-là du don des miracles[a]. Chacun recevant des dons différents du Saint-Esprit, tous sont nécessairement unis les uns aux autres et embrasés d'un seul feu[2].   38, 24

10 Sed postquam spargi lux dicitur, potest conuenienter intellegi quod per aestum persecutio designetur, quia enim lux
praedicationis inclaruit, mox a perfidorum cordibus ardor
persecutionis exarsit. Nam quod per aestum persecutio
exprimitur, dominicus sermo testatur, de iactatis super
15 petrosa seminibus dicens : « *Sole orto aestuauerunt omnes ; et
quia non habebant radicem, aruerunt*[b] ». Quod paulo post cum
exposuit, aestum persecutionem uocauit[c]. Sparsa igitur luce
aestus super terram diuisus est, quia clarescente uita fidelium, accensa est crudelitas perfidorum. Diuisus namque
20 aestus erat, quando nunc Ierosolymis, nunc Damasci, nunc
in aliis longe regionibus persecutio saeuiebat. Scriptum
quippe est : « *Facta est in illa die persecutio magna in Ecclesia,
quae erat Ierosolymis ; et omnes dispersi sunt per regiones Iudaeae
et Samariae*[d] ». Rursumque scriptum est : « *Saulus adhuc inspi-
25 rans minarum et caedis in discipulos Domini, accessit ad principem
sacerdotum, et petiit ab eo epistolas in Damascum ad synagogas, ut
si quos inuenisset huius uiae uiros ac mulieres, uinctos deduceret in
Ierusalem*[e] ». Quia ergo nunc hic, nunc illic persecutio
excreuerat, hi qui lucem ueritatis agnouerant, quasi sub
30 ardore diuisi aestus anhelabant.

42. Sed quia beatum Iob de occultis iudiciis requisitum
superioribus dictis audiuimus, oportet ut hoc quod de sparsa
luce uel diuiso aestu dictum est subtilius perscrutemur.
Adhuc enim alta interrogatione discutitur, ut saltim quia nes-
5 ciat doceatur, eique dicitur : « *Per quam uiam spargitur lux,
diuiditur aestus super terram ?* » Quid enim lucis nomine, nisi

---

41. b. cf. Mt 13, 21   c. Mt 13, 6   d. Ac 8, 1   e. Ac 9, 1-2.

---

1. Cité et commenté de même en *Mor.* 34, 25 ; *Hom. Ez.* II, 7, 1.

2. Citation unique. La suivante (Ac 9, 1-2) reparaît dans *Mor.* 31, 30, à
quoi s'ajoutent de nombreuses allusions.

Après avoir dit que la lumière a été disséminée, notre texte parle de chaleur : on peut aussi comprendre très justement que cette chaleur désigne la persécution, parce que, dès qu'a brillé la lumière de la prédication, le feu de la persécution s'est allumé dans le cœur des infidèles. Que la chaleur figure la persécution, le Seigneur l'atteste quand il dit à propos de la semence jetée dans une terre pierreuse[1] : « *Le soleil s'étant levé, tout a été brûlé, et faute de racines, les semences se sont desséchées*[b] ». Quand peu après il en vint à expliquer la parabole, le Seigneur appela la chaleur persécution[c]. Quand la lumière a été disséminée, la chaleur s'est diffusée sur la terre ; autrement dit, quand la vie des fidèles a fait resplendir sa lumière, la cruauté des infidèles s'est enflammée. La chaleur s'était diffusée quand la persécution faisait rage tantôt à Jérusalem, tantôt à Damas, tantôt dans d'autres régions éloignées. Il est écrit, en effet[2] : « *Ce jour-là une grande persécution éclata contre l'Église de Jérusalem, et tous se dispersèrent dans les contrées de Judée et de Samarie*[d] ». Il est encore écrit : « *Saul ne respirant que menaces et meurtres contre les disciples du Seigneur, alla demander au grand-prêtre des lettres pour les synagogues de Damas. S'il trouvait là des hommes et des femmes adeptes de cette voie, il les amènerait enchaînés à Jérusalem*[e] ». Comme donc la persécution se développait tantôt ici, tantôt là, ceux qui avaient connu la lumière de vérité étaient comme oppressés sous les ardeurs de cette chaleur qui s'était diffusée.

Voies imprévues de l'agir divin **42.** Mais puisque nous avons entendu plus haut les questions que Dieu posait au bienheureux Job sur ses jugements secrets, il nous faut scruter plus à fond ce qui fut dit de la dispersion de la lumière et de la diffusion de la chaleur. Dieu pose encore une fois à Job une question difficile, au moins pour lui apprendre son ignorance ; il lui dit en effet : « *Par quelle voie la lumière se dissémine-t-elle et la chaleur se diffuse-t-elle sur la terre ?* » La lumière, n'est-ce pas ici la justice ? Témoin

iustitia designatur ? De qua scriptum est : « *Populus qui sedebat in tenebris, uidit lucem magnam*ᶠ ». Omne autem quod
spargitur, non continue, sed sub quadam intermissione iacta-
10 tur. Et idcirco spargi lux dicitur, quia etsi iam quaedam ut
sunt perspicimus, quaedam tamen ita ut uidenda sunt non
uidemus. Cor namque Petri lux sparsa tenuerat, qui tanto
fidei, tanto miraculorum fulgore claruerat, et tamen conuersis gentibus dum circumcisionis pondus imponeret, quid
15 rectum diceret nesciebatᵍ. Lux ergo in hac uita spargitur,
quia ad omnis rei intellegentiam continua non habetur. Dum
enim aliud sicut est comprehendimus, et aliud ignoramus,
quasi sparsa luce et ex parte cernimus, et in obscuritate ex
parte remanemusʰ. Tunc uero lux nobis sparsa iam non erit,
20 quando mens nostra ad Deum funditus rapta fulgescet.

43. Et quia haec eadem lux quibus modis humano cordi
insinuetur ignoratur, recte in percunctatione dicitur : « *Per
quam uiam spargitur lux ?* » Ac si aperte diceretur : dic quo
ordine iustitiam meam occultis sinibus cordis infundo, cum
5 et per accessum non uideor, et tamen uisibilia opera hominum inuisibiliter immuto ; cum unam eamdemque mentem
modo hac, modo illa uirtute irradio, et tamen per sparsam
lucem adhuc ex parte aliqua eam in temptationis tenebras
remanere permitto. Requiratur homo nesciens *per quam
10 uiam spargitur lux*, ac si ei patenter dicatur : Dum dura corda
emollio, dum rigida inflecto, dum aspera mitigo, dum frigida

---

42. f. Is 9, 2 ; Mt 4, 16   g. cf. Ga 2, 11-15   h. cf. 1 Co 13, 9-10

1. *Sedebat* (Mt 4, 16), au lieu d'*ambulabat* (Is 9, 2), se retrouve en *Mor.* 19,
40 et 27, 68.

2. Dans *Past.* I, 9 (43 B) et *Hom. Eu.* II, 6, 9-10, Grégoire fait valoir l'humilité de Pierre, acceptant les reproches de Paul à ce sujet.

3. Allusion similaire au mot de Paul (1 Co 13, 9) en *Mor.* 18, 89 ; citations
dans *Hom. Ez.* I, 8, 17 et II, 9, 9. La phrase qui suit (*Tunc uero...*) fait écho à
1 Co 13, 12 (*tunc autem...*).

ce texte de l'Écriture[1] : « *Le peuple qui était assis dans les ténè-bres a vu une grande lumière*[f] ». Ce qui est disséminé n'est pas jeté de façon continue, mais comme par intermittence. Il est donc dit que la lumière est disséminée, parce qu'il est des choses que nous voyons déjà comme elles sont, il en est d'autres que nous ne voyons pas comme elles doivent être vues. C'est une lumière ainsi disséminée qui avait saisi le cœur de Pierre, puisque foi et miracles brillaient en lui d'un tel éclat et que cependant, en imposant aux païens convertis le poids de la circoncision[2], il ne savait pas ce qu'il convenait de dire[g]. En cette vie la lumière est donc disséminée, parce qu'elle ne nous est pas donnée continuellement et pour tout comprendre. Quand nous comprenons certaines choses et que nous en ignorons d'autres, nous ne voyons clair qu'en partie, comme sous une lumière intermittente[3] ; pour le reste, nous demeurons dans l'obscurité[h]. Mais cette lumière disper-sée ne sera plus notre lot, quand notre esprit, totalement ravi en Dieu, sera devenu lumière.

43. Comme on ignore sous quels modes cette lumière s'insinue dans le cœur de l'homme, il est normal que le texte prenne un tour interrogatif : « *Par quelle voie la lumière se dis-sémine-t-elle ?* » Ce qui revient à dire : dis-moi comment je répands ma justice dans les replis cachés du cœur, puisqu'on ne voit pas que j'y entre et que, cependant, je change invisi-blement les œuvres visibles des hommes, puisque je fais briller une même âme tantôt d'une vertu, tantôt d'une autre, et que pourtant, comme la lumière n'est que disséminée, je permets qu'elle reste encore sur quelque point dans les ténè-bres de la tentation ? Que Dieu pose à l'homme cette question qui le dépasse : « *Par quelle voie la lumière se dis-sémine-t-elle ?* », c'est comme s'il lui disait ouvertement : quand j'amollis les cœurs durs, quand je fléchis ceux qui sont inflexibles, quand j'adoucis ceux qui sont rudes, quand

accendo, dum debilia roboro, dum uaga stabilio, dum nutantia confirmo, intuere si uales, incorporaliter ueniens quibus
ea meatibus illustro. Haec quippe omnia nos facta cernimus,
15 nam qualiter intrinsecus efficiantur ignoramus. Hanc uiam
lucis esse nobis inuisibilem, in euangelio Veritas ostendit,
dicens : « *Spiritus ubi uult spirat ; et uocem eius audis, et nescis
unde ueniat et quo uadat*[i] ».

44. Sed quia cum lux spargitur mox ab occulto aduersario
contra fulgentem mentem temptamenta succrescunt, recte
subiungitur : « *Diuiditur aestus super terram* ». Hostis namque
callidus quos luce iustitiae enitescere conspicit, eorum men-
5 tes illicitis desideriis inflammare contendit, ut plerumque
plus se urgeri temptationibus sentiant, quam tunc cum lucis
internae radios non uidebant. Vnde et Israelitae postquam
uocati sunt, contra Moysen de excrescenti labore conquerun-
tur, dicentes : « *Videat Dominus et iudicet, quoniam fetere fecistis
10 odorem nostrum coram Pharaone et seruis eius ; et praebuistis ei
gladium, ut interficeret nos*[j] ». Volentibus quippe ex Aegypto
discedere, Pharao paleas subtraxerat et tamen eiusdem mensurae opera requirebat[k]. Quasi ergo contra legem mens
submurmurat, post cuius cognitionem temptationum stimu-
15 los acriores portat ; et cum sibi labores crescere conspicit, in
eo quod aduersario displicet, quasi fetere se in oculis Pharaonis dolet. Post lucem ergo aestus sequitur, quia post
illuminationem diuini muneris temptationis certamen
augetur.

43. i. Jn 3, 8
44. j. Ex. 5, 21   k. cf. Ex. 5, 7-8

1. Entendu de même en *Mor.* 10, 13 ; 18, 82 ; 27, 41. Voir aussi *Dial.* II, 21, 3.
2. Idée reprise dans *Hom. Ez.* I, 12, 4, avec la même citation d'Ex 5, 21 ;
voir aussi *Mor.* 24, 27. Le thème apparaît déjà, dans un contexte plus
spécifiquement monastique, chez EUSÈBE GALL., *Hom.* 42, 6-7 ; *RM* 90, 69-
70. Le conflit avec Pharaon (Ex 5, 7-8) dont Grégoire parle ensuite n'est pas

je réchauffe ceux qui sont froids, quand je fortifie ceux qui sont faibles, quand je fixe ceux qui sont inconstants, quand j'affermis ceux qui chancellent, discerne, si tu le peux, par quels canaux je viens, incorporel, les illuminer. Car nous constatons que toutes ces opérations se sont faites, mais comment elles se font à l'intérieur, nous l'ignorons. Que cette voie de la lumière soit pour nous invisible, la Vérité le montre dans l'Évangile[1] : « *L'Esprit souffle où il veut ; tu entends sa voix et tu ne sais pas d'où il vient, ni où il va*[i] ».

Les ruses du diable   **44.** Quand la lumière a été répandue dans une âme, les tentations que l'ennemi invisible suscite contre cet éclat se multiplient ; aussi le texte poursuit-il fort bien : « *La chaleur se diffuse-t-elle sur la terre ?* » En effet, l'Ennemi est retors : quand il remarque des âmes qui commencent à briller de la lumière de la justice, il cherche à les enflammer de désirs illicites, en sorte que souvent elles se sentent davantage pressées par les tentations que lorsqu'elles n'apercevaient pas les rayons de la lumière intérieure[2]. On le voit dans l'histoire des Israélites ; quand ils furent appelés à sortir d'Égypte, ils récriminèrent contre Moïse, se plaignant de l'accroissement de leur travail : « *Que le Seigneur voie et juge ! Vous avez rendu notre odeur repoussante à la face de Pharaon et de ses serviteurs, et vous leur avez mis en mains une épée pour nous tuer*[j] ». Comme ils voulaient quitter l'Égypte, le Pharaon ne leur avait plus fourni de paille, mais il continuait à exiger d'eux la même quantité de briques qu'auparavant[k]. Ainsi l'âme murmure, pour ainsi dire, contre la loi, quand après l'avoir connue, elle subit des tentations plus violentes ; et comme elle voit que ses peines croissent parce qu'elle déplaît à son ennemi, elle se plaint que le Pharaon ne peut plus la sentir. La chaleur suit donc la lumière, car après l'illumination qui est don de Dieu, le combat de la tentation se fait plus intense.

mentionné ailleurs ; voir cependant *Mor.* 29, 6.

45. Recte uero etiam diuidi aestus dicitur, quia nimirum non singuli omnibus, sed quibusdam uicinis ac iuxta positis uitiis fatigantur. Prius enim conspersionem uniuscuiusque antiquus aduersarius perspicit, et tunc temptationis laqueos
5 apponit. Alius namque laetis, alius tristibus, alius timidis, alius elatis moribus exsistit. Quo ergo occultus aduersarius facile capiat, uicinas conspersionibus deceptiones parat. Quia enim laetitiae uoluptas iuxta est, laetis moribus luxu-riam proponit. Et quia tristitia in iram facile labitur, tristibus
10 poculum discordiae porrigit. Quia timidi supplicia formi-dant, pauentibus terrores intentat. Et quia elatos extolli laudibus conspicit, eos ad quaeque uoluerit blandis fauori-bus trahit. Singulis igitur hominibus uitiis conuenientibus insidiatur. Neque enim facile captiuaret, si aut luxuriosis
15 praemia, aut auaris scorta proponeret ; si aut uoraces de abs-tinentiae gloria, aut abstinentes de gulae imbecillitate pulsaret ; si mites per studium certaminis aut iracundos capere per pauorem formidinis quaereret. Quia ergo in temp-tationis ardore callide singulis insidians uicinos moribus
20 laqueos abscondit, recte dicitur : « *Diuiditur aestus super terram* ».

46. Sed cum praemittitur : « *Per quam uiam spargitur lux* », statimque subiungitur : « *Diuiditur aestus super terram* », nimi-rum per eamdem uiam per quam lux spargitur etiam diuidi aestus indicatur. Alta quippe atque incomprehensibilis
5 sancti Spiritus gratia cum luce sua nostras mentes irradiat, etiam temptationes aduersarii dispensando modificat, ut simul

---

1. Série de quatre vices comme en *Mor.* 29, 28 (p. 222, n. 3 et p. 224, n. 2), où l'on trouvait déjà les deux premiers (luxure et colère) et le dernier (orgueil). L'avarice, mentionnée là en troisième lieu, figure ici dans la suite du texte.

2. Nous corrigeons la ponctuation du *CCL* (l. 105-107).

45. Il est dit aussi fort justement que la chaleur se diffuse, parce que tous ne sont pas harcelés par tous les vices, mais chacun l'est par ceux qui correspondent à ses dispositions innées. Avant de poser les pièges de ses tentations, l'antique ennemi commence en effet par observer le caractère de chacun, puis il pose ses pièges pour le tenter. L'un est d'humeur joyeuse, l'autre d'humeur triste, l'un est timide, l'autre est orgueilleux. Notre ennemi secret prépare ses attaques en fonction des dispositions de chacun, sur le terrain où il espère le surprendre facilement. La volupté étant proche de la joie, il propose la luxure à ceux qui sont d'humeur joyeuse. Comme on passe aisément de la tristesse à la colère, il présente à ceux qui sont d'humeur chagrine la coupe de la discorde. Comme les timides redoutent les tourments, il leur inspire des sujets d'effroi. Et comme il voit que les orgueilleux se laissent emporter par les louanges, il les attire à toutes ses fins par des flatteries[1]. Il dresse ainsi devant chacun les embûches des vices auxquels il est le plus enclin. L'ennemi n'attraperait pas facilement sa proie s'il proposait des trésors aux luxurieux ou des prostituées aux avares, s'il poussait les gloutons vers la gloire qui revient à l'abstinence, ou les abstinents vers les faiblesses de la gourmandise, s'il cherchait à prendre les doux en les excitant à se battre ou les irascibles en les troublant par la peur. Comme il tente tout homme avec un art consommé et qu'il tend ses filets en fonction du caractère de chacun, l'Écriture dit fort justement : « *La chaleur se diffuse sur la terre* ».

46. En écrivant d'abord[2] : « *Par quelle voie la lumière se dissémine-t-elle ?* », et aussitôt après : « *La chaleur se diffuse-t-elle sur la terre ?* », le texte indique que lumière et chaleur se répandent par la même voie. Quand une grâce élevée et incompréhensible de l'Esprit saint irradie nos âmes de sa lumière, elle espace du même coup les tentations de l'adversaire en leur imposant une mesure : il s'ensuit qu'elles ne sur-

multae non ueniant, ut ipsae tantummodo quae ferri possunt
illustratam iam Deo animam tangant, ut cum tactus sui
ardore nos cruciant, perfectionis incendio non exurant,
10 Paulo attestante qui ait : « *Fidelis autem Deus est qui non patietur uos temptari supra quam potestis, sed faciet cum temptatione
etiam exitum, ut possitis sustinere*[1] ». Hunc ergo aestum aliter
diuidit callidus supplantator, aliter misericors conditor. Ille
diuidit ut per illum citius interimat, iste ut eum tolerabilem
15 reddat.

Et quia cum temptatione fatigamur, non solum interno Dei
spiritu instruimur, sed etiam exterioribus praedicantium uerbis adiuuamur, recte post diuisum aestum subditur :

38, 25   XXIII, **47. « Quis dedit uehementissimo imbri cursum ? »**
Si uero, ut superius diximus, diuisi aestus nomine illa in
Iudaeae regionibus persecutio designatur, quia ipsa
persecutionis asperitas praedicatores sanctos superno
5 munere adiutos a praedicationis suae ministerio nullo timore
compescuit, apte subiunxit : « *Quis dedit uehementissimo imbri
cursum ?* » Ac si diceret : nisi ego. Diuiso enim aestu, cursum
uehementissimo imbri dedisse est inter ipsas persecutionis
angustias praedicationis impetum roborasse, ut tanto magis
10 uirtus praedicantium cresceret, quanto magis persequentium
crudelitas obuiaret, quatenus arentia corda audientium
pluuiae guttis infunderent, et siccitatem perfidiae uberius
irrigarent, ut quamuis contra eos saeuitiae aestus candes-
ceret, per eos tamen uox gratiae non taceret. Hunc
15 persecutionis aestum Paulus et tolerabat et irrigabat, cum di-

---

46. l. 1 Co 10, 13

1. Appliqué plus haut à la persécution (*Mor.* 28, 35 ; voir p. 146, n. 1), ce
mot de Paul est entendu des tentations, comme ici, dans *Mor.* 2, 19 (noter
dispensantur... diuisa) et 9, 71 (noter *modificet*). Voir aussi *Mor.* 14, 45 et 24,
31 ; cf. *Mor.* 3, 7.

2. Voir *Mor.* 29, 41

gissent pas toutes ensemble, que celles-là seules qu'elle est capable de supporter touchent l'âme déjà illuminée par Dieu ; et que leur brûlante caresse nous tourmente sans nous consumer dans un total embrasement, selon ce mot de Paul[1] : « *Dieu est fidèle ; il ne permettra pas que vous soyez tentés au-delà de vos forces ; avec la tentation, il ménagera le moyen d'en sortir, afin que vous puissiez la supporter*[1] ». Celui qui veut nous faire tomber perfidement et notre miséricordieux Créateur ont donc une manière bien différente de répandre la chaleur. Celui-là la diffuse pour nous faire périr plus rapidement, celui-ci pour nous la rendre supportable.

La persécution stimule la prédication Quand la tentation nous harcèle, non seulement l'Esprit de Dieu nous instruit de l'intérieur, mais nous sommes aussi secourus de l'extérieur par les paroles des prédicateurs. Aussi, après avoir parlé de la diffusion de la chaleur, l'Écriture ajoute-t-elle à propos :

XXIII, **47.** « **Qui a donné libre cours à une pluie très violente ?** » Comme nous l'avons dit plus haut[2], la diffusion de la chaleur symbolise la persécution qui sévit en Judée. La crainte qu'inspiraient ces excès de la persécution n'a pas détourné du ministère de la prédication les prédicateurs de l'Évangile, assistés par la grâce d'en haut. Aussi le texte poursuit-il très justement : « *Qui a donné libre cours à une pluie très violente ?* » C'est comme s'il disait : qui, si ce n'est moi ? Donner libre cours à une pluie très violente après que la chaleur a été diffusée, c'est donner vigueur à l'élan de la prédication au milieu même des angoisses de la persécution, de sorte que la force des prédicateurs croisse à la mesure même de la cruauté des persécuteurs. Ils répandaient les gouttes de pluie dans les cœurs arides de leurs auditeurs et arrosaient copieusement la sécheresse des infidèles. La voix de la grâce continua à se faire entendre grâce à eux, bien que s'enflammât contre eux l'ardeur de la violence. Paul subissait ces ardeurs de la persécution et continuait d'arroser

38, 25

ceret : « *Laboro usque ad uincula, quasi male operans, sed uerbum Dei non est alligatum*[a] ». De hoc imbre alias dicitur : « *Mandabo nubibus ne pluant super eam imbrem*[b] ». De hoc cursu imbris qui in electorum cordibus agitur psalmista testatur, dicens :
20 « *Velociter currit sermo eius*[c] ».

Plerumque uero imber est et cursum non habet, quia praedicatio ad aures uenit, sed cessante interna gratia, ad corda audientium non pertransit. De cuius praedicationis uerbis propter electos dicitur : « *Etenim sagittae tuae pertransierunt*[d] ».
25 Sagittae quippe Dei pertranseunt quando uerba praedicationis eius ab auribus ad corda descendunt. Quod quia solo diuino munere agitur, imbri cursum Dominus se dedisse testatur.

48. Sed notandum uideo quod eumdem imbrem non uehementem, sed uehementissimum uocat. Imber uehemens est uis magna, imber uero uehementissimus uis immensa praedicationis. Vehemens namque imber erat cum praedicatores
5 sancti credi aeterna suadebant. Imber autem uehementissimus, quando propter spem admonebant rem deseri, cuncta uisibilia propter inuisibilia contemni, et propter audita gaudia praesentes poenas cruciatusque tolerari. Sed cum fide cognita, saeuiente aestu persecutionis, tot electi possessa
10 reliquerunt, carnales affectus obliti sunt et prae gaudio spiritus in cruciatibus membra posuerunt, quid aliud Dominus fecit, nisi etiam uehementissimo imbri cursum praebuit, qui usque ad exsequenda summa praecepta per uerba corporis inuisibilia cordis irrigauit ?

---

47. a. 2 Tm 2, 9   b. Is 5, 6   c. Ps 147, 15   d. Ps 76, 18

---

1. Cité comme ici en *Mor.* 31, 65. Cf. *Hom. Ez.* I, 7, 13.

2. Interprété de même en *Mor.* 9, 15 ; cf. *Mor.* 27, 15. La citation suivante (Ps 147, 15) est unique.

quand il disait[1] : « *Enchaîné comme un malfaiteur, je continue à travailler ; mais la parole de Dieu n'est pas enchaînée*[a] ». De cette pluie il est dit ailleurs[2] : « *Je commanderai aux nuages de ne pas envoyer de la pluie sur elle*[b] ». Le psalmiste parle aussi de la pluie qui tombe dans le cœur des élus : « *Sa parole court avec rapidité*[c] ».

Mais il arrive souvent que la pluie ne peut accomplir sa course : la prédication parvient aux oreilles, mais, si la grâce intérieure fait défaut, elle ne pénètre pas jusqu'au cœur des auditeurs. En revanche, en ce qui concerne les élus, l'Écriture dit de la prédication[3] : « *Tes flèches ont pénétré*[d] ». Car les flèches de Dieu pénètrent, quand ses paroles descendent des oreilles dans le cœur. Comme cela ne se fait que par le don de Dieu, le Seigneur affirme qu'il a donné libre cours à la pluie.

48. Mais il faut noter qu'il ne parle pas d'une pluie violente, mais d'une pluie très violente. Une pluie violente, c'est une prédication puissante. Une pluie très violente, c'est une prédication prodigieuse. La pluie était violente quand les saints prédicateurs persuadaient leurs auditeurs de croire aux réalités éternelles. Mais la pluie était très violente quand ils les exhortaient à abandonner leurs biens à cause de leur espérance, à mépriser tous les biens visibles pour les invisibles et à supporter les peines et les souffrances du monde présent pour des joies qu'ils ne connaissaient que par ouï-dire. Quand, après avoir connu la foi et malgré le feu de la persécution, tant d'élus abandonnèrent leurs biens, oublièrent les liens de la chair, et livrèrent leurs membres aux tourments dans la joie de l'Esprit[4], qu'a fait alors le Seigneur, si ce n'est donner libre cours à une pluie très violente qui irrigua par des paroles du corps les secrets du cœur pour leur faire accomplir les préceptes les plus élevés ?

3. Cette citation est unique, mais la comparaison de la prédication aux flèches reparaît en *Mor.* 31, 65 et ailleurs.
4. « Joie de l'Esprit » dans la persécution : 1 Th 1, 6.

38, 25   XXIV, **49**. Vbi et apte subiungitur : « **Et uiam sonantis tonitrui ?** » Quid enim per tonitruum, nisi praedicatio superni terroris accipitur ? Quem terrorem dum percipiunt humana corda quatiuntur. Aliquando uero in tonitruo ipse incarnatus Dominus figuratur, quia ex antiquorum patrum
5   conueniente prophetia ad notitiam nostram quasi ex nubium concursione prolatus est. Qui inter nos uisibiliter apparens, ea quae super nos erant terribiliter sonuit. Vnde et ipsi sancti apostoli de eius gratia generati, Boanerges, id est filii tonitrui sunt uocati[a].

10   Aliquando autem, sicut dictum est, tonitruus ipsa eius praedicatio accipitur, per quam supernorum iudiciorum terror auditur. Sed quia quilibet praedicator uerba dare auribus potest, corda uero aperire non potest ; et nisi per internam gratiam solus omnipotens Deus praedicantium uerbis ad
15   corda audientium inuisibiliter aditum praestet, incassum praedicatio aure audientis percipitur, quae peruenire ad intima surdo corde prohibetur, se Dominus uiam sonantis tonitrui dare asserit, qui cum praedicationis uerba tribuit, per terrorem corda compungit. Hanc uiam Paulus praedicator
20   egregius, dum superna mysteria terribiliter insonaret, se a se habere non posse conspiciens, discipulos admonebat dicens : « *Orantes simul et pro nobis, ut Deus aperiat nobis ostium uerbi, ad loquendum mysterium Christi*[b] ». Qui ergo loquebatur mysteria, sed in corde audientium eisdem mysteriis a
25   Domino aperiri ostium precabatur, habebat quidem iam tonitruum, sed dari ei desuper uiam quaerebat. Hanc uiam nequa-

49. a. cf. Mc 3, 17   b. Col 4, 3

1. Les nuages représentent les prophètes : *Mor.* 27, 15.

2. Non cité ailleurs, Mc 3, 17 suggère à Grégoire la paternité du Christ, thème sur lequel il revient dans *Mor.* 19, 31. Cette idée n'est pas rare chez les Pères. Voir par exemple JÉRÔME, *In Matth.* I, 9, 15 et II, 11, 19 (à propos des apôtres comme ici) ; AUGUSTIN, *En. Ps.* 7, 11 (Mt 9, 15) ; *RM* 2, 3 = *RB* 2, 3 (Rm 8, 15).

Prédication et crainte de Dieu

XXIV, **49.** Et le texte poursuit fort **38, 25** justement : « **Qui ouvre la voie aux roulements du tonnerre ?** » Qu'entendre par le tonnerre, si ce n'est la prédication de la crainte de Dieu ? Les cœurs des hommes se mettent à trembler quand ils l'éprouvent. Parfois le tonnerre figure le Seigneur lui-même en son incarnation, car nous l'avons connu par les prophéties des anciens Pères, dont l'accord, comme par des nuages qui s'entrechoquent[1], l'a mis en lumière. Quand il est apparu visiblement au milieu de nous, il a fait éclater le bruit terrible de ce qui était au-dessus de nous. Aussi les saints apôtres eux-mêmes, engendrés par sa grâce[2], furent-ils appelés Boanergès, c'est-à-dire fils du tonnerre[a].

Parfois, comme on vient de le dire, le tonnerre s'entend de la prédication elle-même qui inspire la crainte des jugements d'en haut. Tout prédicateur est en mesure de distribuer des paroles aux oreilles, mais pour les cœurs, il ne peut les ouvrir. Si une grâce intérieure du Dieu tout-puissant ne leur fraye invisiblement le chemin jusqu'au cœur, c'est en vain que la prédication frappe l'oreille de l'auditeur ; un cœur sourd ne peut la recevoir à l'intime. Aussi le Seigneur affirme que c'est lui qui ouvre la voie aux roulements du tonnerre : en accordant sa parole aux prédicateurs, il frappe les cœurs de componction et de crainte. Quand Paul, cet illustre prédicateur, faisait retentir d'une manière terrible les divins mystères et qu'il voyait qu'il n'avait pas par lui-même le pouvoir d'ouvrir les cœurs, il adressa à ses disciples cette exhortation[3] : « *Priez aussi pour nous : que Dieu ouvre une porte à notre parole afin que nous annoncions le mystère du Christ[b]* ». Celui qui parlait des mystères demandait au Seigneur d'ouvrir une porte à ces mêmes mystères dans le cœur de ses auditeurs ; il avait donc déjà en lui le tonnerre, mais il cherchait à ce que libre cours lui fût donné d'en haut. Jean savait

3. Citation unique.

quam se Ioannes dare posse cognouerat, qui dicebat : « *Non necesse habetis ut aliquis doceat uos, sed sicut unctio eius docet uos de omnibus*[c] ». Hanc uiam rursum Paulus quis daret intima-
30 bat, dicens : « *Neque qui plantat est aliquid, neque qui rigat, sed qui incrementum dat Deus*[d] ». Accepta igitur uia quid iste imber ac tonitruus agat audiamus.

38, 26   XXV, **50**. Sequitur : « **Vt plueret super terram absque homine in deserto, ubi nullus mortalium commoratur** ». Super terram absque homine in deserto pluere est uerbum Dei gentilitati praedicare. Quae dum nullum cultum diuinita-
5 tis tenuit, nullam in se speciem boni operis ostendit, uidelicet desertum fuit. In qua quia legislator non fuit, et qui rationa- biliter Deum quaereret non fuit, quasi hominum nullus fuit, et uelut solis bestiis occupata, uacua a mortalibus exstitit. De hac deserti terra alias dicitur : « *Posuit in deserto uiam*[a] ». De
10 hac praedicatione gentilitati concessa psalmista testatur, dicens : « *Posuit flumina in deserto*[b] ». Notandum uero est quod postquam aestus super terram diuisus est, cursum uehementissimus imber accepit, ut in deserto plueret, quia postquam in Iudaea asperitas persecutionis inhorruit, ut non
15 solum fidem minime reciperet, sed eam etiam gladiis impu- gnaret, ad Israel missus quisque praedicator ad euocandas gentes deflexit. Vnde sancti apostoli Hebraeis persequenti- bus, quos deserunt, dicunt : « *Vobis oportebat primum loqui uer-*

---

49. c. 1 Jn 2, 27   d. 1 Co 3, 7
50. a. Is 43, 19   b. Ps 106, 33

---

1. Cité plus brièvement en *Mor.* 5, 50 ; *Hom. Eu.* 30, 3. La citation suivante (1 Co 3, 7) se retrouve presque sans variante – chose rare – dans *Mor.* 17, 27 ; 27, 64 ; 30, 29 ; *Hom. Ez.* I, 8, 17.

2. Sur cette expression célèbre (cf. *RB* 58, 7), tirée de Ac 17, 27, voir G. TURBESSI, « *Quaerere Deum*, Variazioni patristiche su un tema centrale della *Regula sancti Benedicti* », dans *Benedictina* 14, 1967, p. 14-22 ; 15, 1968, p. 181-205, etc.

bien qu'il ne pouvait par lui-même ouvrir cette voie quand il disait[1] : « *Vous n'avez pas besoin qu'on vous enseigne, mais c'est comme si son onction vous enseignait sur tout[c]* ». Paul encore indiquait qui ouvre cette voie quand il disait : « *Celui qui plante n'est rien, ni celui qui arrose ; Dieu seul compte, lui qui fait croître[d]* ». Écoutons ce qui se passe quand la voie a été ouverte à cette pluie et à ce tonnerre.

Le désert des païens **XXV, 50.** Le texte poursuit : « **Pour faire pleuvoir sur une terre sans hommes, dans un désert où n'habite aucun mortel** ». Faire pleuvoir sur une terre sans hommes, dans le désert, c'est annoncer la Parole de Dieu aux païens. Comme ils n'ont maintenu aucun culte envers la Divinité et n'ont produit aucune espèce d'œuvre bonne, ils sont bien un désert. Chez eux, pas de législateur ni d'homme qui ait cherché Dieu[2] comme la raison le requiert ; c'est comme s'il n'y avait aucun homme sur cette terre, comme si seules les bêtes sauvages y habitaient : elle était comme vide de mortels. Il est dit ailleurs de cette terre déserte[3] : « *Il a tracé une route dans le désert[a]* ». Le psalmiste aussi témoigne de cette prédication aux païens : « *Il a fait couler des fleuves dans le désert[b]* ». Il faut noter encore ceci : après que la chaleur s'est diffusée sur la terre, une très grosse averse trouva libre cours, la pluie tomba sur le désert ; autrement dit, lorsque sévit en Judée la violence de la persécution, au point que les Juifs, non contents de refuser la foi, la combattirent par le glaive, tous les prédicateurs de l'Évangile en mission auprès d'Israël se détournèrent de lui pour appeler les païens. Aux Hébreux qui les persécutaient, les saints apôtres pouvaient donc dire en les abandonnant[4] : « *C'est à vous qu'il fallait d'abord annoncer la parole de Dieu ; mais*

38, 26

---

3. Cette citation et la suivante sont uniques.

4. Verset cité complètement, comme ici, dans *Mor.* 2, 48 ; 7, 11 ; 9, 6 ; 18, 50 ; 20, 47 ; 30, 32, plus brièvement dans *Hom. Ez.* I, 2, 3 et *In Cant.* 35.

bum Dei, sed quia repellitis illud, et indignos uos iudicatis aeternae
20 *uitae, ecce conuertimur ad gentes^c* ». Diuiso igitur aestu, deserta
et absque homine terra compluitur, quia dispersa in Iudaeae
regionibus persecutione fidelium, derelicta dudum et quasi
ab infusione rationis aliena, praedicationis guttis gentilitas
irroratur.

25   Quae gentilitas quasi adhuc a praedicatoribus sit inuenta
38, 27 ostenditur, cum subditur : « **Vt impleret inuiam et desola-**
tam ». Quid uero compluta reddidit, demonstratur, cum ilico
adiungitur :

38, 27   XXVI, **51.** « **Et produceret herbas uirentes** ». Inuia namque
dudum gentilitas fuit, ad quam uia Dei uerbo non patuit.
Redemptore quippe nostro ueniente, sic accepit uocationem
gratiae, ut non in ea prius fuerit uia prophetiae. Desolata
5 etiam recte uocata est, uel ratione uidelicet consilii, uel fructu
boni operis destituta. Dedit ergo Dominus uehementissimo
imbri cursum, et uiam sonantis tonitrui^a, ut in deserto
plueret^b, et impleret inuiam et desolatam, et produceret herbas uirentes, id est, exteriori praedicationi internam
10 aspirationem contulit, ut corda gentilium arentia uirescerent,
clausa   patescerent,   inania   complerentur,   infecunda
germinarent.

52. In scriptura enim sacra aliquando herba uiror gloriae
temporalis accipitur, aliquando refectio diaboli, aliquando
sustentatio praedicatorum, aliquando bona operatio, aliquando aeternae uitae scientia atque doctrina.

---

50. c. Ac 13, 46
51. a. cf. Jb 38, 25   b. cf. Jb 38, 26

---

1. Des cinq sens donnés ici à l'herbe, seuls le premier et le quatrième correspondent à EUCHER, *Form.* 4 (*PL* 50, 744 B), qui citait aussi (en ordre
inverse) Ps 89, 6 et Gn 1, 11.

puisque vous la repoussez et que vous vous jugez indignes de la vie éternelle, nous nous tournons vers les païens[c] ». Après que la chaleur s'est diffusée, il pleut sur une terre déserte et sans hommes ; comprenons : lorsque la persécution contre les fidèles se fut étendue partout en Judée, les païens d'abord abandonnés et comme privés de raison, ont été arrosés par les gouttes de la prédication.

La suite du texte montre bien encore l'état dans lequel les prédicateurs ont trouvé les païens : « **Pour inonder une terre inaccessible et désolée** ». Le texte enchaîne pour montrer ce qu'a produit la terre arrosée par la pluie : **38, 27**

XXVI, **51. « Et pour faire pousser l'herbe verte** ». Autrefois, **38, 27** en effet, les païens étaient impénétrables : la parole de Dieu n'avait pas accès auprès d'eux. Par la venue de notre Rédempteur, ils ont reçu l'appel de la grâce, sans qu'au préalable la prophétie ait trouvé une voie d'accès en eux. Cette terre est aussi opportunément appelée désolée, parce qu'elle était dépourvue de la raison qui donne la sagesse ; ou bien encore parce qu'elle était dépourvue du fruit des bonnes œuvres. Le Seigneur a donné libre cours à une pluie très violente et aux roulements de tonnerre[a] pour faire pleuvoir dans le désert[b], abreuver une terre inaccessible et désolée et faire pousser l'herbe verte. Autrement dit, à la prédication qui vient de l'extérieur, le Seigneur a ajouté l'inspiration intérieure pour faire verdir les cœurs desséchés des païens, ouvrir ceux qui étaient fermés, remplir ceux qui étaient vides et rendre fertiles ceux qui étaient stériles.

Le symbole de l'herbe **52.** Dans l'Écriture sainte, en effet, l'herbe désigne tantôt la gloire temporelle, tantôt la pitance du diable, ou encore la subsistance des prédicateurs, ou les bonnes œuvres, ou enfin la science et la doctrine de la vie éternelle[1].

5   Viror namque gloriae temporalis accipitur, sicut propheta
ait : « *Mane sicut herba transeat, mane floreat et pertranseat*[c] ».
Mane namque sicut herba florere atque transire est in pros-
peritate huius saeculi temporalis gloriae uelociter decus
arescere. Herba refectio diaboli accipitur, sicut de illo a
10 Domino dicitur : « *Huic montes herbas ferunt*[d] ». Ac si diceret :
superbi ac tumidi dum se illicitis cogitationibus atque actio-
nibus efferunt, suis illum iniquitatibus pascunt. Herba
sustentatio praedicantium demonstratur, cum dicitur :
« *Producit in montibus fenum et herbam seruituti hominum*[e] ». In
15 montibus quippe fenum seruituti hominum herba producitur, cum sublimes huius saeculi, ad fidei cognitionem uocati,
sanctis praedicatoribus in huius uitae itinere transitoria ali-
menta largiuntur. Herba bona operatio ponitur, sicut
scriptum est : « *Germinet terra herbam uirentem*[f] ». Quod licet
20 in conditione mundi ita historice factum tenemus, terram
tamen Ecclesiam figurasse non inconuenienter accipimus,
quae in eo germinauit herbam uirentem, in quo ad uerbum
Dei fecunda misericordiae opera protulit. Herbam aliquando
scientiam atque doctrinam aeternae uiriditatis accipimus,
25 sicut per Ieremiam dicitur : « *Onagri steterunt in rupibus, traxe-*
runt uentos quasi dracones, defecerunt oculi eorum, quia non erat
herba[g] ». Quo dicto superba ac nequissima Iudaeorum est persecutio prophetata. Ipsi quippe onagri pro mentis elatione, ipsi

---

52. c. Ps 89, 6   d. Jb 40, 15   e. Ps 146, 8   f. Gn 1, 11   g. Jr 14, 6

   1. Citation unique. Voir note précédente.
   2. Entendu comme ici en *Mor.* 33, 2-3.
   3. Non cité ailleurs, ce verset est entendu par Grégoire à la manière
d'AUGUSTIN, *En. Ps.* 146, 16. Ceux qu'Augustin appelait *excelsos saeculi*
deviennent ici *sublimes huius saeculi*, et aux « serviteurs de Dieu » d'Augustin
correspondent les « saints prédicateurs », tandis que les aliments figurés
par le foin, qu'Augustin qualifiait de « temporaires » (*ad tempus apparentia*),
sont appelés maintenant « passagers » (*transitoria*).

L'herbe désigne la gloire temporelle dans ces paroles du prophète[1] : « *L'homme est comme l'herbe qui pousse le matin ; le matin elle fleurit et elle passe*[c] ». Fleurir en effet le matin comme l'herbe et passer, cela veut dire que l'honneur de la gloire temporelle qu'on retire des succès de ce monde se flétrit en très peu de temps. L'herbe désigne la pitance du diable ; à son sujet le Seigneur dit en effet[2] : « *Pour lui les montagnes portent de l'herbe*[d] ». C'est comme s'il disait : les superbes et les orgueilleux, en s'élevant par leurs pensées et leurs actions impies, le nourrissent de leurs iniquités. L'herbe signifie la subsistance des prédicateurs, lorsqu'il nous est dit[3] : « *Dans les montagnes, il produit du foin et de l'herbe pour l'usage des hommes*[e] ». De fait, les montagnes produisent le foin et l'herbe à l'usage des hommes, quand les grands de ce monde, appelés à la connaissance de la foi, accordent aux saints prédicateurs leur subsistance passagère sur le chemin de cette vie. L'herbe signifie les bonnes œuvres dans ce texte de l'Écriture[4] : « *Que la terre produise de l'herbe verte*[f] ». Ceci s'est réalisé historiquement lors de la création du monde, mais il n'est pas hors de propos d'y voir l'Église, figurée par la terre ; elle a produit de l'herbe verte, lorsque, rendue féconde par la parole de Dieu, elle a produit des œuvres de miséricorde. L'herbe s'entend parfois de la science et de la doctrine dans leur perpétuelle fraîcheur, comme dit Jérémie[5] : « *Les onagres se sont dressés sur les rochers ; ils ont aspiré les vents comme des dragons ; leurs yeux se sont consumés, parce qu'il n'y avait pas d'herbe*[g] ». Cette parole prophétise l'insolence et le caractère pernicieux de la persécution des Juifs. Ils sont appelés onagres à cause de leur orgueil, et dragons à cause de leurs pensées

---

4. Appliqué à l'Église, comme ici, dans *Mor.* 19, 29, où cependant les bonnes œuvres ne sont pas rapportées à l'« herbe », mais au « bois fructifère » dont parle la suite du texte. Voir aussi p. 264, n. 1.

5. Le membre de phrase sur les dragons est appliqué à l'orgueil des méchants dans *Mor.* 20, 75, où Grégoire écrit déjà *malitiosa superbia inflantur*.

dracones pro uirulenta cogitatione uocati sunt. Qui steterunt
30 in rupibus, quia non in Deo, sed in summis potestatibus
huius mundi confisi sunt dicentes : « Regem non habemus nisi
Caesarem^h ». Traxerunt uentos quasi dracones, quia spiritu
elationis inflati superbia malitiosa tumuerunt. Defecerunt
oculi eorum, quia scilicet spes eorum ab eo quod intendebat
35 corruit. Quae temporalia diligens, praestolari aeterna
neglexit, et terrena ideo quia Deo praeposuit amisit. Dixerunt
enim : « Si dimittimus eum sic, omnes credent in eum ; et uenient
Romani et tollent nostrum locum et gentemⁱ ». Timuerunt ne
locum non occiso Domino perderent, et tamen occiso perdi-
40 derunt. Sed cur ista miseris euenerint, subdit : « Quia non erat
herba^j », id est, quia eorum cordibus defuit aeternitatis scientia, et nullo eos refecit pabulo uiriditatis internae doctrinae.

Hoc igitur loco quid aliud uirentes herbas nisi sanctae doctrinae scientiam uel congruas operationes accipimus ?
45 Deserta igitur terra compluitur, ut ab ea uirentes herbae
producantur^k, quia dum sanctae praedicationis imbrem gentilitas percepit, et uitae opera et doctrinae uerba germinauit.
Ista uiriditas uoce prophetica desertae terrae pollicetur, cum
dicitur : « In cubilibus in quibus prius dracones habitabant orietur
50 uiror calami et iunci^l ». Quid enim per calamum nisi scriptores,
quid per iuncum qui iuxta aquae semper humorem nascitur
nisi pusilli ac teneri auditores sacri eloquii designantur ? In
draconum ergo cubilibus uiror calami et iunci oritur, quia in
eis populis quos antiqui hostis malitia possidebat, et docto-
55 rum scientia, et auditorum oboedientia coaceruatur.

---

52. h. Jn 19, 15   i. Jn 11, 48   j. Jr 14, 5   k. cf. Jb 38, 26   l. Is 35, 7

---

1. Citation unique.

2. Entendu comme ici dans Mor. 29, 6.

3. Interprétation reproduite dans Mor. 33, 7 et Hom. Ez. II, 1, 11, avec ren-
vois explicites au présent passage.

venimeuses. Ils se sont dressés sur des rochers, parce qu'ils se sont confiés non en Dieu, mais dans les plus hautes puissances de ce monde, quand ils ont dit[1] : « *Nous n'avons pas d'autre roi que César*[h] ». Ils ont aspiré les vents comme des dragons, parce qu'ils se sont enflés d'orgueil et bouffis d'une pernicieuse vanité. Leurs yeux se sont consumés, parce que leur espérance n'a pas obtenu ce qu'elle attendait. Aimant les biens temporels, elle a négligé d'espérer les biens éternels ; et elle a perdu les biens terrestres, parce qu'elle les a préférés à Dieu. Ils ont dit en effet[2] : « *Si nous le laissons faire, tous croiront en lui, les Romains viendront et détruiront notre lieu saint et notre nation*[i] ». Ils craignaient, s'ils ne faisaient pas mourir le Seigneur, de perdre leur lieu saint, et ils l'ont pourtant perdu, lorsqu'ils l'ont mis à mort. Jérémie indique pourquoi ce malheur est arrivé à ces misérables, quand il ajoute : « *Parce qu'il n'y avait pas d'herbe*[j] » ; c'est-à-dire que leur cœur a manqué de la science des réalités éternelles et qu'il n'a pas été restauré par la nourriture verdoyante de la doctrine intérieure.

Dans ce texte, que va donc symboliser l'herbe verte sinon la science de la sainte doctrine et les œuvres justes ? Une terre déserte reçoit de la pluie pour produire de l'herbe verte[k] ; autrement dit, quand la terre païenne eut reçu la pluie de la sainte prédication, elle s'est mise à porter les œuvres de vie et les paroles de la doctrine. Le prophète a promis cette verdure à la terre déserte, lorsqu'il dit : « *Dans les repaires habités autrefois par les dragons poussera ta verdure des roseaux et des joncs*[l] ». Qu'entendre par les roseaux, sinon les écrivains, et par les joncs qui croissent toujours au bord des eaux, si ce n'est les auditeurs de la parole de Dieu[3], encore faibles et peu formés ? La verdure des roseaux et des joncs croît donc dans les repaires des dragons ; autrement dit, la science des docteurs et l'obéissance de leurs auditeurs s'amoncellent chez ces peuples que détenait autrefois la malice de l'antique ennemi.

53. Haec tamen quae generaliter de gentilitate dicta sunt si sollerter aspicimus, intra sinum sanctae Ecclesiae agi in singulis uidemus. Sunt enim plerique ad uerba Dei ualde insensibiles. Fidei quidem nomine censentur, uerba uitae
5 auribus audiunt, sed ea transire usque ad interna cordis minime permittunt. Hi quid aliud quam deserta terra sunt ? Quae scilicet terra hominem non habet, quia eorum mens sensu rationis caret. Et nullus mortalium in hac terra commoratur, quia et si quando in eorum conscientia rationabilium
10 sensuum cogitationes ueniunt, non persistunt. Praua enim desideria in eorum cordibus sedem inueniunt, recta uero si quando uenerint, ac si impellantur, decurrunt.

Sed cum misericors Deus imbri suo cursum et sonantis tonitrui uiam dare dignatur[m], compuncti per internam
15 gratiam uerbis uitae aures cordis aperiunt. Et impletur terra inuia[n], quia dum praebet auditum uerbo, cumulatur mysterio. Et producit herbas uirentes, quia per gratiam compunctionis infusa, praedicationis uerba non solum libenter recipit, sed etiam ubertim reddit, ut quod audire non
20 poterat iam loqui concupiscat, et quae non audiendo etiam intrinsecus aruerat, iam loquendo quae sancta sunt uiriditate sua quoslibet esurientes pascat. Vnde bene per prophetam dicitur : « *Emitte spiritum tuum, et renouabis faciem terrae*[o] ». Sic enim sic facies terrae uirtute renouationis immutatur, dum
25 sicca dudum mens gratia ueniente compluitur, et post ariditatem pristinam, quasi productis herbis, scientiae uiriditate uestitur.

---

53. m. cf. Jb 38, 25   n. cf. Jb 38, 27   o. Ps 103, 30

---

1. *Verba Dei* : Jn 3, 34, etc. ; *uerba uitae* : Ac 5, 20.

2. Entendu ailleurs de la résurrection de la chair (*Hom. Ez.* II, 8, 6), ce verset s'applique ici à la conversion de l'âme individuelle par la componction.

Quand l'âme reverdit   **53.** Cependant, si nous examinons les choses avec soin, nous voyons que ce que nous venons de dire des païens en général, se réalise aussi en tout fidèle au sein de la sainte Église. Beaucoup, en effet, portent le nom de fidèles, qui sont fort insensibles aux paroles de Dieu ; leurs oreilles entendent les paroles de vie[1], mais ils ne les laissent pas pénétrer jusqu'au fond de leur cœur. Ils ne sont autre chose qu'une terre déserte. Aucun homme n'y habite, du fait que leur esprit est privé de l'exercice de la raison. Aucun mortel n'y habite, car même si parfois des pensées raisonnables parviennent à leur conscience, elles n'y demeurent pas. Ce sont les mauvais désirs qui ont résidence dans leur cœur ; si parfois de bons désirs se présentent, ils s'en vont en courant comme si on les chassait.

Mais quand le Dieu de miséricorde daigne donner libre cours à sa pluie et aux roulements du tonnerre[m], une grâce intérieure les touche de componction et ils ouvrent les oreilles de leur cœur aux paroles de vie. La terre inaccessible est alors abreuvée[n], car l'âme qui prête l'oreille à la parole est remplie de son mystère. Et voici qu'elle produit de l'herbe verte : touchée par une grâce de componction, elle reçoit volontiers la parole qu'on lui prêche, et de plus, elle la rend avec usure : elle désire maintenant annoncer ce qu'elle ne pouvait même pas entendre ; elle qui avait le cœur desséché faute d'avoir écouté les saintes prédications, nourrit désormais de sa verdure ceux qui ont faim, en leur parlant des choses saintes. Aussi le prophète dit-il très justement[2] : « *Envoie ton Esprit et ils seront créés, et tu renouvelleras la face de la terre*[o] ». C'est ainsi, en effet, oui, c'est ainsi que la face de la terre est changée par l'effet du renouveau, quand une âme naguère desséchée est arrosée par la venue de la grâce et que, quittant son aridité d'autrefois, elle se met à produire, pour ainsi dire, de l'herbe, et se revêt de science comme d'une verdure.

38, 28   XXVII, **54.** Quae conditoris nostri gratia adhuc nobis altius commendatur, cum subditur : **« Quis est pluuiae pater ? Vel quis genuit stillas roris ? »**. Ac si diceret nisi ego, qui siccam terram humani cordis guttis scientiae gratuito aspergo. De
5   hac enim pluuia alias dicitur : « *Pluuiam uoluntariam segregans Deus, hereditati tuae*ᵃ ». Voluntariam quippe pluuiam hereditati suae Dominus segregat, quia non eam nobis pro nostris meritis, sed pro suae munere benignitatis praestat. Et idcirco hoc loco pater pluuiae dicitur, quia superna nobis praedicatio
10   non de nostro merito, sed de eius gratia generatur. Stillae enim roris ipsi sancti praedicatores sunt, qui arua pectoris nostri inter mala uitae praesentis, quasi inter tenebras siccae noctis arentia, gratia supernae largitatis infundunt. De his stillis contumaci Iudaeae dicitur : « *Propterea prohibitae sunt*
15   *stillae pluuiarum, et serotinus imber non fuit*ᵇ ». Ipsae quippe stillae roris sunt quae stillae pluuiarum. Quando enim dispensatione aliqua praedicationem temperant, quasi rorem tenerum aspergunt. Quando uero ea quae de supernis sentiunt uirtute qua praeualent loquuntur, quasi ubertim
20   manantem pluuiam fundunt. Rorem aspergebat Paulus, cum Corinthiis diceret : « *Non enim iudicaui scire me aliquid inter uos, nisi Christum Iesum, et hunc crucifixum*ᶜ ». Et rursum pluuiam manabat, dicens : « *Os nostrum patet ad uos, o Corinthii, cor nostrum dilatatum est*ᵈ ». Hinc est quod Moyses, quia et
25   ualida fortibus, et tenera infirmis dicturum se nouerat, dicebat :

54. a. Ps 67, 10   b. Jr 3, 3   c. 1 Co 2, 2   d. 2 Co 6, 11

---

1. Non cité ailleurs.

2. Par trois fois (*Mor.* 9, 8 et 15 ; 27, 14), Grégoire a cité ce texte, en écrivant *stellae* (« étoiles ») pour *stillae* (« gouttes »). L'erreur est corrigée ici. En *Mor.* 9, 15, la présente citation (Jr 3, 3) est précédée de Dt 32, 2 que Grégoire va citer un peu plus loin (voir p. 274, n. 1).

Rosée et pluie
de la grâce

XXVII, **54.** La suite du texte souligne 38, 28
encore mieux cette grâce de notre Créateur :
**« Qui est le père de la pluie ? Ou qui a pro-
duit les gouttes de rosée ? »** Il semble dire : ce père, n'est-ce
pas moi, qui distille gratuitement sur la terre desséchée
qu'est le cœur humain les gouttes de la science ? L'Écriture
dit ailleurs, en effet, de cette pluie[1] : « *Tu as réservé, ô Dieu,
pour ton héritage une pluie volontaire[a]* ». Le Seigneur réserve
pour son héritage une pluie volontaire, parce qu'il nous
l'accorde non à cause de nos mérites, mais par pure bonté.
S'il est appelé ici père de la pluie, c'est que la prédication
céleste naît en nous de sa grâce et non de nos mérites. Les
gouttes de rosée sont en effet les saints prédicateurs : des trésors de la grâce d'en haut ils arrosent le champ de notre
cœur, qui se dessèche parmi les maux de la vie présente
comme dans les ténèbres d'une nuit brûlante. C'est de ces
gouttes qu'il a été dit aux Juifs rebelles[2] : « *Aussi les gouttes de
la pluie furent retenues et il n'y eut pas d'ondée tardive[b]* ». Gouttes de rosée et gouttes de pluie sont équivalentes. Quand,
pour quelque raison de prudence, les prédicateurs modèrent
leur prédication, c'est comme s'ils distillaient une rosée
menue ; mais quand ils expriment ce qu'ils savent des choses
du ciel avec toute la force dont ils sont capables, c'est comme
s'ils déversaient une pluie abondante. C'est de la rosée que
Paul répandait, quand il disait aux Corinthiens[3] : « *Je pensais
que je ne devais rien savoir parmi vous, sinon Jésus-Christ et Jésus-
Christ crucifié[c]* ». En revanche, il déversait de la pluie quand il
disait[4] : « *Nous avons parlé en toute liberté, Corinthiens, notre
cœur s'est grand ouvert[d]* ». De même, Moïse, sachant qu'il allait
donner aux forts des paroles solides et aux faibles des paroles

---

3. Ici et dans *Mor.* 31, 104, la citation commence par *Non enim* (Vulg.).
Plus tard (*Hom. Ez.* I, 9, 31 ; *Dial.* III, 17, 10), Grégoire débutera par *Nihil.*
4. Déjà cité dans les mêmes termes (Vulg.) en *Mor.* 26, 42.

« *Exspectetur sicut pluuia eloquium meum, et descendant sicut ros uerba mea* [e] ».

Sed ecce audiuimus quo munere gentilitas uocatur ; audiamus nunc qua districtione Iudaea repellitur. Audiuimus
30 quomodo deserta excolat, arentia infundat ; audiamus nunc quomodo ea quae quasi uidentur interna proiciat. Neque enim sic colligit electos, ut non etiam iudicet reprobos ; neque sic quibusdam culpas relaxat, ut non et in quibusdam feriat. Scriptum quippe est : « *Misericordia enim et ira ab illo* [f] ».
35 Vnde hic quoque postquam tot dona gratiae intulit, etiam irae suae iudicia non abscondit.

38, 29 XXVIII, **55.** Nam sequitur : « **De cuius utero egressa est glacies, et gelu de caelo quis genuit ?** » Quid enim aliud in gelu uel glacie nisi frigida et perfidiae torpore constricta accipimus corda Iudaeorum ? Qui quondam per acceptionem
5 legis, per custodiam mandatorum, per ministeria sacrificii, per mysteria prophetiae, sic intra sinum gratiae, quasi intra uterum creatoris habebantur. Sed quia ueniente Domino, constricti frigore perfidiae, feruorem fidei et caritatis amiserunt, a secreto gratiae sinu proiecti, quasi glacies, de utero
10 creatoris egressi sunt : « *Et gelu de caelo quis genuit ?* » Quid hic aliud caelum, nisi sublimis debet intellegi uita sanctorum ? Cui caelo dicitur : « *Attende caelum et loquar* [a] ». Non enim insensibili, sed rationabili creaturae loquebatur. De hoc caelo ait Dominus : « *Caelum mihi sedes est* [b] ». De qua sede alias scrip-

---

54. e. Dt 32, 2   f. Si 5, 7
55. a. Dt 32, 1   b. Is 66, 1 ; Ac 7, 49

---

1. En *Mor.* 27, 45, Grégoire ne mettait pas de différence entre « pluie » et « rosée ». Auparavant (*Mor.* 9, 15 et 19, 3), il avait cité seulement la première moitié du verset, qui parle de la pluie. Son exégèse de Dt 32, 2 s'est donc développée progressivement.

2. Cité comme ici en *Mor.* 33, 23.

3. Même texte prévulgate en *Mor.* 2, 51 (le « ciel » désigne les chefs, la « terre » le peuple) et *In Cant.* 7.

délicates, s'exprimait ainsi[1] : « *Que mon discours soit attendu comme de la pluie et que mes paroles descendent comme la rosée[e]* ».

Les Juifs réprouvés   Nous venons d'entendre avec quelle gratuité les païens ont été appelés, écoutons maintenant avec quelle rigueur les Juifs ont été repoussés. Nous avons entendu le soin que le Seigneur a pris pour cultiver le désert et arroser les terres desséchées ; écoutons maintenant comment il rejette ceux qui passent pour ses intimes. Ce n'est pas parce qu'il rassemble ses élus qu'il omet de juger les réprouvés, ni parce qu'il pardonne aux uns leurs fautes qu'il ne sévit pas contre les autres. Il est écrit en effet[2] : « *Il y a chez lui miséricorde et colère[f]* ». C'est pourquoi, après avoir octroyé tant de grâces, il ne cache pas non plus les jugements de sa colère.

XXVIII, **55.** Le texte poursuit en effet : « **Du sein de qui la glace est-elle sortie ? Et qui a produit du ciel la gelée ?** » **38, 29** Qu'entendre par la gelée et la glace, si ce n'est les cœurs des Juifs, cœurs froids et engourdis dans la torpeur de l'incrédulité ? Jadis par la réception de la Loi, par la garde des commandements, par l'oblation des sacrifices, par les mystères de la prophétie, ils étaient dans le giron de la grâce comme dans le sein de leur Créateur. Mais quand vint le Seigneur, engourdis par le froid de leur incrédulité, ils perdirent la ferveur de la foi et de la charité. Rejetés des profondeurs du giron de la grâce, ils sortirent à l'état de glace du sein de leur Créateur. « *Et qui a produit du ciel la gelée ?* » Que faut-il entendre ici par ciel, sinon la vie sublime des saints ? C'est à ce ciel-là qu'il est dit[3] : « *Ciel, prête l'oreille et je parlerai[a]* ». Il ne parlait pas en effet à une créature insensible, mais à une créature raisonnable. C'est à propos de ce ciel que le Seigneur affirme[4] : « *Le ciel est mon trône[b]* ». L'Écriture dit ailleurs de ce

4. Cité, pour preuve de la même thèse (« le ciel est l'âme du juste »), dans *Hom. Ez.* II, 2, 14. Voir aussi *Mor.* 2, 20 ; *Hom. Ez.* II, 5, 10.

15 tum est : « *Anima iusti sedes sapientiae*[c] ». Quia ergo sapientia
est Deus, si sedes Dei caelum est, et anima iusti sedes est
sapientiae, caelum est utique anima iusti. Caelum fuit Abraham, caelum Isaac, caelum Iacob. Sed quia persecutores
Domini pontifices Iudaeorum perfidiae torpore frigidi de illo-
20 rum patrum progenie processerunt, quasi de caelo gelu exiit,
quia de sublimi prole sanctorum processit frigida plebs infi-
delium. Cum enim de Abraham natus est Caiphas, quid aliud
nisi gelu de caelo processit ? Quod tamen gelu idcirco Dominus genuisse se dicit, quia Iudaeos, quos naturaliter ipse
25 bonos condidit, iusto iudicio per eorum malitiam frigidos a se
exire permisit. Dominus enim auctor est naturae, non culpae.
Genuit ergo creando naturaliter quos iniquos permisit uiuere
tolerando patienter.

Et quia illa quondam tenera ac fidei penetrabilia corda
30 Iudaeorum, in perfidiae postmodum obstinatione durata
sunt, recte subiungitur :

38, 30 XXIX, **56.** « **In similitudine lapidis aquae durantur** ».
Aquas enim populos accipi iam saepius edocuisse me
memini. Lapis uero pro ipsa duritia aliquando gentiles populi
designantur : ipsi quippe lapides coluerunt[a]. Et de eis per
5 prophetam dictum est : « *Similes illis fiant qui faciunt ea et
omnes qui confidunt in eis*[b] ». Vnde Ioannes Iudaeos aspiciens
se de stemmate generationis extollere, et gentiles praeuidens
ad Abrahae prolem fidei cognitione transire, ait : « *Ne uelitis*

55. c. Pr 12, 23
56. a. cf. Ez 20, 32   b. Ps 113, 16

1. Même raisonnement, fondé sur les mêmes textes (Is 66, 1 ; Pr 12, 23),
dans *Hom. Eu.* 38, 2. De part et d'autre, Grégoire se souvient d'AUGUSTIN,
En. Ps. 46, 10, auquel l'Homélie emprunte en outre son allusion à 1 Co 1, 24
(*Dei uirtus et Dei sapientia*).

2. Voir *Mor.* 17, 31 et 41 ; 19, 9, citant Ap 17, 15. Grégoire le répétera dans
Hom. Ez. I, 18, 1, en invoquant de nouveau l'Apocalypse. Voir aussi p. 280,
n. 3.

trône : « *L'âme du juste est le trône de la sagesse*[c] ». Puisque Dieu est sagesse, si le ciel est le trône de Dieu et que l'âme du juste est le trône de la sagesse, le ciel est donc bien l'âme du juste[1]. Abraham fut un ciel, Isaac un ciel, Jacob un ciel. Les grands-prêtres des Juifs qui ont persécuté le Seigneur, tout engourdis par le froid de leur incrédulité, sont cependant bien issus de la race de ces illustres pères : ils sont comme la gelée sortie du ciel ; le peuple froid des incrédules est issu de la sublime lignée des saints : Caïphe, né de la race d'Abraham, n'est-il pas la gelée venue du ciel ? Cependant le Seigneur dit qu'il a engendré la gelée, c'est donc que par un juste jugement, il a permis que les Juifs, créés bons par lui selon la nature, mais devenus froids par leur malignité, s'éloignent de lui. Le Seigneur, en effet, est l'auteur de la nature, non de la faute. Il a donc engendré les méchants : les créant selon la nature, il leur a permis de vivre en les supportant patiemment.

Les Juifs endurcis   Les cœurs des Juifs, d'abord tendres et accessibles à la foi, se sont endurcis par la suite en s'obstinant dans leur incrédulité. Aussi le texte ajoute-t-il fort justement :

XXIX, 56. « **Les eaux deviennent dures comme de la pierre** ». Les eaux s'entendent des peuples, je me souviens de l'avoir dit plus d'une fois[2]. Quant à la pierre, à cause de sa dureté, elle désigne les peuples païens ; d'ailleurs ils ont aussi adoré des pierres[a]. De là vient que le prophète dit à leur sujet[3] : « *Que ceux qui les font leur deviennent semblables, ainsi que tous ceux qui mettent en elles leur confiance*[b] ». Aussi Jean, qui voyait les Juifs se vanter de leur ascendance et prévoyait que les païens deviendraient postérité d'Abraham en accédant à la foi, leur dit : « *Ne dites pas en vous-mêmes : nous avons*

38, 30

---

3. Ce texte et le suivant (Mt 3, 9) reviennent ensemble dans *Hom. Eu.* 20, 9, où le raisonnement est le même.

dicere intra uos : Patrem habemus Abraham. Dico enim uobis quia
10 *potens est Deus de lapidibus istis suscitare filios Abrahae*ᶜ » ; lapides utique duros perfidia gentiles uocans. Quia ergo primum
Iudaea Deo credidit, gentilitate omni in perfidiae suae obstinatione remanente, postmodum uero ad fidem gentilium
corda mollita sunt et Iudaeorum infidelitas obdurata, bene
15 dictum est : « *In similitudine lapidis aquae durantur* ». Ac si
diceret : illa mollia et penetrabilia fidei corda Iudaeorum in
insensibilitate uertuntur gentium. Cum enim misericors
Deus gentes traxit, iratus Iudaeam reppulit. Actumque est ut
sicut dudum ad percipiendam fidem gentilitas fuerat obdu-
20 rata, ita postmodum ad fidem gentilitate suscepta, Iudaeae
populus perfidiae torpore duresceret. Vnde Paulus apostolus
eisdem gentibus dicit : « *Sicut aliquando uos non credidistis Deo,*
nunc autem misericordiam consecuti estis propter illorum incredu-
litatem, ita et isti non crediderunt in uestra misericordia, ut et ipsi
25 *misericordiam consequantur. Conclusit enim Deus omnia in incre-*
*dulitate, ut omnium misereatur*ᵈ ». Quam sententiam suam
primum quidem de uocatione Iudaeorum, et repulsione gentium, postmodum uero de uocatione gentium, et repulsione
Iudaeorum subtiliter pensans, seque occulta Dei iudicia com-
30 prehendere non posse considerans, exclamando subiunxit :
« *O altitudo diuitiarum sapientiae et scientiae Dei ; quam incom-*
*prehensibilia sunt iudicia eius et inuestigabiles uiae eius*ᵉ ». Vnde
hic quoque cum de Iudaeorum perfidia Dominus diceret :
« *In similitudine lapidis aquae durantur* », ut de repulsione
35 eorum occulta esse sua iudicia demonstraret, apte subdidit :

38, 30   XXX, 57. « **Et superficies abyssi constringitur** ». Quia supe-
riecto quodam ignorantiae nostrae uelamine, incomprehensi-

---

56. c. Mt 3, 9   d. Rm 11, 30-32   e. Rm 11, 33

---

1. Non cité ailleurs.
2. Verset cité comme ici dans *Dial.* II, 16, 6, qui le commente ensuite (16,

pour père Abraham. Car, je vous le dis : Dieu peut, des pierres que voici, faire surgir des enfants à Abraham[c] ». Et par ces pierres, il désignait les païens endurcis dans leur incrédulité. Les Juifs ont cru en Dieu les premiers, alors que le monde païen tout entier s'obstinait dans son incrédulité ; puis le cœur des païens s'est assoupli pour accéder à la foi et les Juifs se sont endurcis dans leur infidélité. Aussi le texte dit-il fort bien : « *Les eaux deviennent dures comme de la pierre* ». En d'autres termes : les cœurs des Juifs qui étaient souples et ouverts à la foi sont devenus aussi insensibles que ceux des païens. Quand, dans sa miséricorde, Dieu attira les païens, dans sa colère il rejeta les Juifs. Le monde païen avait été longtemps imperméable à la foi ; lorsqu'il l'eut enfin accueillie, les Juifs s'endurcirent dans la torpeur de l'incrédulité. Aussi l'Apôtre Paul dit-il aux païens[1] : « *Jadis vous n'avez pas cru en Dieu ; mais maintenant vous avez obtenu miséricorde par suite de l'infidélité des Juifs ; de même eux aussi n'ont pas cru au temps où il vous fut fait miséricorde, afin d'obtenir miséricorde à leur tour. Dieu en effet a enfermé tous les hommes dans l'incrédulité pour faire à tous miséricorde*[d] ». Ce dessein, qui lie d'abord l'appel des Juifs et le rejet des Gentils, puis l'appel des Gentils et le rejet des Juifs, Paul l'a médité avec profondeur, et considérant qu'il ne pouvait comprendre les jugements secrets de Dieu, il s'exclama[2] : « *Ô profondeur des richesses de la sagesse et de la science de Dieu ! Que ses jugements sont incompréhensibles, et ses voies impénétrables*[e] ! » On conçoit donc que le Seigneur, après avoir dit au sujet de l'incrédulité des Juifs : « *Les eaux deviennent dures comme de la pierre* », pour montrer que leur rejet relève de ses jugements secrets, ajoute ici encore :

XXX, **57.** « **La surface de l'abîme devient solide** ». Le voile 38, 30 d'ignorance qui nous recouvre ne permet pas à l'œil de l'esprit

---

7-8) sans parler des Juifs et des païens. La citation de *Mor.* 10, 7 et 28, 13 (voir p. 100, n. 1) est plus large (Rm 11, 33-34). Voir aussi p. 280, n. 2.

bilitas diuini iudicii humanae mentis oculo nullatenus penetratur. Scriptum quippe est : « *Iudicia tua abyssus multa*[a] ».
5 Nemo ergo perscrutari appetat cur cum alius repellitur, alius
eligatur, uel cur cum alius eligitur, alius repellatur, quia
superficies abyssi constringitur ; et attestante Paulo :
« *Inscrutabilia sunt iudicia eius et inuestigabiles uiae eius*[b] ».

38, 29   **58.** Per hoc uero quod dictum est : « **De cuius utero egressa
est glacies ; et gelu de caelo quis genuit ?** » Etiam satan in
gelu et glacie nil obstat intellegi. Ipse quippe quasi de Dei
utero glacies processit, quia a calore secretorum eius,
5 malitiae torpore frigidus, magister iniquitatis exiuit. Ipse gelu
de caelo est genitus, quia constricturus corda reproborum, a
summis cadere est ad ima permissus. Qui bene in caelestibus
conditus, in culpae frigore mentes sequacium quasi gelu dum
cecidit astrinxit. Qui ad terram ueniens, quid in hominibus
38, 30 10 egerit, expletur cum subditur : « **In similitudine lapidis
aquae durantur** ». Per aquas namque populi, per lapidem
uero eiusdem satanae duritia designatur. Illo igitur ad ima
ueniente, in similitudine lapidis aquae duratae sunt, quia
eius malitiam imitati homines, mollia uiscera caritatis
15 amiserunt. Cuius fraudulenta consilia quia a seductis
hominibus deprehendi non possunt, recte subiungitur : « *Et
superficies abyssi constringitur* ». Aliud quippe ei intrinsecus
latet, atque aliud extrinsecus ostendit. Transfigurat enim se
uelut angelum lucis[c] et callida deceptionis arte plerumque

---

57. a. Ps 35, 7   b. Rm 11, 33
58. c. cf. 2 Co 11, 14

---

1. Cité en *Mor.* 27, 6 et 34, 34. Dans ce dernier passage, Grégoire parle
comme ici des jugements « incompréhensibles » de Dieu (cf. Rm 11, 34).

2. Cette fois, *inscrutabilia* remplace *incomprehensibilia* (*Mor.* 29, 56 ; voir
p. 278, n. 2).

3. Rappel d'une équation déjà posée (*Mor.* 29, 56 ; voir p. 276, n. 2).

humain de pénétrer les mystères insondables des jugements divins. Il est écrit en effet[1] : « *Tes jugements sont un abîme sans fond*[a] ». Que personne donc ne cherche à comprendre pourquoi l'un est rejeté et l'autre élu, ou pourquoi l'un est élu et l'autre rejeté, car la surface de l'abîme se solidifie. Paul aussi l'atteste[2] : « *Ses jugements sont insondables et ses voies impénétrables*[b] ».

La glace de Satan   **58.** Mais rien n'empêche de comprendre que dans le verset : « **Du sein de qui la glace est-elle sortie ? Et qui a produit du ciel la gelée ?** »,   38, 29

la gelée et la glace désignent Satan. Lui-même, en effet, a quitté à l'état de glace le sein de Dieu ; devenu froid et insensible par suite de sa malignité, il est sorti de la chaleur de l'intimité de Dieu en maître d'iniquité, il a été produit du ciel sous forme de gel : car lui qui allait endurcir les cœurs des réprouvés est tombé des hauteurs du ciel jusqu'aux profondeurs des abîmes. Créé bon au séjour céleste, en tombant sous forme de gel, il a congelé dans le froid du péché l'âme de ceux qui le suivent. Notre texte précise ce qu'il a fait aux hommes en arrivant sur la terre : « **Les eaux deviennent dures comme de la pierre** ». Les eaux désignent les peuples[3],   38, 30

la pierre désigne la dureté de Satan lui-même. Donc, quand il arriva sur la terre, les eaux devinrent dures comme de la pierre, parce que les hommes imitant sa méchanceté perdirent les tendres entrailles de la charité. Séduits par lui, les hommes ne peuvent déceler ses desseins frauduleux ; aussi notre texte poursuit-il très justement : « *Et la surface de l'abîme devient solide* ». Autre chose est ce qu'il cache au dedans, autre chose ce qu'il montre au dehors. En effet, il se transforme en ange de lumière[c 4], et jouant de la tromperie avec un

---

4. Cette phrase paulinienne reparaît, à propos de diverses ruses de Satan, dans *Mor.* 4, 6 ; 5, 43 ; 33, 30 (orgueil) et 44 (gourmandise).

20 proponit laudabilia, ut ad illicita pertrahat. Abyssi ergo superficies constringitur, quia dum quasi bona persuasionis eius
species uelut solida desuper glacies ostenditur, in profundum latens eius malitia non uidetur.

59. Cuncta tamen haec intellegere et aliter possumus, si
moraliter exquiramus. Mentes namque hominum omnipotens Deus dum in suo timore format, quasi concipit, easque
ad apertas uirtutes, dum prouehit, gignit, sed si de acceptis
5 uirtutibus extolluntur, relinquit. Et saepe quosdam cognouimus malorum suorum consideratione compungi, diuini
terroris pauore feruescere et per pauoris exordia usque ad
uirtutum summa peruenire, sed dum de eisdem uirtutibus
quas accipiunt extolluntur, inanis gloriae laqueo astricti, ad
10 antiquum torporem redeunt. Recte ergo cum tales proicit
Dominus dicit : « *De cuius utero egressa est glacies ?* » Quasi
enim de Dei utero glacies egreditur, quando hi qui iam intus
incaluerant ex uirtutum dono frigescunt, et inde exteriorem
gloriam torpentes appetunt, unde ad interna diligenda arden-
15 tius flagrare debuerunt. Dumque iste signis, ille scientia, iste
prophetia, ille magnis operibus pollet, atque per haec dona
placere hominibus appetit, omne quod prius intimum caluerat, exteriorem laudem diligens, in torporem uertit. Quasi ergo
glacies de utero egreditur, dum post donorum beneficia a uis-
20 ceribus pietatis supernae separatur. An non sunt glacies, qui
in uirtutibus quas accipiunt laudes ab hominibus quaerunt ?
Et tamen uenienti iudici dona sua ad eius memoriam reuocan-
tes, dicunt : « *Domine, Domine, nonne in nomine tuo prophetaui-*

1. Comme souvent chez Grégoire, *uirtutes* signifie moins ici les vertus
morales que les pouvoirs charismatiques.

2. Ici comme plus haut (*Mor.* 29, 41 ; voir p. 246, n. 2), Grégoire pense aux
charismes pauliniens (1 Co 12, 8-10).

art consommé, il propose souvent ce qui est louable pour attirer à ce qui est coupable. La surface de l'abîme devient solide
car, donnant l'apparence de suggérer le bien, il montre en
surface, pour ainsi dire, la solidité de la glace, tandis qu'il
cache sa malice dans les profondeurs.

L'orgueil corrompt les dons divins

59. Si l'on cherche à tirer de tout ce
passage une leçon morale, on peut
l'entendre d'une autre manière : ce sont
alors les cœurs des hommes que le Dieu tout-puissant conçoit,
pour ainsi dire, en leur apprenant à le craindre, ce sont eux
qu'il engendre en les élevant à des charismes[1] manifestes ;
mais s'ils s'enorgueillissent de ces charismes qu'ils ont reçus,
il les abandonne. Nous connaissons nombre de chrétiens qui,
touchés de componction au souvenir de leurs fautes et trem-
blants de frayeur à la pensée des jugements de Dieu, sont
parvenus, en partant de la crainte, aux charismes les plus
élevés ; mais lorsqu'ils s'enorgueillissent des charismes reçus,
ils sont pris au piège de la vaine gloire et retournent à leur
ancienne torpeur. C'est à leur sujet que le Seigneur dit ici en
les rejetant : « *Du sein de qui la glace est-elle sortie ?* » La glace
sort, pour ainsi dire, du sein de Dieu, quand ceux qui, à l'intérieur, étaient bien réchauffés, prennent occasion du don des
charismes pour se refroidir : ce qui devrait les exciter à
s'enflammer de désir pour les biens intérieurs les paralyse par
le souci de la gloire extérieure. L'un a le don de faire des miracles, l'autre le don de science, celui-ci jouit du don de
prophétie, celui-là peut faire de grandes œuvres[2] ; mais par ces
dons, il cherche à plaire aux hommes ; toute la chaleur intime
qu'il avait auparavant se transforme en torpeur, parce qu'il
aime les louanges extérieures. Comme la glace, il sort du sein
de Dieu, quand, après avoir reçu ces dons, il se détache des
entrailles de la divine bonté. Ne sont-ils pas de glace ceux qui
se servent des charismes qu'ils ont reçus pour s'attirer les
louanges des hommes ? Et cependant, quand viendra le juge,
ils lui rappelleront ses dons : « *Seigneur, Seigneur, n'est-ce pas en*

mus, et in tuo nomine daemonia eiecimus, et in tuo nomine uirtutes
25 *multas fecimus*[d] *?* » Sed quomodo hanc glaciem Dominus proiciat ostendit, dicens : « *Nescio uos unde sitis, discedite a me,
omnes operarii iniquitatis*[e] ». Hanc glaciem nunc in utero Dominus portat, quia intra sinum Ecclesiae tolerat. Sed tunc
aperte eicit, cum tales a secretis caelestibus per extremum et
30 publicum iudicium repellit.

His itaque uerbis quid aperte agitur, nisi ut beatus Iob de
summis suis uirtutibus humilietur, ne in hoc quod bene
uiuendo caluerat, superbiendo frigescat, et a diuinitatis utero
repulsus exeat, si intra sinum sui cordis se tumidus extollat ?

60. Et quia iusto iudicio superbas mentes ad culpam egredi
ex accepta uirtute permittit, recte adhuc subiungitur : « *Et
gelu de caelo quis genuit ?* » Plerumque enim sacri eloquii scientiam praestat, sed dum eadem scientia is qui accipit
5 extollitur, ira districti iudicis in ipso sacro eloquio caecatur,
ut exteriores fauores per illam sequens, eius iam interna non
uideat ; et qui intus manens calere poterat, exeundo frigescat, duratusque in ima corruat, qui ad cognitionem dei prius
tractabilis in summis liquidus stabat.
10 An sacrum eloquium caelum non est, quod diem nobis
intellegentiae aperiens, sole nos iustitiae[f] illustrat, quod dum
nos uitae praesentis nox continet, stellis nobis mandatorum

---

59. d. Mt 7, 22   e. Lc 13, 27
60. f. cf. Sg 5, 6 ; Ml 4, 2

---

1. Du premier Évangile, Grégoire passe au texte parallèle du troisième.
Ces mots de Matthieu et de Luc, qui lui sont familiers l'un et l'autre, se com-
binent de façon similaire en *Mor.* 33, 27.

2. Nouveau cas d'amalgame de textes scripturaires, cette fois de l'Ancien
Testament. Chez Grégoire, le « soleil de justice » renvoie habituellement à
Ml 4, 2, mais il l'attribue aussi parfois à Sg 5, 6, qui parle en réalité de la
« lumière de la justice » et du « soleil » tout court (grec), ou du « soleil de
l'intelligence » (Vulg.). Voir *Mor.* 8, 76 ; *Hom. Eu.* 37, 4 ; *Hom. Ez.* II, 1, 3 et 6, 20.

*ton nom que nous avons prophétisé ? en ton nom que nous avons
chassé les démons ? en ton nom que nous avons fait de nombreux
miracles*[d] *?* » Mais le Seigneur montre comment il rejette cette
glace quand il dit[1] : « *Je ne sais d'où vous êtes ; éloignez-vous de
moi, vous tous qui faites le mal*[e] ». Le Seigneur porte à présent
cette glace en son sein, parce qu'il supporte qu'elle soit dans
le giron de l'Église. Mais il la rejettera publiquement, quand,
sous les yeux de tous, il l'exclura du séjour secret du ciel, lors
du jugement dernier.

De quoi s'agit-il donc dans ces paroles ? Le Seigneur
entend humilier le bienheureux Job au sujet de ses éminentes
vertus ; il s'était réchauffé en vivant dans l'exercice du bien ;
le Seigneur veut l'empêcher de se refroidir par l'orgueil et de
se faire chasser du sein de la divinité s'il venait à s'enfler de
vanité dans le fond de son cœur.

**L'orgueil
glace l'esprit**
60. Puisque Dieu permet par un juste
jugement que les esprits orgueilleux
s'égarent dans le péché à l'occasion des
charismes qu'ils ont reçus, le texte poursuit très justement :
« *Et qui a produit du ciel la gelée ?* » Souvent, en effet, Dieu
donne la science de l'Écriture sainte, mais si le bénéficiaire
s'enorgueillit de sa science, il encourt la colère du juge sévère
et il devient aveugle à l'Écriture sainte elle-même ; ce qu'il
cherchait par elle, c'étaient des honneurs tout extérieurs,
désormais sa beauté intime échappe à son regard. En
demeurant à l'intérieur, il aurait pu garder toute sa chaleur ;
en sortant, il se refroidit. Lui qui auparavant avait le cœur
ouvert à la connaissance de Dieu et se tenait fluide dans les
hauteurs, une fois devenu dur, il a été précipité en bas.

La Parole de Dieu n'est-elle pas un ciel ? Elle nous ouvre le
jour de l'intelligence en nous éclairant du soleil de la justice[f2],
et dans la nuit de la vie présente, elle fait luire sur nous les
étoiles des commandements, mais parce qu'il faut bien qu'il

fulget ? Sed quia oportet haereses esse, ut probati manifesti
fiant[g], cum ab intellectu sano mens superba repellitur,
15 ultione districti iudicii gelu de caelo generatur, ut cum ipsa
scriptura sacra in electorum cordibus caleat, eos qui se
superbe scire appetunt a se frigidos emittat. Ibi quippe errant
ubi corrigere errata debuerant, et dum a superna intellegentia resplendentis eloquii et obdurati ipsi, et seducturi ceteros,
20 corruunt, ad ima uenientes ut gelu, et alios astringunt. Semetipsum tamen Dominus hoc gelu gignere perhibet, non quo
prauorum mentes ipse ad culpam format, sed quo a culpa
non liberat, sicut scriptum est : « *Ego obdurabo cor
Pharaonis*[h] ». Quod quia misericorditer emollire noluit, pro-
25 fecto districte se obdurare nuntiauit.

61. Quia uero cum incohata diuini timoris uirtus amittitur,
propter humanas laudes uirtutis imago retinetur, recte
subiungitur : « *In similitudine lapidis aquae durantur ; et superficies abyssi constringitur* ». Aquae enim per glaciem in
5 superficie durescunt, sed fluidae in intimis remanent. Et
quid per aquas nisi fluxa accipimus corda reproborum ?
Quae cum ex proposito uirtutem deserunt, fortes se in bonis
operibus per hypocrisim ostendunt, dumque in intimis suis
ad uitia defluunt, et foras se sanctorum ac fortium imitatores
10 fingunt : « *Aquae in similitudine lapidis durantur, et superficies
abyssi constringitur* », quia per superductam sanctitatis speciem fluxa ac instabilis eorum conscientia hominibus tegitur.

---

60. g. cf. 1 Co 11, 19   h. Ex. 4, 21 ; 7, 3

---

1. Cette allusion à 1 Co 11, 19 est unique.
2. Cité dans *Mor.* 11, 13 et *Hom. Ez.* I, 11, 25. Allusions en *Mor.* 25, 41 et
31, 26.

y ait des hérésies pour permettre aux hommes fidèles de se manifester[g 1], quand l'esprit orgueilleux s'est éloigné d'une intelligence saine de l'Écriture, par le châtiment du juge sévère, la glace est engendrée du ciel. Ce qui veut dire que l'Écriture sainte elle-même est chaleur dans le cœur des élus, mais qu'elle repousse loin d'elle, tout froids, ceux qui désirent savoir par orgueil. L'Écriture qui devait leur permettre de corriger les erreurs devient pour eux une occasion de chute. S'étant eux-mêmes endurcis et devant égarer les autres, ils sont déchus de l'intelligence céleste de la resplendissante Parole de Dieu : ils tombent du ciel comme de la glace et saisissent aussi les autres de froid. Le Seigneur affirme qu'il engendre lui-même la glace, non qu'il pousse lui-même au péché les esprits des méchants, mais qu'il ne les affranchit pas du péché, selon ces paroles de l'Écriture[2] : « *Moi, j'endurcirai le cœur de Pharaon*[h] ». Du fait qu'il n'a pas voulu avec miséricorde rendre son cœur malléable, il a annoncé qu'il l'avait endurci avec sévérité.

Une vertu hypocrite   **61.** Mais, lorsqu'on n'a qu'une ébauche de crainte de Dieu et qu'on vient à la perdre, on s'accroche à l'apparence de cette vertu pour continuer à recevoir les louanges des hommes ; aussi le texte poursuit-il fort justement : « *Les eaux deviennent dures comme de la pierre et la surface de l'abîme devient solide* ». Les eaux, en effet, se durcissent en surface par la gelée, mais elles demeurent liquides au-dessous. Qu'entendre par les eaux, si ce n'est les cœurs inconstants des réprouvés ? Alors que, d'intention, ils abandonnent la vertu, ils se montrent constants dans les bonnes œuvres par hypocrisie. Alors qu'au fond d'eux-mêmes ils glissent dans le vice, à l'extérieur ils feignent d'être les émules des saints et des hommes forts. « *Les eaux deviennent dures comme de la pierre, et la surface de l'abîme devient solide* », parce qu'une apparence de sainteté qui n'est que superficielle recouvre aux yeux des hommes leur cons-

Nam cum sibimetipsis intrinsecus turpes sint, ante alienos tamen oculos quadam uiuendi uenustate uestiuntur.

62. Sed ne quis haec uerba Domini in bonam intellegi partem uelit, debemus sic etiam quaerentibus astruere, dummodo minime iudicemur quae perscrutanda fuerant 38, 28 neglexisse. Superiore enim uersu dicitur : « **Quis est pluuiae** 5 **pater uel quis genuit stillas roris ?** » Statimque additur : « *De cuius utero egressa est glacies, et gelu de caelo quis genuit ?* » Si ergo dictis praecedentibus sequens sententia non dispari sensu coniungitur, profecto et in bonam partem nobis eius intellegentia sine obstaculo difficultatis aperitur. Terra enim 10 cum compluitur, iactata in eam semina feracius ligantur. Sed rursum si illam pluuia immoderatius irrigat, in culmi pinguedinem frumenti uirtutem mutat. Sin uero iactatum semen post pluuiam gelu premitur, quo foras citius apparere repellitur, eo intus fecundius radicatur, et quo uetatur progredi, 15 cogitur multiplicari, quia cum ab immaturo ortu restringitur, in conceptionis suae tarditate laxatum ad fructum uberius impletur.

Quid est ergo quod Dominus prius quidem patrem se pluuiae insinuat, postmodum uero de suo egredi utero gla- 20 ciem narrat, seque gelu gignere de caelo pronuntiat, nisi quod miro modo nostri pectoris terram ad suscipienda uerbi semina et prius per occultae gratiae pluuiam infundit, et postmodum, ne in conceptis uirtutibus immoderatius profluat, disciplina intimae dispensationis premit, ut quam 25 perceptae gratiae pluuia irrigat, etiam disciplinae rigor astringat ; ne si aut antequam debet, aut plusquam necesse

---

1. Traduction conjecturale d'un terme problématique (*ligantur*), qui semble pourtant bien attesté.

2. La *disciplina* est un traitement éducatif sévère. Il s'agit ici d'impuissances spirituelles et de résistances intérieures qui freinent apparemment l'essor de l'âme. Sur cette *dispensatio* divine, qui maintient l'homme dans l'humilité, voir *Mor.* 19, 6 ; 26, 44-45 ; 33, 12 ; *Hom. Ez.* II, 2, 3, etc.

cience ondoyante et instable. Alors qu'ils ne sont en eux-mêmes que turpitude, leur vie se revêt d'une certaine beauté aux yeux des autres.

Une tactique de la Providence **62.** Mais il se pourrait que quelqu'un veuille comprendre en bonne part ces paroles du Seigneur ; aussi devons-nous encore l'expliquer ainsi, pour ne donner à personne l'occasion de penser que nous avons conduit nos recherches avec négligence. Le verset précédent dit en effet : « **Qui est le père de la pluie ? ou qui a produit les gouttes de rosée ?** » Et il est aussitôt ajouté : « *Du sein de qui la glace est-elle sortie ? Et qui a produit du ciel la gelée ?* » Si donc ces deux phrases ne se contredisent pas, nous n'aurons aucune difficulté à les comprendre en bonne part : en effet, quand la terre est arrosée de pluie, les semences qui y ont été jetées sont serrées[1] et produisent plus abondamment. Mais si la pluie inonde trop la terre, on n'obtient que du chaume épais au lieu d'un blé vigoureux. Par contre, si la terre une fois ensemencée reçoit de la pluie, puis est comprimée par la gelée, la semence s'enracine d'autant mieux qu'elle aura mis plus de temps à sortir de terre, et sa fécondité n'en sera que plus grande. Cette croissance retardée l'oblige à se multiplier ; comme une naissance prématurée lui est impossible, la longue durée de sa conception lui fait produire une moisson plus abondante.

Pourquoi le Seigneur dit-il d'abord qu'il est le père de la pluie, et ensuite que la glace sort de son sein et qu'il produit du ciel la gelée ? C'est qu'il répand d'abord d'une manière merveilleuse sur la terre de notre cœur la pluie secrète de la grâce pour la préparer à recevoir la semence de la parole ; ensuite, pour que celui-ci ne se livre pas sans retenue à l'exercice des vertus qu'il a conçues, il le retient providentiellement par ses répressions intérieures : d'un côté, la pluie de la grâce l'irrigue, de l'autre, la rigueur de ses répressions[2] le retient ; car s'il manifestait ses vertus avant le temps, ou

38, 28

est conceptas uirtutes proferat, fruges in herbam uertat ? Plerumque enim ab incohantibus opus bonum dum priusquam
oportet ostenditur, a grano perfectionis inanitur, et plerum-
30 que uirtutes dum plus quam necesse est exuberant, exhalant.
Vnde et electorum suorum Dominus uel ante tempus desideria renuit, uel rursum in tempore ultra mensuram profectus
premit, ne si aut antequam debent, aut plus quam debent,
proficiant, per profectus sui magnitudinem in elationis
35 defectum cadant.

   Nam cum cor post peccata compungitur, terra quae aruerat infusione pluuiae rigatur, et cum relictis iniquitatibus
bona exsequi opera proponit, quasi post infusionem semina
accipit. Et plerique cum desideria sancta concipiunt, in sum-
40 mis exerceri iam uirtutibus inardescunt ut non solum culpa
operationem non inquinet, sed nec cogitationem pulset. Et
adhuc quidem in corpore positi sunt, sed nil iam perpeti de
communione uitae praesentis uolunt, imitari per intentionem   aeternam   mentis   stabilitatem   appetunt,   sed
45 interuenientibus temptationibus reuerberantur, ut uidelicet
infirmitatis suae meminerint, et elati de uirtutibus quas accipiunt non sint. Quod dum mira disciplinae repressione
agitur, quid aliud quam super infusam terram gelu de caelo
generatur ? Quid aliud quam de Dei utero glacies producitur,
50 quando de interno secreto dispensatio egreditur, et uoluntates nostrae etiam in bonis desideriis frenantur ?

   63. Videamus Paulus, infusa uidelicet terra, quanta disciplinae glacie prematur, ait : « *Velle, adiacet mihi, perficere autem*

   1. On songe à la page autobiographique de *Dial.* I, Prol. 3. Sur cet idéal de
la *stabilitas mentis*, voir le dernier chapitre de C. STRAW, *Gregory the Great,*
Perfection in Imperfection, Berkeley 1988, p. 236-256 (*Constantia mentis*).

   2. *Reuerberantur* : notion et terme caractéristiques (*Mor.* 4, 68, etc. ; *Hom.*
Ez. II, 1, 17, etc.), que Grégoire tient d'Augustin, lui-même inspiré par
Ambroise et Philon. Cf. P. COURCELLE, *Les Confessions de saint Augustin dans*
la tradition littéraire, Paris 1963, p. 52-55 et 538.

plus qu'il n'est nécessaire, il ne produirait que de l'herbe et non des grains. Souvent, en effet, lorsque des débutants montrent trop tôt leurs bonnes œuvres, ils empêchent le grain de la perfection de parvenir à maturité ; souvent leurs vertus s'évaporent, parce qu'elles sont plus abondantes qu'il ne faudrait. C'est pourquoi, le Seigneur repousse les désirs de ses élus s'ils sont prématurés, et même s'ils viennent en leur temps, il empêche leurs progrès de dépasser une juste mesure ; car l'importance même de leurs progrès ferait courir aux élus le risque de tomber dans le péché d'orgueil.

En effet, quand, après avoir vécu dans le péché, le cœur est touché de componction, il est comme une terre desséchée arrosée par la pluie ; quand, ayant abandonné ses iniquités, il se propose d'accomplir le bien, il est comme une terre qui reçoit de la semence après avoir été arrosée. Beaucoup, quand ils ont conçu de saints désirs, brûlent de pratiquer les vertus les plus élevées, pour que le péché ne trouble pas plus leurs pensées qu'il ne souille leurs actions. Ils sont encore dans un corps, mais déjà ils ne veulent plus avoir rien de commun avec la vie présente : par une application incessante, ils souhaitent imiter en leur âme la stabilité de l'éternité[1], mais les tentations qui surviennent les font reculer[2], afin qu'ils se souviennent de leurs faiblesses et ne s'élèvent pas pour des vertus qu'ils ont reçues de Dieu. Comme cela se fait par la merveilleuse contrainte de la répression divine, ne peut-on y voir une gelée qui descend du ciel sur une terre imbibée d'eau ? Et n'est-ce pas alors de la glace qui sort du sein de Dieu, quand, du secret de ses desseins, se manifestent ses conduites providentielles pour freiner nos volontés même en ce que nos désirs ont de bon ?

63. Paul était à l'évidence une terre bien arrosée ; voyons-le oppressé par la glace de pesantes répressions ; il dit

bonum non inuenio[i] ». Qui enim uelle habere se asserit, iam
per infusionem gratiae, quae in se lateant semina ostendit.
5 Sed dum perficere bonum non inuenit, profecto indicat
quanta illum dispensationis supernae glacies premat. An ista
glacies eorum corda non presserat, quibus dicebat : « *Vt non
quaecumque uultis, illa faciatis*[j] ? » Ac si aperte diceret : occulta
cordis uestri semina iam prodire in frugem quaerunt, sed
10 superni moderaminis gelu premuntur, ut tanto post fecundius exeant, quanto diuini iudicii prementia pondera
patientius portant.

64. Et quia plerumque humana corda quoniam erumpere
ad uirtutes quas appetunt non ualent, eo ipso quo ab intentionis suae perfectione resiliunt, temptationum stimulis
fatigantur, sed tamen easdem temptationes cogitationum
5 comprimunt, seque per exercitationis usum in quodam
uiuendi rigore componunt, bene subditur : « *In similitudine
lapidis aquae durantur* ». Quia etsi fluxae cogitationes interius
lacessunt, nequaquam tamen usque ad consensum praui
operis trahunt. Sed mens sub inolita bene uiuendi consuetu-
10 dine quasi sub quadam duritia exterius abscondit quicquid
intus ex temptationis pulsatione mollescit. Vbi et bene
subiungitur : « *Et superficies abyssi constringitur* ». Quia praua
cogitatio et si usque ad suggestionem uenit, usque ad consensum non prosilit, quia fluctuantes motus animi superductus
15 rigor sanctae deliberationis premit.

63. i. Rm 7, 18   j. Ga 5, 17

1. Citation unique, ainsi que la suivante (Ga 5, 17).

en effet[1] : « *Vouloir le bien est à ma portée, mais non l'accomplir*[i] ». Celui qui a en lui la volonté de faire le bien montre les semences que la grâce a enfouies en lui. Mais comme il n'arrive pas à faire le bien, il montre quel poids de glace fait peser sur lui la conduite divine. Est-ce que cette glace n'oppressait pas les cœurs de ceux à qui il disait : « *Afin que vous ne fassiez pas ce que vous voulez*[j] » ? C'est comme s'il disait en clair : les semences cachées dans votre cœur cherchent déjà à se produire en moissons, mais la Providence divine les retient par la gelée, afin qu'elles aient plus tard d'autant plus de fécondité qu'elles supportent avec plus de patience les poids accablants du jugement divin.

64. Les hommes sont souvent incapables d'atteindre aux vertus qu'ils désirent ; du fait même qu'ils doivent capituler devant la perfection ambitionnée, l'aiguillon des tentations les harcèle ; cependant ils repoussent ces pensées tentatrices et s'astreignent par l'exercice à une certaine rectitude de vie ; c'est pour cela que le texte ajoute très justement : « *Les eaux deviennent dures comme de la pierre* », car même si des pensées dissolues les harcèlent intérieurement, ils ne vont pas jusqu'à consentir au mal. Mais leur âme cache, sous une solide habitude du bien, sous la dureté extérieure de la glace pour ainsi dire, tout ce qui s'amollit en son intérieur par l'action dissolvante de la tentation. Aussi l'Écriture ajoute fort bien : « *Et la surface de l'abîme devient solide* ». Parce que, même si une pensée mauvaise leur suggère le mal, elle n'arrache pas le consentement, car la rigueur de leur sainte résolution[2] réprime, en les recouvrant, les mouvements fluctuants de l'esprit.

---

2. Le mot *deliberatio*, qui désignait plus haut (28, 43, l. 12-13) le consentement à la suggestion mauvaise, s'applique à présent au refus de celle-ci. Comme précédemment (28, 43 et 45), Grégoire parle aussi du *consensus*. Sur cette psychologie de la tentation, voir p. 164, n. 1 et p. 168, n. 1.

65. Potest etiam in gelu uel glacie praesentis uitae aduersitas designari, quae dum sub asperitate sua sanctos comprimit, ualentiores reddit. Dum enim nos omnipotens Deus molestiis exerceri permittit, atque ad melioris uitae sta-
5 tum interueniente tristitia prouehit, miro consilio super futuram frugem gelu et glaciem gignit, ut electus quisque in hac uita, tamquam in hieme, aduersa uentorum et frigorum toleret et uelut in aestiua serenitate postmodum fructus quos hic conceperit demonstret. Vnde et sponsi uoce unicuique
10 animae post huius mundi turbines ad illa aeternitatis amoena properanti dicitur : « *Surge, propera, amica mea, formosa mea et ueni ; iam enim hiems transiit, imber abiit et recessit*[k] ». Et quia si sola nobis adsunt prospera soluimur, ad uirtutem uero melius per aduersa solidamur, recte subiungitur : « *In simili-*
15 *tudine lapidis aquae durantur* ». Mentes enim quae per prospera molliter fluerent constrictae aduersitatibus durescunt ; et ad similitudinem lapidis aqua perducitur, quando infirmus quisque per acceptam desuper tolerantiam passiones sui Redemptoris imitatur. In similitudine quippe
20 lapidis aqua duruerat, cum ille prius impatiens, ille persecutor postmodum Paulus dicebat : « *Impleo ea quae desunt passionum Christi in carne mea*[l] ».

66. Et quia cum deprimuntur aduersis, sollertius interna dona custodiunt, recte additur : « *Et superficies abyssi constringitur* ». Solet enim laetitia arcana mentis aperire, atque

---

65. k. Ct 2, 10-11   l. Col 1, 24

1. Cf. C. STRAW, « *Aduersitas* et *prosperitas* : une illustration du motif structurel de la complémentarité », dans *Grégoire le Grand*, Chantilly, Centre Culturel Les Fontaines, 15-19 septembre 1982 (*Colloque C.N.R.S*), Paris 1986, p. 277-288.

2. Entendu, comme ici, du passage de cette vie à l'autre dans *Mor.* 27, 45 (même texte) et *Hom. Ez.* II, 4, 15 (qui insère *columba mea* avec Vulg.).

3. Sur les formes différentes de cette citation, voir *In I Reg.* I, 16, 3 et la note (*SC* 351, p. 199). Ici, les « souffrances » (*passionum*) répondent à l'« impa-

Bienfaits des malheurs **65.** La gelée et la glace peuvent aussi désigner les adversités de la vie présente[1] : quand leur dureté touche les saints, elle les rend plus forts. En permettant que nous soyons en butte aux afflictions, et en nous faisant progresser vers un degré de vie meilleure par le moyen de la souffrance, le Dieu tout-puissant, dans un dessein admirable, produit pour ainsi dire gelée et glace sur ce qui deviendra moisson. Tout élu supporte ainsi durant l'hiver de cette vie les assauts des vents et du froid, pour produire plus tard, durant les beaux jours de l'été, les fruits qu'il aura conçus ici-bas. Aussi l'époux dit-il à l'âme, qui, après avoir subi les tempêtes de ce monde, se hâte vers le beau ciel de l'éternité[2] : « *Lève-toi, ma bien-aimée ; hâte-toi, ma toute belle, viens : déjà l'hiver est passé, les pluies s'en sont allées, elles ont disparu*[k] ». S'il ne nous arrive que des événements heureux, nous nous relâchons ; les événements fâcheux sont plus utiles pour nous fortifier dans la vertu ; aussi l'Écriture ajoute-t-elle très justement : « *Les eaux deviennent dures comme de la pierre* ». Les âmes coulent leur vie mollement quand elles jouissent du bonheur ; elles s'affermissent quand elles sont endurcies par le malheur. L'eau devient dure comme de la pierre, quand celui qui est faible reçoit d'en haut la grâce de la patience et se met à imiter les souffrances de son Rédempteur. L'eau était devenue dure comme la pierre, lorsque Paul, qui avait été un impatient, un persécuteur, pouvait dire après sa conversion[3] : « *Je complète en ma chair ce qui manque aux souffrances du Christ*[l] ».

66. Et, parce que les saints gardent avec plus de soin en leur intérieur les dons reçus, quand ils sont abattus par le malheur, l'Écriture ajoute fort justement : « *Et la surface de l'abîme devient solide* ». La joie ouvre d'ordinaire les secrets de

tience » de Paul évoquée juste avant. Grégoire pense sans doute à Ac 9, 4 (Vulg. : *contra stimulum calcitrare*) et 16 (*pati*).

aperiendo amittere ; aduersa uero cum nos exterius depri-
5 munt, interius cautiores reddunt. Post gelu itaque uel
glaciem superficies abyssi constringitur, quia mens nostra,
ad conseruanda profunda dona quae acceperit, ipsis aduersitatibus munitur. Abyssi enim suae superficiem Isaias
constrinxerat, cum dicebat : « *Secretum meum mihi, secretum*
10 *meum mihi*ᵐ ». Abyssi suae superficiem Paulus constrinxerat,
qui tot periculis aduersitatis insudans, sub praetextu cuius-
dam de semetipso loquitur, dicens : « *Audiui arcana uerba,*
*quae non licet homini loqui*ⁿ ». Et rursum : « *Parco autem, ne quis*
*me existimet supra id quod uidet, aut audit aliquid ex me*ᵒ ». Qui
15 igitur foris aduersa tolerans, ne fortasse in laudibus deflue-
ret, arcana sua aperire metuebat, quid aliud quam
secretorum suorum abyssum per constrictam superficiem
presserat ?

38, 31   XXXI, 67. Sequitur : « **Numquid coniungere ualebis mican-**
tes stellas Pleiades, aut gyrum Arcturi poteris dissipare ? »
Pleiades stellae ἀπὸ τοῦ πλείστου, id est a pluralitate uocatae
sunt. Ita autem uicinae sibi et diuisae sunt conditae, ut et
5 simul sint et tamen coniungi nequaquam possint, quatenus
uicinitate quidem coniunctae sint, sed tactu disiunctae. Arcturus uero ita nocturna tempora illustrat, ut in caeli axe
positus per diuersa se uertat, nec tamen occidat. Neque enim
extra currens uoluitur, sed in loco situs, in cunctis mundi
10 partibus nequaquam casurus inclinatur.

---

66. m. Is 24, 16   n. 2 Co 12, 4   o. 2 Co 12, 6

---

1. Ce mot d'Isaïe revient seulement dans *In Cant.* 26, où il est jumelé
comme ici avec 2 Co 12, 4. Cette dernière citation reparaît dans *Mor.* 31,
103, où Grégoire rétablit l'anonymat paulinien (*Audiuit*).

2. Cité seulement dans *Mor.* 18, 13 (long commentaire).

l'âme ; et en les ouvrant, elle les perd. En nous abattant à l'extérieur, le malheur nous rend plus prudents à l'intérieur. Après la gelée et la glace donc, la surface de l'abîme devient solide, parce que les adversités protègent notre âme pour lui permettre de garder ces dons intérieurs qu'elle a reçus. Isaïe avait rendu solide la surface de son abîme, quand il disait[1] : « *A moi mon secret, à moi mon secret*[m] ». Paul aussi avait rendu solide la surface de son abîme ; exposé à beaucoup de dangers et d'adversités, il dit de lui-même, comme s'il s'agissait de quelqu'un d'autre : « *J'entendis des paroles mystérieuses qu'il n'est pas permis à un homme d'exprimer*[n] ». Et encore[2] : « *Je m'abstiens, de peur qu'on ait sur mon compte une opinion supérieure à ce qu'on voit de moi ou à ce qu'on entend dire à mon sujet*[o] ». Celui qui, au dehors, supportait des adversités, craignait de découvrir ses grâces cachées par peur de se laisser emporter par les louanges ; ne peut-on dire de lui qu'il couvrait d'une surface solide l'abîme de ses secrets ?

Un rappel de la faiblesse de l'homme	XXXI, **67.** Le texte poursuit : « **Pourras-tu joindre ensemble les étoiles brillantes des Pléiades ou arrêter le cycle d'Arcturus ?** »

38, 31

Les Pléiades sont ainsi nommées, parce qu'elles sont plusieurs, en grec : Πλειάδες. Elles se trouvent si proches les unes des autres qu'elles forment un groupe, et si séparées qu'on ne peut les unir ; elles sont jointes par leur proximité, mais elles ne se touchent pas. Arcturus[3] brille la nuit de telle sorte qu'étant placé dans l'axe du ciel, il se tourne de tous côtés, sans cependant se coucher. Car il n'accomplit pas non plus son cycle en courant au dehors, mais situé en un lieu, il s'incline vers toutes les parties du monde sans jamais disparaître.

---

3. Étoile principale du Bouvier (VIRGILE, *Ge.* 1, 204). Au lieu du « cycle d'Arcturus », AUGUSTIN, *Adn. in Iob* 38, 31 (877), qui suit les Septante, écrit « la clôture d'Orion ».

Quid ergo est quod homo ex terra factus, atque in terra positus, de caelesti administratione discutitur[a]; quia Pleiades coniungere non ualet, quas uicinas sibimetipsis conditas et paene coniunctas uidet ; quia Arcturi gyrum dissipare non
15 potest, quem tamen cernere ipsa sua uertigine paene dissipatum potest ? An ut in istis ministeriis auctoris potentiam pensans, infirmitatis suae meminerit ; et eum quem adhuc in maiestate sua uidere non poterat quam sit inaestimabilis in ipsa ministeriorum caelestium gubernatione perpendat ?

68. Sed cur ista loquimur, qui stimulo rationis urgemur, ut haec uerba mysticis sensibus grauida cognoscamus ? Quid enim micantes Pleiades, quae et septem sunt, aliud quam sanctos omnes denuntiant, qui inter praesentis uitae tene-
5 bras Spiritus septiformis gratiae nos lumine illustrant ? Qui ab ipsa mundi origine usque ad eius terminum diuersis temporibus ad prophetandum missi, iuxta aliquid sibi coniuncti sunt, et iuxta aliquid non coniuncti. Stellae enim Pleiades, sicut supra dictum est, uicinitate sibi coniunctae sunt, tactu
10 disiunctae. Simul quidem sitae sunt, et tamen lucis suae uiritim radios fundunt. Ita sancti omnes aliis atque aliis ad praedicandum temporibus apparentes, et disiuncti sunt per uisionem suae imaginis, et coniuncti per intentionem mentis. Simul micant, quia unum praedicant, sed non semetipsos
15 tangunt, quia in diuersis temporibus partiuntur.

69. Quam diuersis temporibus Abel, Isaias et Ioannes apparuit. Diuisi quidem fuerunt tempore, sed non praedica-

---

67. a. cf. Gn 2, 7

---

1. Corriger la ponctuation du *CCL* en supprimant les points d'interrogation des l. 23 et 27. Les saints de l'Ancien Testament sont des astres dont chacun projette dans notre nuit une lumière particulière : voir *Mor., Praef.* 13, où Grégoire en énumère dix. Ici, le nombre sept évoque les dons de l'Esprit comme dans *Mor., Praef.* 17.

Pourquoi Dieu interroge-t-il sur la marche du ciel quelqu'un qui est tiré de la terre et qui vit sur la terre[a] ? Peut-il joindre ensemble les Pléiades, qui sont si proches les unes des autres qu'on les voit presque jointes ? Peut-il arrêter le cours d'Arcturus, qu'il peut voir presque arrêté par sa révolution même ? N'est-ce pas pour l'obliger à se souvenir de sa propre faiblesse, en considération des œuvres de la toute puissance du Créateur, et lui faire sentir combien, dans le gouvernement des corps célestes, est incompréhensible celui qu'il ne peut contempler encore en sa majesté ?

L'accord des saints à travers les temps

68. Mais pourquoi dire ces choses, quand l'aiguillon de la raison nous presse de chercher les sens mystiques dont ces paroles sont prégnantes ? Que signifient ces Pléiades scintillantes au nombre de sept, sinon l'ensemble des saints[1] ? Ne sont-ils pas là, dans les ténèbres de la vie présente, pour nous éclairer de la lumière de la grâce septiforme de l'Esprit ? Du commencement du monde à la fin, ils ont été envoyés à différentes époques, si bien que, joints les uns aux autres sous un certain aspect, ils sont dispersés sous un autre. Comme il a été dit plus haut, les étoiles des Pléiades sont unies par leur proximité, mais elles ne se touchent pas. Elles sont toujours groupées et cependant chacune d'elles répand séparément les rayons de sa lumière. De même, les saints qui parurent et prêchèrent à l'une ou l'autre époque, sont à la fois séparés, chacun d'eux offrant sa propre vision, et unis, tous ayant même intention. Ils brillent ensemble, parce qu'unique est l'objet de leur prédication, mais ils ne se touchent pas, parce qu'ils sont répartis en des époques distinctes.

69. Abel, Isaïe et Jean parurent en ce monde à des époques bien différentes ; ils furent séparés par le temps, mais non par

tione. Nam Abel Redemptoris nostri passionem significans,
agnum in sacrificio obtulit[b] de cuius passione Isaias ait :
5 « *Sicut agnus coram tondente se obmutescit et non aperuit os
suum*[c] ». De quo Ioannes quoque ait : « *Ecce agnus Dei, ecce qui
tollit peccata mundi*[d] ». Ecce diuisis quidem temporibus missi,
et tamen concorditer de Redemptoris nostri innocentia sen-
tientes, eumdem agnum Ioannes ostendendo, Isaias
10 praeuidendo, Abel offerendo locutus est ; et quem Ioannes in
ostensione, quem Isaias in locutione, hunc Abel significando
in manibus tenuit.

70. Quia igitur quomodo Pleiades stellae de humanitate
Redemptoris sibi concinant diximus, nunc quomodo in
ostendenda unitate Trinitatis concorditer luceant demonstre-
mus. Diuersis quippe temporibus huic mundo Dauid, Isaias
5 et Paulus apparuit, sed tamen nullus eorum alteri diuersum
sensit, quia etsi semetipsos non nouerant facie, unum tamen
didicerant ex diuina cognitione. Dauid quippe ut auctorem
omnium Deum Trinitatem ostenderet, dixit : « *Benedicat nos
Deus, Deus noster, benedicat nos Deus*[e] ». Ac ne tertio Deum
10 nominans tres deos dixisse putaretur, ilico unitatem eiusdem
Trinitatis insinuans addidit : « *Et metuant eum omnes fines
terrae*[f] ». Qui enim non eos, sed eum subdidit, unum tria quae
dixerat intimauit. Isaias quoque cum laudem de unitate Trinitatis aperiret, Seraphim uoces exprimens, ait : « *Sanctus, Sanc-*

69. b. cf. Gn 4, 4   c. Is 53, 7   d. Jn 1, 29
70. e. Ps 66, 7-8   f. Ps 66, 8

1. Cf. R. BÉLANGER, « *Ecclesia ab exordio mundi* : modèles et degrés d'ap-
partenance à l'Église chez Grégoire le Grand », dans *Sciences religieuses* 16,
1987, p. 265-273.

2. Dans la quinzaine de passages où Grégoire mentionne Abel, noter en
particulier *Mor.* 3, 32, où sa mort est rapprochée d'Is 53, 7.

3. « Les péchés » (pluriel), tandis qu'on trouve ailleurs le singulier (*Mor.* 8,
56 ; *Hom. Eu.* 6, 1). Les deux leçons se succèdent dans *Hom. Ez.* I, 1, 5.

la prédication[1]. Pour figurer la Passion de notre Rédempteur, Abel offrit un agneau en sacrifice[b] [2]. Isaïe dit à propos de cette même Passion : « *Comme un agneau se tait devant le tondeur et n'ouvre pas la bouche[c]* ». Et Jean dit de son côté[3] : « *Voici l'agneau de Dieu, voici celui qui enlève les péchés du monde[d]* ». Ainsi donc, envoyés à des époques différentes, ils pensent de même quant à l'innocence de notre Rédempteur ; ils parlent tous du même agneau : Jean en le montrant, Isaïe en le voyant d'avance, Abel en l'offrant. Celui que Jean a montré, celui dont Isaïe a parlé, Abel symboliquement l'a tenu dans ses mains.

Accord sur le Dieu Un et Trine

70. Nous avons montré l'accord des Pléiades au sujet de l'humanité du Rédempteur ; voyons-les maintenant briller d'un commun éclat pour démontrer l'unité de la Trinité. David, Isaïe et Paul ont paru en ce monde à différentes époques ; nul cependant n'a pensé diversement des autres, parce que, même s'ils ne se sont pas connus physiquement, unique fut la connaissance qu'ils reçurent de Dieu même[4]. Pour montrer que l'auteur de toutes choses est Dieu en trois personnes, David a dit : « *Que Dieu nous bénisse, lui notre Dieu, que Dieu nous bénisse[e]* ». Et pour éviter que l'on pense à trois dieux parce qu'il nomme Dieu trois fois, il ajouta aussitôt, pour suggérer l'unité de la Trinité : « *Et que toutes les extrémités de la terre le craignent[f]* ». En substituant « le » à « les », David a donné à entendre que les trois dont il avait parlé étaient un. Isaïe aussi, pour louer l'unité de la Trinité, rapporte en ces termes les paroles des Séraphin : « *Saint, Saint, Saint* ». Mais

---

4. Concordance des deux Testaments dans la même foi : voir *Hom. Ez.* II, 3, 16. Plus précisément, le présent argument est reproduit par *Hom. Ez.* II, 4, 7, où cependant Isaïe précède à tort David. La seconde citation (Is 6, 3) reparaît dans *Mor.* 35, 3, où le commentaire est moral, non dogmatique ; la troisième est unique.

15 *tus, sanctus* » ; ac ne tertio sanctum nominans unitatem diuinae substantiae scindere uideretur, adiunxit : « *Dominus Deus
sabaoth*[g] ». Qui ergo non domini dii, sed Dominus Deus addidit, unum exsistere quod tertio sanctum uocauerat indicauit.
Paulus quoque ut operationem sanctae Trinitatis ostenderet,
20 ait : « *Ex ipso, per ipsum, et in ipso sunt omnia* ». Atque ut unitatem eiusdem Trinitatis intimaret, protinus addidit : « *Ipsi
gloria in saecula saeculorum, amen*[h] ». Qui igitur non ipsis, sed
ipsi subdidit, unum naturaliter, tria secundum personas
innotuit, quod superius tertio idipsum dixit. Quasi ergo et
25 uno in loco Pleiades sitae sunt, quia de Deo concorditer sentiunt, et tamen semetipsas non tangunt, quia, sicut dictum
est, per huius mundi tempora diuersa partiuntur.

71. Quod bene ac breuiter Ezechiel propheta describit, qui
cum diuersi generis animalia uidere se diceret, adiunxit :
« *Iunctaeque erant pennae eorum alterius ad alterum*[i] ». Pennae
quippe animalium alterius ad alterum iunctae sunt, quia etsi
5 dissimilia sunt quae agunt, uno tamen eodemque sensu sibi
sanctorum uoces uirtutesque sociantur. Et quamuis alius
rationabiliter cuncta agendo sit homo, alius in passionibus
fortis aduersa mundi non timendo sit leo ; alius per abstinen-
tiam semetipsum uiuam hostiam offerendo sit uitulus ; alius
10 se in alta rapiendo contemplationis uolatu sit aquila[j], pennis
se tamen dum uolant tangunt, quia et confessione uocum et
uirtutum sibi unanimitate iunguntur. Quod quia solius diuinae

---

70. g. Is 6, 3   h. Rm 11, 36
71. i. Ez 1, 9   j. cf. Ez 1, 10

---

1. Exégèse voisine que les « ailes jointes » dans *Hom. Ez.* I, 3, 15 (concorde
entre les prêcheurs). Quant à celle des quatre animaux qui suit, elle est
reproduite dans *Hom. Ez.* I, 4, 2.

2. Allusion à Rm 12, 1 (*hostiam uiuentem*), cité selon la Vulgate dans *Hom.
Ez.* II, 10, 19 et *In Ez. fragm.* 9, 77-78. L'expression même que Grégoire emploie

pour ne pas donner l'impression qu'il divisait l'unité de la substance divine, en disant trois fois le mot « saint », il ajouta : « *Le Seigneur, Dieu des armées*[g] ». En ajoutant « Le Seigneur Dieu », et non « les Seigneurs dieux », il a indiqué que celui qu'il avait appelé trois fois « saint » était unique. Paul aussi, pour montrer l'œuvre de la sainte Trinité, dit : « *Tout est de lui, par lui et en lui* ». Mais pour en faire entendre l'unité, il ajouta aussitôt : « *A lui soit la gloire pour les siècles. Amen*[h] ». En ajoutant donc : « A lui soit la gloire » et non « à eux », il a voulu faire savoir que par sa triple répétition il pensait à l'unité de la nature et à la Trinité des personnes. Les Pléiades sont donc, pour ainsi dire, situées dans un même lieu, parce qu'elles s'accordent en ce qu'elles pensent de Dieu, et cependant elles ne se touchent pas, parce que, ainsi qu'il a été dit, des espaces de temps les séparent.

Unité dans la diversité 71. C'est ce que le prophète Ézéchiel a fort bien exprimé en peu de mots ; après avoir décrit une vision qu'il eut de différentes espèces d'animaux, il ajouta : « *Leurs ailes étaient jointes l'une à l'autre*[i] ». Les ailes des animaux sont en effet jointes l'une à l'autre, car si les saints ne font pas la même chose, leurs paroles et leurs vertus s'accordent dans une seule et même pensée[1]. En effet, si l'un est homme parce qu'il se conduit en tout selon la raison, et que l'autre est lion parce que, fort dans les souffrances, il ne craint pas les adversités de ce monde, si le troisième est taureau parce qu'il s'offre lui-même par la pénitence en sacrifice vivant[2], et que le dernier est aigle parce que le vol de sa contemplation l'emporte dans les hauteurs[j], néanmoins leurs ailes se touchent quand ils volent, parce qu'ils sont unanimes dans la louange et dans la pratique des vertus. Mais parce qu'il appartient à la seule puis-

ici (*uiuam hostiam*) se retrouve, avec référence à Paul, dans *Hom. Eu.* 16, 55 (113 C), à propos des mortifications du carême.

uirtutis est et disiunctis temporibus missos in fidei praedicatione coniungere, et dissimilibus uirtutibus praeditos fulgore
15 intentionis unire, recte dicitur : « *Numquid coniungere ualebis
micantes stellas Pleiades ?* » Ac si dicat ut ego, qui unus omnia
impleo, atque in unitatis sensu electorum mentes implendo
coniungo[k].

72. In Arcturo autem, qui per gyrum suum nocturna spatia
non occasurus illustrat, nequaquam particulatim edita uita
sanctorum, sed tota simul Ecclesia designatur, quae fatigatio-
nes quidem patitur, nec tamen ad defectum proprii status
5 inclinatur ; gyrum laborum tolerat, sed ad occasum cum temporibus non festinat. Neque enim ad ima poli Arcturus cum
nocturno tempore ducitur, sed dum ipse uoluitur, nox
finitur ; quia nimirum dum sancta Ecclesia innumeris tribulationibus quatitur, praesentis uitae umbra terminatur ; eaque
10 stante nox praeterit, quia illa in sua incolumitate perdurante,
mortalitatis huius uita percurrit.

Est in Arcturo quod consideratius possimus intueri. In septem quippe stellis uoluitur et modo quidem tres ad summa
eleuat, atque ad ima quattuor inclinat, modo quattuor supe-
15 rius erigit, et tres inferius premit. Sancta quoque Ecclesia
cum modo infidelibus Trinitatis notitiam, modo autem fidelibus uirtutes quattuor, id est prudentiam, fortitudinem,
temperantiam, iustitiam praedicat, quasi rotatu praedicationis status sui speciem quodammodo immutat. Nam cum
20 quibusdam de operibus suis gloriantibus confidentiam proprii laboris euacuat, et fidem Trinitatis exaltat, quid aliud
facit nisi tres stellas Arcturus eleuat, quattuor inclinat ? Et dum

71. k. cf. Ep 1, 23 ; 4, 10

---

1. Cette décomposition symbolique du nombre sept reparaît dans
Mor. 35, 15 : Trinité des personnes divines et quadrige des vertus cardinales,
connaissance et action. Sur les quatre vertus, voir entre autres *Mor.* 2, 76 ;
Hom. Ez. I, 3, 8.

sance de Dieu de joindre dans la prédication d'une même foi
ceux qu'il a envoyés à différentes époques et d'unir par la
lumière d'une intention unique ceux qui brillent de vertus
variées, l'Écriture dit fort bien : « *Pourras-tu joindre ensemble
les étoiles brillantes des Pléiades ?* » Comme si Dieu disait : le
peux-tu comme moi, qui seul contiens toutes choses, et qui,
remplissant les esprits des élus, les joins dans l'unité d'une
seule pensée[k] ?

Le symbole d'Arcturus   **72.** Arcturus qui, sans jamais se coucher,
illumine par son cycle le temps de la nuit ne
désigne pas la vie des saints en particulier,
mais l'Église tout entière, qui subit de grandes fatigues sans
jamais se laisser abattre ; elle supporte le cycle de ses labeurs
et néanmoins la suite des temps ne l'entraîne pas vers son
déclin. Arcturus, en effet, ne disparaît pas au-dessous de
l'horizon pendant la nuit, mais la nuit s'achève alors qu'il
poursuit sa course ; ainsi les ombres de la vie présente s'éva-
nouissent, tandis que la sainte Église est secouée
d'innombrables tribulations. La nuit passe tandis que l'Église
reste debout ; elle se maintient intacte pendant que s'écoule
cette vie mortelle.

Il y a encore dans Arcturus autre chose que nous devons
examiner avec plus de soin. Il est composé de sept étoiles qui
ont un mouvement de rotation : tantôt trois de ces étoiles
virent vers le haut et quatre vers le bas, tantôt quatre vers le
haut et trois vers le bas. Ainsi la sainte Église prêche tantôt
aux infidèles la connaissance de la Trinité, tantôt aux fidèles
les quatre vertus de prudence, de force, de tempérance et de
justice[1] ; ce faisant, elle change pour ainsi dire d'apparence,
par le mouvement quasi rotatif de sa prédication. En effet,
quand elle rabat la confiance que mettent en leurs œuvres
ceux qui s'en glorifient et qu'elle exalte la foi en la Trinité,
que fait-elle d'autre qu'imiter Arcturus, qui dresse vers le
haut trois de ses étoiles et en abaisse quatre ? Quand elle inter-

quosdam bona opera non habentes de sola fide praesumere
prohibet, sed operari enixius quae praecepta sunt iubet, quid
25 aliud Arcturus facit, nisi quattuor stellas erigit, tres deponit ?

Videamus quomodo tres eleuet, quattuor deponat. Ecce
per Paulum contra fidem de opere superbientibus dicit : « *Si
Abraham ex operibus iustificatus est, habet gloriam, sed non apud
Deum. Quid enim scriptura dicit ? Credidit Abraham Deo et repu-*
30 *tatum est illi ad iustitiam*[1]». Videamus quomodo quattuor
eleuet, tres deponat. Ecce per Iacobum de fide contra opera
superbientibus dicit : « *Sicut corpus sine spiritu mortuum est, ita
et fides sine operibus mortua est*[m]». Arcturus itaque uoluitur,
quia sancta Ecclesia iuxta auditorum suorum mentes in
35 diuerso latere praedicationis arte uersatur. Arcturus uoluitur,
quia haec in noctis huius tribulationibus rotatur. Sed hunc
Arcturi gyrum quandoque Dominus dissipat, quia labores
Ecclesiae ad requiem permutat. Tunc et Pleiades plenius iungit, cum gyrum Arcturi destruit, quia tunc nimirum sancti
40 omnes etiam uisionis sibi specie copulantur, quando in fine
mundi sancta Ecclesia ab his quos nunc sustinet laboribus
soluitur.

Dicat ergo : « *Numquid coniungere ualebis micantes stellas
Pleiades, aut gyrum Arcturi poteris dissipare ?* » Subaudis ut ego,
45 qui tunc sanctorum uitam etiam per speciem unio, cum
gyrum uniuersalis Ecclesiae corporaliter soluo. Et quis hominum solius diuinae hoc esse uirtutis ignorat ? Sed ut
cognoscat homo quid ipse sit, memoretur assidue quid solus
Dominus possit.

72. l. Rm 4, 2-3 ; Gn 15, 6   m. Jc 2, 26

---

1. La foi a justifié tous les saints (*Mor.* 18, 24).

2. Grégoire ne cite ailleurs (huit fois) que la seconde partie du verset
(*Fides...*). Même texte qu'ici, sauf dans *Mor.* 33, 12 (*otiosa est*).

dit à ceux qui n'ont aucune œuvre bonne de se glorifier de la foi seule, leur demandant de s'adonner avec zèle à l'accomplissement des préceptes, n'imite-t-elle pas encore Arcturus élevant quatre étoiles et baissant les trois autres ?

Voyons encore comment elle s'y prend pour en dresser trois vers le haut et en placer quatre vers le bas. Paul dit à ceux qui se glorifient de leurs œuvres au détriment de la foi[1] : « *Si Abraham a été justifié par ses œuvres, il a de quoi se glorifier, mais non au regard de Dieu. Que dit en effet l'Écriture ? Abraham crut à Dieu et ce lui fut compté à justice*[1] ». A l'inverse, voyons-la dresser en haut quatre étoiles, tandis qu'elle en abaisse trois ; Jacques dit à ceux qui se glorifient de leur foi au mépris des œuvres[2] : « *Comme le corps sans l'âme est mort, de même la foi sans les œuvres est-elle morte*[m] ». Arcturus tourne donc : autrement dit, la sainte Église exerce tantôt d'une manière, tantôt d'une autre, l'art de sa prédication, selon l'état d'esprit de ses auditeurs. Arcturus tourne donc : autrement dit, l'Église évolue au sein des tribulations de la nuit de ce monde. Mais le Seigneur brisera un jour ce cycle, quand il la fera passer du labeur au repos. Interrompant le cycle d'Arcturus, il rapprochera alors plus étroitement les Pléiades : autrement dit, tous les saints seront unis les uns aux autres par la vision face à face, quand à la fin du monde la sainte Église sera délivrée des labeurs qu'elle supporte maintenant.

Dieu dit donc à Job : « *Pourras-tu joindre ensemble les étoiles brillantes des Pléiades ou arrêter le cycle d'Arcturus ?* » Il faut sous-entendre : comme moi, qui unirai la vie des saints par la vision de ma face, quand je viendrai dans le temps interrompre le cycle de l'Église universelle. Qui ignore que, de cela, Dieu seul a le pouvoir ? Mais pour que l'homme sache ce qu'il est lui-même, qu'il se rappelle sans cesse ce que le Seigneur seul peut accomplir.

73. Habemus adhuc quod de stellis Pleiadibus atque Arcturo aliud sentiamus. Pleiades quippe ab oriente, Arcturus
uero ex parte aquilonis surgit. Quaqua autem se per gyrum
suum Arcturus uerterit, Pleiades ostendit ; et cum lux diei
5 iam uicina efficitur, stellarum eius ordo distenditur. Potest
igitur per Arcturum, qui a plaga frigoris nascitur, lex ; per
Pleiades uero, quae ab oriente surgunt testamenti noui gratia
designari. Quasi enim ab aquilone lex uenerat, quae tanta
subditos rigiditatis asperitate terrebat. Nam dum pro culpis
10 suis alios praeciperet lapidibus obrui, alios gladii morte mul-
tari, plaga torpens ; et uelut a sole caritatis aliena,
praeceptorum suorum semina plus premebat ex frigore
quam ex calore nutriebat. Cuius oppressionis pondus Petrus
horruerat, cum dicebat : « *Quid temptatis Deum, imponere*
15 *iugum super ceruicem discipulorum ; quod neque patres nostri*
neque nos portare potuimus[n] *?* » Nec mirum quod per Arcturi
septem stellas testamentum uetus exprimitur, quia et in
ueneratione legis dies septimus exstitit, et per hebdomadam
integram constituti sacrificii uota tendebantur[o].

20   Pleiades uero quae ipsae quoque, sicut superius diximus,
septem sunt, testamenti noui gratiam tanto apertius indi-
cant, quanto cuncti liquido cernimus, quod per illud fideles
suos sanctus Spiritus septiformis muneris lumine illustrat.
Quaqua igitur se Arcturus uertit, Pleiades ostendit, quia per
25 omne quod testamentum uetus loquitur testamenti noui
opera nuntiantur. Sub textu enim litterae tegit mysterium
prophetiae. Et quasi inclinat se Arcturus et demonstrat, quia

---

73. n. Ac 15, 10   o. cf. Lv 23, 3.8.36 ; Nb 29, 12-39

1. *Plaga,* traduit plus haut (*a plaga frigoris*) par « côté ».
2. Non cité ailleurs. Les observances légales relatives à la semaine qui
sont évoquées ensuite ne reparaissent guère davantage chez Grégoire : simple

De l'Ancien Testament au Nouveau — **73.** Il nous reste d'autres réflexions à faire au sujet des Pléiades et d'Arcturus. Les Pléiades se lèvent à l'Orient et Arcturus au Nord, mais, où que se trouve Arcturus dans sa course autour du pôle, il montre toujours les Pléiades ; et quand la lumière du jour se fait proche, l'ordre de ses étoiles se déploie. Dans Arcturus, qui apparaît du côté du froid, on peut voir symbolisée la Loi ; dans les Pléiades qui se lèvent à l'Orient, la grâce du Nouveau Testament. La Loi vient pour ainsi dire du Nord, elle qui par son âpre rigidité inspirait de la crainte à ceux qui lui étaient soumis. En effet, quand, pour leurs fautes, elle ordonnait de lapider les uns ou de châtier les autres par le glaive, comme une région[1] engourdie par le froid et ignorant en quelque sorte le soleil de la charité, elle étouffait les semences de ses préceptes par la froidure, au lieu d'en favoriser l'épanouissement par la chaleur. Pierre avait en horreur cette sévérité oppressante, quand il disait[2] : « *Pourquoi tentez-vous Dieu en voulant imposer à la nuque des disciples un joug que ni nos pères ni nous-mêmes n'avons été capables de porter*[n] ? » Il n'est pas étonnant qu'Arcturus, avec ses sept étoiles, représente l'Ancien Testament, parce que la Loi honorait particulièrement le septième jour et qu'on offrait pendant une semaine entière les sacrifices prescrits[o].

Les Pléiades, qui elles aussi sont au nombre de sept, comme nous l'avons dit plus haut, indiquent d'autant plus clairement la grâce du Nouveau Testament que tous nous voyons par lui avec évidence l'Esprit saint illuminer ses fidèles de la lumière de ses sept dons. Où que se trouve donc Arcturus dans sa course, il montre toujours les Pléiades, parce que toutes les paroles de l'Ancien Testament annoncent ce qui doit arriver dans le Nouveau. Sous la teneur de la lettre, il cache le mystère des prophéties. Arcturus s'incline

allusion au repos sabbatique dans *Hom. Ez.* I, 6, 18 (*CCL* 142, p. 79, l. 410-411).

dum ad spiritalem intellectum flectitur, significata per illud
lux gratiae septiformis aperitur. Et propinquante diei luce,
30 stellarum eius ordo distenditur, quia postquam per semetipsam nobis Veritas innotuit, ab obsequiis carnalibus litterae
praecepta laxauit.

74. Redemptor autem noster in carne ueniens Pleiades
iunxit, quia operationes septiformis Spiritus simul in se et
cunctas et manentes habuit. De quo per Isaiam dicitur :
« *Egredietur uirga de radice Iesse, et flos de radice eius ascendet ; et*
5 *requiescet super eum Spiritus Domini, spiritus sapientiae et intel-*
lectus, spiritus consilii et fortitudinis, spiritus scientiae et pietatis et
replebit eum spiritus timoris Domini[p] ». De quo Zacharias ait :
« *Super lapidem unum septem oculi sunt*[q] ». Atque iterum : « *Et*
in candelabro aureo lucernae septem[r] ». Nullus uero hominum
10 operationes sancti Spiritus simul omnes habuit, nisi solus
Mediator Dei et hominum[s], cuius est idem Spiritus, qui de
Patre ante saecula procedit. Bene ergo dicitur : « *Super lapi-*
dem unum septem oculi sunt[t] ». Huic enim lapidi septem oculos
habere est simul omnem uirtutem Spiritus septiformis gra-
15 tiae in operatione retinere.

Alius namque prophetiam, alius scientiam, alius uirtutes,
alius genera linguarum, alius interpretationem sermonum
iuxta distributionem sancti Spiritus accipit[u] ; ad habenda uero

74. p. Is 11, 1-3   q. Za 3, 9   r. Za 4, 2   s. cf. 1 Tm 2, 5   t. Za 3, 9
u. cf. 1 Co 12, 8-11

1. Le début de la citation (Is 11, 1) ne reparaît pas ailleurs, tandis que la
suite (les sept dons) est citée par Grégoire une dizaine de fois, auxquelles
s'ajoutent les mentions partielles d'*In Ez. fragm.* 11, 8 (conseil et force) ; *Mor.*
1, 17 et 2, 43 (crainte du Seigneur).

2. Ces deux citations de Zacharie sont uniques.

3. A une désignation paulinienne du Christ (voir p. 83, n. 3), Grégoire
joint une allusion à Jn 15, 26, texte sur lequel il fonde la procession du
Saint-Esprit *a Patre et Filio* dans *Hom. Eu.* 26, 2 et *Dial.* II, 38, 4 (voir la note

pour ainsi dire pour montrer les Pléiades, parce qu'en se tournant vers l'intelligence spirituelle, l'Ancien Testament nous découvre la lumière de la grâce septiforme qu'il signifie. Et quand s'approche la lumière du jour, l'ordre de ses étoiles se déploie ; en effet, quand la Vérité elle-même s'est fait connaître à nous, elle a relâché la rigueur littérale des observances charnelles.

Le Christ libère de la Loi   **74.** Notre Rédempteur, venant en notre chair, a réuni les Pléiades, parce qu'il a possédé simultanément et en permanence toutes les œuvres septiformes de l'Esprit, selon ces paroles d'Isaïe[1] : « *Un rejeton sortira de la racine de Jessé et une fleur poussera de sa racine ; sur lui reposera l'Esprit du Seigneur, Esprit de sagesse et d'intelligence, Esprit de conseil et de force, Esprit de science et de piété, et l'Esprit de la crainte du Seigneur le remplira*[p] ». Zacharie dit à son sujet[2] : « *Sur cette pierre unique, il y a sept yeux*[q] ». Et encore : « *Sur le lampadaire, il y a sept lampes*[r] ». Nul parmi les hommes ne réunit en lui toutes les opérations du Saint-Esprit, si ce n'est le Médiateur entre Dieu et les hommes[s], à qui appartient ce même Esprit qui procède du Père avant tous les siècles[3]. Zacharie dit donc très justement : « *Sur cette pierre unique, il y a sept yeux*[t] ». Pour cette « pierre », avoir sept yeux, c'est retenir en son agir toute la force de la grâce septiforme de l'Esprit.

En effet, l'un reçoit le don de prophétie, l'autre le don de science, un autre le pouvoir de faire des miracles, un autre le don des langues, un autre le don de les interpréter[4], selon que l'Esprit le leur distribue[u]. Personne n'est parvenu à avoir

---

dans *SC* 260, p. 249). Ici, comme dans *Mor.* 5, 65 et ailleurs, il est moins précis. La conjonction de 1 Tm 2, 5 et de la procession du Saint-Esprit se trouve déjà dans *Mor.* 2, 92.

4. Des neuf charismes pauliniens (voir p. 120, n. 1), dont quatre ont été mentionnés plus haut (p. 246, n. 2), Grégoire mentionne ici cinq, parmi lesquels la « science » et les « vertus » figuraient déjà en *Mor.* 29, 41. Le Christ, et lui seul, a possédé tous les dons : voir *Dial.* II, 8, 9.

cuncta eiusdem Spiritus munera nemo pertingit. At uero
20 conditor noster infirma nostra suscipiens, quia per diuinitatis suae potentiam simul se habere omnes sancti Spiritus
uirtutes edocuit, micantes procul dubio Pleiades iunxit. Dum
uero Pleiades iungit, Arcturi gyrum dissipat ; quia dum semetipsum factum hominem habere cunctas sancti Spiritus
25 operationes innotuit, in testamento ueteri litterae laborem
soluit ; ut fidelis quisque iam cum libertate spiritus illud
intellegat cui prius in formidine inter tot discrimina seruie-
bat. Audiat itaque beatus Iob : « *Numquid coniungere ualebis
micantes stellas Pleiades ?* » Ac si aperte diceretur : habere qui-
30 dem lumina quarumdam uirtutum potes, sed numquid
exercere simul omnes operationes sancti Spiritus sufficis ?
Me ergo coniungentem Pleiades in cunctis uirtutibus con-
templare, et tu de paucis ab elatione compescere.

Audiat quod dicitur : « *Aut gyrum Arcturi poteris dissipare ?* »
35 Ac si ei aperte diceretur : et si ipse iam quae recta sunt sentis,
numquid uirtute tua etiam in alienis cordibus laborem gros-
sioris intellegentiae destruis ? Me itaque considera, qui
carnalium stulta corrigo, dum me per carnis stultitiam mani-
festo, ut tanto magis haec, quae putas uirtutum tuarum
40 fortia, humilies, quanto nec uestigia meae infirmitatis
apprehendis.

Quia uero in ipso dominicae incarnationis mysterio aliis
lux ueritatis ostenditur, aliorum uero per scandalum corda
tenebrantur, recte subiungitur :

38, 32   XXXII, **75.** « **Numquid producis luciferum in tempore suo
et uesperum super filios terrae consurgere facis ?** » Pater
quippe in suo tempore luciferum produxit, quia sicut scriptum

---

1. Langage paulinien : cf. Rm 8, 15 ; Ga 5, 1, etc.
2. Échos de 1 Co 1, 18-25.

tous les dons de ce même Esprit. Mais notre Créateur, prenant sur lui nos faiblesses, du fait que, par la puissance de sa divinité, il se révélait comme ayant en lui tous les dons du Saint-Esprit, réunit sans aucun doute les étoiles brillantes des Pléiades. Par cette jonction, il détourne le cours d'Arcturus ; autrement dit, en nous faisant savoir que, devenu homme lui-même, il possède en lui toutes les œuvres de l'Esprit saint, il nous délivre de toute contrainte à l'égard de la lettre du Vieux Testament : chaque fidèle peut désormais comprendre, dans la liberté de l'Esprit, ce à quoi jadis il était asservi, dans la crainte et parmi bien des périls[1]. Aussi le bienheureux Job entend-il le Seigneur lui dire : « *Pourras-tu joindre ensemble les étoiles brillantes des Pléiades ?* » C'est comme s'il disait en termes clairs : sans doute peux-tu jouir des lumières de certaines vertus, mais es-tu capable de pratiquer toutes ensemble les œuvres du Saint-Esprit ? Considère donc que je réunis les Pléiades, c'est-à-dire toutes les vertus, et toi, garde-toi de t'élever pour le peu que tu possèdes.

Qu'il entende encore ceci : « *Pourras-tu arrêter le cycle d'Arcturus ?* » C'est comme s'il disait en clair : si toi-même tu sais discerner ce qui est droit, peux-tu pour autant, par tes propres forces, ôter du cœur des autres le labeur d'une intelligence trop épaisse ? Fixe donc ton attention sur moi : je corrige les folies des hommes charnels en me manifestant dans la folie de la chair ; humilie-toi d'autant plus au sujet de tes grandes vertus présumées que tu ne peux même pas saisir les traces de ma faiblesse[2].

Mais le mystère même de l'incarnation du Seigneur manifeste aux uns la lumière de la vérité, tandis qu'elle en scandalise d'autres et plonge leur cœur dans les ténèbres ; aussi l'Écriture ajoute-t-elle avec raison :

L'aveuglement des Juifs

XXXII, **75. « Est-ce toi qui fais paraître en son temps l'étoile du matin et fais se lever l'étoile du soir sur les fils de la terre ? »**   38, 32

C'est le Père qui a fait paraître en son temps l'étoile du ma-

est : « *Cum uenit plenitudo temporis, misit Deus Filium suum,*
5 *natum ex muliere, factum sub lege, ut eos qui sub lege erant,*
redimeret[a] ». Qui natus ex uirgine, uelut lucifer inter tenebras
nostrae noctis apparuit, quia fugata obscuritate peccati,
aeternum nobis mane nuntiauit. Luciferum se innotuit quia
diluculo ex morte surrexit, et fulgore sui luminis mortalitatis
10 nostrae tetram caliginem pressit. Qui bene per Ioannem
dicitur : « *Stella splendida et matutina*[b] ». Viuus quippe appa-
rendo post mortem, matutina nobis stella factus est, quia
dum in semetipso exemplum nobis resurrectionis praebuit,
quae lux sequatur indicauit.

15   Vesperum uero super terrae filios consurgere Dominus
facit, quia infidelibus Iudaeorum cordibus dominari antichristum eorum merito exigente permittit. Qui idcirco a
Domino huic uesperi iuste subduntur, quia ipsi sponte sua
filii terrae esse uoluerunt. Terrena quippe et non caelestia
20 requirentes, a perspicienda luciferi nostri claritate caecati
sunt, et dum praeesse sibi uesperum expetunt, subsequentis
damnationis aeterna nocte merguntur. Hinc in euangelio
Dominus dicit : « *Ego ueni in nomine Patris mei et non accepistis
me ; alius ueniet in nomine suo, et ipsum recipietis*[c] ». Hinc Paulus
25 ait : « *Eo quod caritatem ueritatis non receperunt, ut salui fierent,
ideo mittet illis Deus operationem erroris ut credant mendacio, ut
iudicentur omnes qui non crediderunt ueritati, sed consenserunt
iniquitati*[d] ». Nequaquam ergo super eos uesper consurgeret,
si caeli filii esse uoluissent. Sed dum uisibilia appetunt,
30 amisso cordis lumine, sub noctis duce tenebrescunt.

---

75. a. Ga 4, 4-5   b. Ap 22, 16   c. Jn 5, 43   d. 2 Th 2, 10-12

1. Littéralement « Lucifer », titre déjà donné au Christ dans *Mor., Praef.* 13
(*uerus lucifer*). Le texte cité ensuite se lisait dans *Mor.* 11, 65 ; 12, 15 (cf. *Hom.
Ez.* I, 8, 23).

2. Citation unique.

3. Des bons cénobites, le Maître et Benoît disent de même : *abbatem sibi
praeesse desiderant* (*RM* 7, 50 ; *RB* 5, 12). Les deux citations qui suivent ne se
lisent qu'en *Mor.* 25, 34, où elles sont jumelées comme ici (la seconde ne
comprend que 2 Th 2, 10-11).

tin[1], ainsi qu'il est écrit : « *Quand vint la plénitude des temps, Dieu envoya son Fils, né d'une femme, né sujet de la Loi, afin de racheter les sujets de la Loi*[a] ». Né de la Vierge, il est apparu comme l'étoile du matin dans les ténèbres de notre nuit, car il a chassé l'obscurité du péché et nous a annoncé le matin éternel. Il s'est fait connaître comme l'étoile du matin, parce qu'il s'est relevé de la mort au point du jour et a refoulé les ténèbres profondes de notre condition mortelle par l'éclat de sa lumière. Jean l'appelle très justement[2] « *l'étoile radieuse du matin*[b] ». Oui, en apparaissant vivant après sa mort, il est devenu pour nous l'étoile du matin, car en nous donnant en sa personne le témoignage de la résurrection, il nous a indiqué la lumière à venir.

Le Seigneur a fait aussi se lever l'étoile du soir sur les fils de la terre, parce qu'il permet le règne de l'Antichrist sur les cœurs incrédules des Juifs, par suite de leurs fautes. C'est justice que le Seigneur les soumette à cette étoile du soir, car ils sont devenus volontairement fils de la terre. Recherchant les choses de la terre et non celles du ciel, ils sont devenus aveugles à la lumière de notre étoile du matin ; ils ont demandé d'avoir à leur tête l'étoile du soir[3], et ils s'enfoncent dans la nuit éternelle de la damnation qui en est la conséquence. Aussi le Seigneur dit-il dans l'Évangile : « *Je suis venu au nom de mon Père, et vous ne m'avez pas reçu ; qu'un autre vienne en son propre nom, et celui-là vous le recevrez*[c] ». Paul affirme aussi de son côté : « *Parce qu'ils n'ont pas accueilli l'amour de la vérité qui les aurait sauvés, Dieu leur enverra une puissance active d'égarement qui les fera croire au mensonge, afin que soient jugés tous ceux qui n'auront pas cru à la vérité mais auront consenti à l'iniquité*[d] ». L'étoile du soir ne se serait donc pas levée sur eux, s'ils avaient voulu être les fils du ciel. Mais désirant les biens visibles, ils ont perdu la lumière du cœur, et ils s'enfoncent dans les ténèbres sous la conduite de la nuit.

76. Quod tamen si moraliter discutimus, quomodo cotidie agatur inuenimus, quia nimirum et electis lucifer oritur, et uesper reprobis Deo permittente dominatur. Vnus enim atque idem sermo Dei est in ore praedicantis. Quem dum isti
5 gaudendo, illi uero inuidendo audiunt, claritatem sibi luciferi in uesperi tenebras uertunt. Dum isti humiliter uocem sanctae praedicationis accipiunt, quasi ad stellae lucem oculos cordis aperiunt ; dum uero illi bene dicenti inuident, et non salutis causam, sed elationis gloriam quaerunt, prorumpente
10 iniquitatis suae uespere in somnum mortis oculos claudunt.

Per occultum ergo iudicium is qui electo est lucifer reprobo auditori fit uesper, quia exhortatione sancta qua boni ad uitam redeunt praui deterius in culpa moriuntur. Vnde bene per Paulum dicitur : « *Christi bonus odor sumus Deo in his qui*
15 *salui fiunt et in his qui pereunt ; aliis quidem odor mortis in mortem, aliis autem odor uitae in uitam*[e] ». Verbum itaque suum auditoribus esse luciferum simul et uesperum uidit, per quod et alios ab iniquitate suscitari, et econtra alios sopiri in iniquitate conspexit. Quod quia occultis Dei iudiciis agitur, quae in
20 hac uita ab hominibus comprehendi non possunt, recte illic subdidit : « *Et ad haec quis tam idoneus*[f] *?* » Ac si diceret : idonei quidem sumus ad haec consideranda quia fiunt, sed idonei non sumus ad haec inuestiganda cur fiant.

Vnde hic quoque Dominus, quia aliis produci luciferum,
25 aliis uero consurgere uesperum dixerat, ne perscrutari homo occulta Dei iudicia audeat, ilico subiungit :

76. e. 2 Co 2, 15-16   f. 2 Co 2, 16

---

1. Souvent (*Mor.* 14, 65, etc. ; *Hom. Eu.* 20, 13), les cinq premiers mots sont cités seuls par Grégoire, qui omet parfois *Deo* (*Reg. Ep.* 8, 33) ou le remplace par *in omni loco* (*In Cant.* 20) ou lui ajoute ces trois mots (*Hom. Eu.* 33, 5). Beaucoup plus ample, la présente citation est unique.

2. Déjà évoqués plus haut (ligne 11 : *per occultum iudicium*), ces « jugements cachés de Dieu » rappellent *Mor.* 28, 15-16 (p. 106, n. 1 et p. 108, n. 1) et 39 (p. 152, n. 3). Voir aussi *Mor.* 29, 32-34 (p. 232, n. 1). La citation qui suit (2 Co 2, 16) est unique.

**Effets divers
de la Parole**
    76. Si nous voulons à présent sonder ce texte du point de vue moral, nous découvrons comment il se réalise chaque jour ; en effet, l'étoile du matin se lève pour les élus, et avec la permission de Dieu, l'étoile du soir sur les réprouvés. Il n'y a qu'une seule et même parole de Dieu dans la bouche du prédicateur. Mais les uns l'écoutent avec joie, les autres la refusent et transforment ainsi pour eux-mêmes la lumière de l'étoile du matin en ténèbres du soir. En accueillant humblement la sainte prédication, les uns ouvrent pour ainsi dire les yeux du cœur à la lumière de l'étoile ; les autres se refusent à qui leur dit la bonne parole ; ils ne sont pas en quête d'une occasion de salut, mais cherchent la gloire de l'orgueil ; quand paraît soudain l'étoile du soir de leur iniquité, ils ferment les yeux pour s'endormir du sommeil de la mort.

Ainsi, par un jugement secret de Dieu, le prédicateur, étoile du matin pour les élus, est étoile du soir pour les réprouvés ; par ses saintes exhortations, les justes reviennent à la vie et les pécheurs s'enfoncent plus misérablement dans la mort du péché. C'est ce qui fait dire à Paul[1] : « *Pour Dieu, nous sommes la bonne odeur du Christ pour ceux qui se sauvent et pour ceux qui se perdent : pour les uns, odeur de mort qui conduit à la mort, pour les autres odeur de vie qui conduit à la vie[e]* ». Paul voyait donc que sa parole était pour ses auditeurs en même temps étoile du matin et étoile du soir ; il remarquait qu'elle réveillait les uns de leur iniquité et laissait au contraire les autres s'y endormir. Comme cela advient par les jugements secrets de Dieu[2], qui nous sont incompréhensibles en cette vie, Paul ajoute à juste titre : « *Et qui est à la hauteur d'une telle tâche[f] ?* » C'est comme s'il disait : nous sommes capables de voir que les choses se produisent, mais nous ne sommes pas capables de découvrir pourquoi elles se produisent.

De là vient que le Seigneur, après avoir montré l'étoile du matin paraissant pour les uns et l'étoile du soir se levant pour les autres, ajoute aussitôt, pour que l'homme n'ait pas l'audace de vouloir pénétrer les jugements secrets de Dieu :

38, 33   XXXIII, 77. « **Numquid nosti ordinem caeli, et pones rationem eius in terra ?** » Ordinem caeli nosse, est supernarum
dispositionum occultas praedestinationes uidere. Rationem
uero eius in terra ponere, est ante humana corda talium
5 secretorum causas aperire. Rationem uidelicet caeli in terra
ponere, est supernorum iudiciorum mysteria uel considerando discutere, uel loquendo manifestare. Quod utique
facere in hac uita positus nullus potest.

　Vt enim a paruis ad maiora ueniamus, quis intellegat quae
10 esse ratio secretorum potest, quod saepe uir iustus a iudicio
non solum non uindicatus, sed etiam punitus redeat ; et iniquus eius aduersarius non solum non punitus, sed etiam
uictor abscedat ? Quis intellegat cur uiuit alius insidians mor-
tibus proximorum, et moritur alius, qui profuturus esset
15 uitae multorum ? Alius culmen potestatis assequitur, qui non
nisi laedere studet, alius tantummodo laesos defendere con-
cupiscit, et tamen ipse oppressus iacet. Alius uacare appetit,
et innumeris negotiis implicatur, alius negotiis implicari desi-
derat, et coactus uacat. Alius male incohans, usque ad uitae
20 suae terminum ad peiora protrahitur, alius bene incipiens,
per longitudinem temporum proficit ad augmenta merito-
rum. Atque e contra, alius male uiuens diu reseruatur, ut
corrigat, alius uero bene quidem uidetur uiuere, sed in hac
uita eo usque durat, quo ad peruersa prorumpat. Alius in
25 errorem infidelitatis natus, in errorem deficit, alius in catholicae fidei rectitudine genitus, in catholicae fidei rectitudine
consummatur. Econtra uero alius catholicae matris uentre
editus, iuxta uitae terminum erroris uoragine deuoratur,
alius autem uitam suam in catholica pietate consummat, qui

---

1. Les dix couples de destins opposés qui suivent développent un thème
esquissé en *Mor.* 29, 32-33, où il s'agissait seulement du sort final, bon ou
mauvais.

2. Grégoire peut penser à son propre cas, tel qu'il l'expose dans *Reg. Ep.* 1,
5-7 ; *Mor., Ep.* 1 ; *Dial.* I, Prol. 3-5.

XXXIII, 77. « **Connais-tu l'ordre du**   38, 33

Mystères des voies
de la Providence   **ciel et en rendras-tu raison sur la**

terre ? » Connaître l'ordre du ciel, c'est saisir les choix secrets de la Providence divine. En rendre raison sur la terre, c'est découvrir devant le cœur de l'homme les motifs de ces secrets si grands. Rendre raison du ciel sur la terre, c'est soit scruter attentivement les mystères des jugements célestes, soit les révéler par la parole. Mais personne ne le peut tant qu'il est en cette vie.

En allant d'exemples moins importants à de plus grands[1], demandons-nous pour quelle raison secrète le juste sort souvent puni du tribunal, bien loin d'y avoir obtenu justice, et le méchant, son adversaire, en sort non seulement impuni mais triomphant. Qui peut comprendre pourquoi reste en vie celui qui tue son prochain dans des embuscades, et pourquoi meurt l'homme qui serait utile à la vie d'un grand nombre ? L'un ne cherche qu'à faire le mal et il atteint le faîte de la puissance ; l'autre ne songe qu'à défendre ceux qui ont souffert une injustice et il est lui-même abattu et écrasé. Celui-là aspire au loisir, et le voici impliqué en d'innombrables affaires[2] ; celui-ci désire s'engager dans les affaires, et il est contraint à l'oisiveté. L'un a mal commencé et s'enfonce de plus en plus dans le mal jusqu'à la fin de sa vie ; un autre a bien débuté et progresse dans le bien au fil des jours. Au contraire, on voit celui-ci qui vit dans le mal jouir d'une longue vie pour qu'il puisse se corriger ; cet autre qui semble vivre dans le bien y persévérer au long de sa vie, jusqu'au jour où il se précipite dans l'iniquité. L'un, né dans l'erreur de l'hérésie, meurt aussi dans son erreur ; un autre, né dans la vérité de la foi catholique, y finit également ses jours. Au contraire, l'un né d'une mère catholique est englouti vers la fin de sa vie par l'abîme de l'erreur, et un autre termine sa vie dans la vraie

30 ortus in perfidia cum lacte matris hauserat uirus erroris.
Alius celsitudinem bene uiuendi appetere et uolet et ualet,
alius nec uolet, nec ualet. Alius uolet, et non ualet, alius
ualet, et non uolet.

Quis ergo ista iudiciorum caelestium secreta discutiat ?
35 Quis intellegat discretam lancem aequitatis occultae ? Ad
cognoscendos quippe istos iudiciorum secretorum sinus nullus ascendit. Dicatur ergo homini, ut se nescire cognoscat,
nescientem uero se cognoscat ut timeat ; timeat ut humilietur, humilietur ne praesumat in se ; non praesumat in se, ut
40 conditoris sui auxilium requirat. Et qui in se fidens mortuus
est, auctoris sui adiutorium appetens uiuat. Audiat itaque uir
iustus iam quidem se sciens, sed adhuc quae supra se sunt
nesciens : « *Numquid nosti ordinem caeli, et pones rationes eius
in terra ?* » Id est, numquid occultos ordines iudiciorum cae-
45 lestium comprehendis, aut aperire humanis auribus sufficis ?
Beatus igitur Iob de iudiciorum incomprehensibilium inuesti-
gatione requiritur, ac si ei aperte diceretur : cuncta quae
pateris, tanto tolerare patientius debes, quanto secretorum
caelestium ignarus, cur haec pateris nescis.

1. *Auxerat* (CCL 143B, p. 1490, ligne 29) n'est qu'une graphie de *hauserat*.
Au contraire, le *uolet* répété qui suit, jouant avec *ualet*, est une forme verbale
qui remplace le *uult* classique.

foi catholique alors que, né dans l'hérésie, il avait avalé[1] avec le lait de sa mère le poison de l'erreur. Un homme veut atteindre le sommet d'une vie sainte et il y arrive ; cet autre ne le veut, ni ne le peut. Un autre le voudrait bien mais il en est incapable, un autre enfin en serait capable mais il ne le veut pas.

Qui parviendra à sonder les secrets de ces jugements célestes ? Qui comprendra l'équité cachée de ces mesures ? Personne ne s'est élevé jusqu'à la connaissance des replis de ces jugements secrets. Tout ceci est dit à l'homme pour qu'il reconnaisse son ignorance, et que, reconnaissant qu'il ne sait pas, il craigne ; qu'il craigne afin de s'humilier, et qu'il s'humilie pour ne pas présumer de soi et, ne présumant pas de soi, qu'il demande le secours de son Créateur. Celui qui est mort pour avoir eu confiance en soi, qu'il vive en appelant à l'aide celui qui l'a créé. Que le juste, qui déjà certes se connaît lui-même mais ne connaît pas encore ce qui est au-dessus de lui, entende donc ces paroles que Dieu lui adresse : « *Connais-tu l'ordre du ciel et en rendras-tu raison sur la terre ?* », c'est-à-dire : comprends-tu l'ordre secret des jugements célestes, ou es-tu capable de le révéler à des oreilles humaines ? Le bienheureux Job est donc requis d'expliquer ces jugements incompréhensibles, comme s'il s'entendait dire en termes clairs : tout ce que tu endures, tu dois le supporter d'autant plus patiemment qu'ignorant les secrets célestes, tu ne sais pas le pourquoi de tes épreuves.

INDEX DES CITATIONS SCRIPTURAIRES

Les références scripturaires signalées en italiques indiquent une simple allusion ; la colonne de droite renvoie aux livres et paragraphes. Il n'est pas fait mention des versets commentés du *Livre de Job*.

ANCIEN TESTAMENT

NOUVEAU TESTAMENT

TABLE DES MATIÈRES

SOURCES CHRÉTIENNES

Fondateurs : † H. de Lubac, s.j.
† J. Daniélou, s.j.
† C. Mondésert, s.j.
Directeur : J.-N. Guinot

Dans la liste qui suit, dite « liste alphabétique », tous les ouvrages sont rangés par noms d'auteur ancien, les numéros précisant pour chacun l'ordre de parution depuis le début de la collection. Pour une information plus complète, on peut se procurer deux autres listes au secrétariat de « Sources chrétiennes » – 29, Rue du Plat, 69002 Lyon (France) – Tél. : 04 72 77 73 50 :

1. La « liste numérique », qui présente les volumes et leurs auteurs actuels d'après les dates de publication ; elle indique les réimpressions et les ouvrages momentanément épuisés ou dont la réédition est préparée.
2. La « liste thématique », qui présente les volumes d'après les centres d'intérêt et les genres littéraires : exégèse, dogme, histoire, correspondance, apologétique, etc.

LISTE ALPHABÉTIQUE (1-476)

(Paru également en 2003, dans la collection « Sagesses Chrétiennes », EUSÈBE DE CÉSARÉE, **Histoire ecclésiastique**, en traduction seule.)

SOUS PRESSE

Les Apophtegmes des Pères. Tome II. J.-C. Guy (†).

BERNARD DE CLAIRVAUX, **Sermons pour l'année.** Tomes I et II. I. Huille, M. Lamy, A. Solignac.

FACUNDUS D'HERMIANE, **Défense des Trois Chapitres,** Livres III-VII. Tomes II et III. A. Fraïsse-Bétoulières.

Livre d'heures ancien du Sinaï. M. Ajjoub.

SOCRATE, **Histoire ecclésiastique.** P. Maraval, P. Perrichon.

TERTULLIEN, **Contre Marcion,** Livre V. Tome V. C. Moreschini, R. Braun.

PROCHAINES PUBLICATIONS

AMBROISE DE MILAN, **Caïn et Abel.** M. Ferrari, L. Pizzolato, M. Poirier.

BÈDE LE VÉNÉRABLE, **Histoire ecclésiastique du peuple anglais.** A. Crépin, M. Lapidge, P. Monat.

BERNARD DE CLAIRVAUX, **Sermons divers,** 1-22. F. Callerot, P.-Y. Emery.

Code Théodosien, Livre XVI. R. Delmaire, K.L. Noethlichs, F. Richard.

CYRILLE D'ALEXANDRIE, **Lettres festales.** Tome IV. P. Évieux, M. Forrat.

FACUNDUS D'HERMIANE, **Défense des Trois Chapitres, Livres VIII-XII. Tomes IV.**
A. Fraïsse-Bétoulières.

GRÉGOIRE LE GRAND, **Homélies sur les Évangiles.** Tome I. R. Étaix, B. Judic,
C. Morel.

JEAN CHRYSOSTOME, **Lettres d'exil.** R. Delmaire, A.-M. Malingrey (†).

JÉRÔME, **Homélies sur Marc.** J.-L. Gourdain.

JÉRÔME, **Trois vies de moines.** P. Leclerc, E. Morales, A. de Vogüé.

ORIGÈNE, **Exhortation au martyre.** C. Morel, C. Noce.

TYCONIUS, **Livre des règles.** J.-M. Vercruysse.

RÉIMPRESSIONS RÉALISÉES EN 2002

6. GRÉGOIRE DE NYSSE, **La Création de l'homme.** J. Laplace, J. Daniélou.
7. BASILE DE CÉSARÉE, **Sur le Saint-Esprit.** B. Pruche.
35. TERTULLIEN, **Traité du baptême.** M. Drouzy, R. F. Refoulé.
67. ORIGÈNE, **Entretien avec Héraclide.** J. Scherer.
210. IRÉNÉE DE LYON, **Contre les hérésies,** Livre III. Tome I. L. Doutreleau,
A. Rousseau.
211. IRÉNÉE DE LYON, **Contre les hérésies,** Livre III. Tome II. L. Doutreleau,
A. Rousseau.
296. ÉGÉRIE, **Journal de voyage.** P. Maraval.

RÉIMPRESSIONS PRÉVUES EN 2003

7 bis. ORIGÈNE, **Homélies sur la Genèse.** H. de Lubac, L. Doutreleau.
27. **Homélies pascales.** Tome I. P. Nautin.
36. **Homélies pascales.** Tome II. P. Nautin.
54. JEAN CASSIEN, **Conférences.** Tome II. E. Pichery.
74. LÉON LE GRAND, **Sermons, 38-64.** R. Dolle.
116. AUGUSTIN D'HIPPONE, **Sermons sur la Pâque.** S. Poque.
196. SYMÉON LE NOUVEAU THÉOLOGIEN, **Hymnes.** Tome III. J. Koder, J. Para-
melle, L. Neyrand.
200. LÉON LE GRAND, **Sermons, 65-98.** R. Dolle.
222. ORIGÈNE, **Commentaire sur S. Jean,** Livre XIII. Tome III. C. Blanc.
285. FRANÇOIS D'ASSISE, **Écrits.** T. Desbonnets, T. Matura, J.-F. Godet, D. Vorreux.
325. CLAIRE D'ASSISE, **Écrits.** M.-F. Becker, J.-F. Godet, T. Matura.